W9-CQX-649

d

Donna Leon

Milde Gaben

Commissario Brunettis
einunddreißigster Fall

ROMAN

Aus dem Amerikanischen von
Werner Schmitz

Diogenes

Titel des Originals:
›Give Unto Others‹
Das Motto aus: Georg Friedrich Händel,
›Foundling Hospital Anthem‹,
HWV 268 Georg Friedrich Händels Werke.
Band 36: Psalmen
Ausgabe der Deutschen Händelgesellschaft;
herausgegeben von Friedrich Chrysander
Leipzig: Breitkopf & Härtel, 1872
Covermotiv: Foto von Andrea Perotta
Copyright © Andrea Perotta

Der Diogenes Verlag wird vom Bundesamt für Kultur
für die Jahre 2021–2024 unterstützt

Für Heike Bischoff-Ferrari

Blessed are they that considereth the poor and needy:
the Lord will deliver them in time of trouble,
the Lord preserve them and comfort them.

Selig ist er, der des Armen gedenkt, des hülflos Armen,
der Herr wird erhalten ihn zur Zeit der Trübsal,
der Herr bewahret und tröstet ihn.

GEORG FRIEDRICH HÄNDEL,
FOUNDLING HOSPITAL ANTHEM

I

Brunetti hatte zwar den *Gazzettino* schon in den Papierkorb geworfen, doch das Thema des Leitartikels ließ ihn auch auf dem Heimweg von der Questura nicht los. Zu Hause auf dem Sofa versuchte er sich auf Ciceros Anklage gegen einen korrupten Beamten in den *Reden gegen Verres* zu konzentrieren, doch seine Gedanken kehrten immer wieder zu den Geldströmen zurück, die das Land seit dem Wüten der Pandemie geflutet hatten.

Mehr als 125 000 Menschen waren schon umgekommen, und doch hatte dies der Gier kein Ende gesetzt. Wie Brunetti schon gefürchtet hatte, bediente sich das organisierte Verbrechen ungeniert aus dem praktisch unbewachten Trog. Das Geld fiel vom Himmel, ein verängstigtes Europa mästete seine Unternehmen. Die Namen der Direktoren mancher Firmen hatten ihn ebenso erschauern lassen wie die Namen mancher für die Verteilung der Mittel zuständigen Beamten. Er und seine Kollegen von der Guardia di Finanza würden noch von ihnen hören.

Kredite wurden gewährt, viele Geschäfte vor dem Untergang bewahrt, viel Gutes geschah, vielen wurde geholfen. Dennoch war Brunetti überzeugt, dass sich ein Gutteil des Geldes auf dem Weg zu seinen Empfängern in Luft auflöste und zahllose Unternehmen nur gegründet wurden, um Konkurs anzumelden und entschädigt zu werden.

Brunetti verstand von Wirtschaft nicht sehr viel, doch was das Betrügen und Stehlen anging, machte ihm niemand etwas vor: Die Verwüstungen, die das Virus in der Wirtschaft anrichtete, waren die perfekte Gelegenheit zu solchen Schurkereien. Er kannte die Tricks der Taschendiebe und Straßenräuber: Unruhe stiften, das Opfer ablenken und verunsichern, um es dann unbemerkt auszuplündern. Geschäftstüchtige Gauner hatten schnell erkannt, wie sie nun sogar ohne eigenes Zutun von der Angst und Verwirrung ihrer Opfer profitieren konnten.

Il Gazzettino berichtete von Gewerberaum, der von Hand zu Hand ging. Wo so viele Existenzen am Abgrund standen, sollte dies eigentlich ein ermutigendes Zeichen sein, Hoffnung auf eine Wiederbelebung der Stadt, würden nicht gleichzeitig die überregionalen Zeitungen berichten, dass die diversen Mafias nicht wüssten, wohin mit dem vielen so unverhofft ergatterten Geld, das gewaschen und wieder ins Banksystem eingeschleust werden musste. Bot sich da ein Geschäft in guter Lage in Venedig nicht geradezu an? Über kurz oder lang würden die Touristen zurückkommen, selbst die Kreuzfahrtschiffe würden wieder aus der Versenkung auftauchen, auch wenn Brunetti sie eher als schwimmende Särge betrachtete.

Er verscheuchte diese Gedanken. Wozu sich vorschnell düsteren Spekulationen hingeben? Vielleicht würden die Menschen ja, täglich mit der eigenen Sterblichkeit konfrontiert, doch noch zur Vernunft kommen und andere Prioritäten setzen.

Ein Geräusch im Flur riss ihn aus seinen Gedanken. Er sah gerade noch, wie Chiara in ihr Zimmer verschwand, um sich in ihrer hermetischen Welt der sozialen Medien einzuigeln. Angst und Sorge um seine Kinder befiel ihn, sogleich aber flammte auch Hoffnung auf trotz allen Schadens, den die Welt genommen hatte, in der sie ihr Leben verbringen würden.

Um seine Stimmung zu verscheuchen, machte Brunetti sich auf den Weg zu Paolas Arbeitszimmer; die Tür stand offen, und er trat ein. Sie saß, die Brille mitten auf der Nase, vor ihrem Computer. Ohne aufzublicken, sagte sie: »Gut, dass du da bist.«

»Warum?«, fragte er und gab ihr einen Kuss auf den Hinterkopf.

Sie tippte einen Satz zu Ende, nahm die Brille ab und wandte sich ihm zu. Er merkte, wie ihre Augen sich erst auf die größere Entfernung einstellen mussten.

»Weil du stark genug bist, mich festzuhalten, wenn ich von der Terrasse springen will«, sagte sie so ruhig, als würde sie einem Fremden auf der Straße den Weg erklären.

Er ließ sich aufs Sofa fallen, streifte die Schuhe ab und legte die Füße hoch. Ihr Schreibtisch war fast leer, keine Bücher oder Papiere, nur eine leere Kaffeetasse.

»Falls es um die Uni geht, kann ich meine Pistole aus dem Schlafzimmer holen.«

»Für mich?«

»Nicht doch«, sagte er. »Für den, über den du schreibst.« Bevor sie antworten konnte, deckte er auch gleich die andere Möglichkeit ab: »Oder für den, an den du schreibst.«

»Volltreffer«, sagte sie.

»Also, an wen?«

»Severin, diesen Idioten.«

Er erinnerte sich nicht gleich, wer das war, dann aber fiel ihm ein Abendessen ein, zu dem ihn Paola vor fünf Monaten mitgeschleppt hatte. Ihr Kollege von der Anglistischen Fakultät, Claudio Severin, und dessen recht sympathische Frau, an deren Namen sich Brunetti nicht mehr erinnerte, hatten mit ihnen am Tisch gesessen.

»Seine Frau ist nicht an der Uni, stimmt's?«, fragte Brunetti. Immerhin das wusste er noch.

»Nein. Sie ist Anwältin.«

»Gut, wenn die Leute einen anständigen Job haben«, bemerkte Brunetti in der Hoffnung, Paola zum Lachen zu bringen.

Sie lächelte nicht einmal. Folglich war die Sache ernst.

Brunetti wollte schon fragen, womit Severin sie so verärgert hatte, entschied sich dann aber für die neutralere Frage: »Was schreibst du ihm?«

»Dass ich mit seiner Einschätzung einer der Doktorandinnen nicht einverstanden bin.«

»Welche denn?«

»Anna Maria Orlando. Aus Bari, glaube ich. Hübsch. Schreibt sehr gut.« Ging es hier etwa, fragte er sich, um Vorurteile gegen Frauen aus dem Süden, die es wagten, klug zu sein?

»Und?«, fragte er.

»Severin hat sich in sie verknallt. Sie hat alle seine Vorlesungen besucht und ihn gebeten, ihr Doktorvater zu sein. Und jetzt hat er mir erzählt, er werde der Universität vorschlagen, sie als Forschungsassistentin einzustellen.«

»Soll ich etwa aufspringen und die Hände überm Kopf zusammenschlagen, als hätte ich dergleichen noch nie gehört?«, fragte Brunetti. Doch beim Gedanken an all die älteren Männer, die sich mit jüngeren Frauen ihr Leben ruinieren, setzte er in ernsterem Ton hinzu: »Und deine Mail?«

»Ich schreibe ihm inoffiziell, nicht als Mitglied des Gremiums, das sich mit solchen Einstellungen befasst, und weise ihn darauf hin, dass Signorina Orlando den Anforderungen der Fakultät wohl kaum genügen dürfte.«

»Als da wären?«, fragte Brunetti, neugierig mit den Zehen wackelnd.

»Außerordentliche Leistungen in den Seminaren«, sagte Paola und hob den Daumen; dann den Zeigefinger: »Fürsprache und Zustimmung ihrer früheren Professoren.« Für die letzte Bedingung kam der Mittelfinger hinzu: »Und mindestens zwei Veröffentlichungen in angesehenen Fachzeitschriften auf dem Spezialgebiet des Kandidaten.«

»Als da wäre?«

Paola antwortete nach kurzem Zögern: »Die Silbergabelromane.«

Er vergaß seine Zehen und fragte: »Die was?«

»Die Silbergabelromane. Davon habe ich dir schon einmal erzählt.«

Brunetti sah sie verständnislos an. »Kann mich nicht erinnern.« Nach einer Pause, die Paola zu seinem Bedauern nicht füllte, fragte er: »Also, worum geht es?«

»Englische Romane im 19. Jahrhundert voller langatmiger Belehrungen, wie man sich in Gesellschaft zu benehmen oder nicht zu benehmen hat.« Da er dazu schwieg, fügte sie hinzu: »Damals sehr populär.«

»Du hast sie alle gelesen?«, fragte er, nie so ganz sicher, was sie während ihres Studiums in Oxford getrieben hatte.

»Einen.«

»Erinnerst du dich an den Titel?«, fragte er. Paola vergaß nie etwas.

Sie schloss kurz die Augen, bis ihr der Name wieder einfiel: »*Contarini Fleming*.«

Brunetti wartete vergebens, bevor er sie bat: »Erzähl.«

»Es ist ziemlich kompliziert«, begann sie. »Die Mutter des Helden stirbt bei seiner Geburt; er wächst in Skandinavien auf und verliebt sich in eine verheiratete Frau, die ihn zurückweist. Verzweifelt geht er nach Venedig, wo er sich in seine Cousine verliebt. Die weist ihn nicht zurück, und dann stirbt auch sie im Kindbett.« Paola verstummte, ihr Blick ging ins Leere, ein Blick, den Brunetti ihr Pokergesicht nannte, weil er dann nie wusste, was sie im Schilde führte.

Wie wenn sie mit einer rhetorischen Frage ihre Studenten zum Reden bringen wollte, meinte sie: »Ist es nicht interessant, dass Frauen in viktorianischen Romanen so oft im Kindbett oder an Tuberkulose sterben?«

Brunetti schenkte sich die Antwort. Stattdessen fragte er: »Und das Buch war ein Erfolg?«

»Ja. Sehr.«

»Und der Autor? Was ist aus ihm geworden?«, fragte Brunetti, überzeugt, dass es mit dem Mann ein böses Ende genommen haben musste, nachdem er derlei nicht nur gelesen, sondern auch noch geschrieben hatte.

»Er wurde Premierminister von England«, antwortete Paola.

Das musste Brunetti erst einmal verdauen. Schließlich sagte er: »Um auf unser ursprüngliches Thema zurückzukommen: Wie alt ist Signorina Orlando?« Severin schätzte er auf Ende fünfzig.

»Ein- oder zweiundzwanzig, würde ich sagen.«

»Oje, oje, oje. Das verheißt nichts Gutes.« Und um Paola mit einer ihrer englischen Lieblingsredewendungen eine Freude zu machen, fügte Brunetti hinzu: »Tränen vor dem Schlafengehen.«

»Ich fürchte, an Schlafengehen ist nicht mehr zu denken, mein Lieber«, sagte sie und beugte sich über den Bildschirm.

Nicht im Geringsten abgeschreckt von ihrem Sarkasmus, blieb Brunetti beim Thema: »Was schreibst du ihm?«

»Ich schicke ihm eine Kopie ihrer Zeugnisse und der Stellungnahmen ihrer früheren Professoren.«

»Ist das erlaubt?«

Sie sah verblüfft zu ihm hoch. »Selbstverständlich. Sie sind Teil der Unterlagen, die jeden Studierenden von Jahr zu Jahr begleiten.«

»Und Professoren halten schriftlich fest, was sie von ihren Studenten halten?«, fragte Brunetti, als sich plötzlich die akademische Freiheit in ihrer ganzen Größe vor ihm auftat. Ach, wenn doch nur …

»Natürlich nicht«, antwortete Paola und nahm die Hände von der Tastatur. »Oder vielmehr, sie verwenden einen Code, den jeder kennt.«

»Ah«, seufzte Brunetti zufrieden. Wie beruhigend, dass Akademiker sich genau wie Polizisten verhielten, wenn sie einander bewerten sollten: Alles formuliert mit Blick auf die Folgen, die negative oder kritische Aussagen nach sich ziehen mochten. »Sehr eifrig« für »unbesonnen«; »von bemerkenswerter Ernsthaftigkeit« für »schwerfällig«; »offen für die Meinungen ihrer Kollegen« für »entscheidungsschwach«; »zeigt enorme intuitive Begabung« für »scheint sich mit dem Strafgesetzbuch nicht auszukennen«.

Brunetti nickte erleichtert; endlich musste er sich keine Illusionen mehr machen, dass es Institutionen geben könnte, in denen die Leistungen objektiv und ehrlich beurteilt wurden.

Er hielt die Zehen still und sagte: »Ich verstehe nur nicht, warum du dir überhaupt die Mühe machst, ihm zu schreiben.«

»Das habe ich dir schon einmal erzählt, Guido: Er war gut zu mir, als ich an der Uni anfing.« Sie drehte sich zu ihm um, wandte sich aber gleich wieder dem Bildschirm zu, fast, als sei die Bemerkung ihr peinlich.

Brunetti, der sich erinnerte, nickte nur. Paola fühlte sich jedem, der sie jemals freundlich behandelt hatte, auf ewig zu Dank verpflichtet, und er wusste nicht, ob das nun eine Tugend oder eine Schwäche war. Doch wie kam er nur darauf, dabei an Schwäche zu denken? »Also, was willst du ihm sagen?«

Den Blick auf den Bildschirm gerichtet, antwortete Paola: »Dass es ratsam wäre, wenn er sich die von der Universität online gestellten Anforderungen für den Posten einmal genau ansehen würde, und dass er sich fragen sollte, ob Signorina Orlando sie in jedem Punkt erfüllt.«

»Klingt vernünftig«, meinte Brunetti.

»Und ob«, stimmte Paola zu. »Insbesondere weise ich ihn auf die zwei Veröffentlichungen in angesehenen Fachzeitschriften hin.«

Brunetti war ein mutiger Mann, ein wissbegieriger

Mann, und so fragte er: »Was sind das für Zeitschriften, die als angesehen gelten?«

Paola schloss kurz die Augen: »*Viktorianische Literatur und Kultur* und *Journal für Viktorianische Kultur*.« Da Brunetti sich unbeeindruckt zeigte, fügte sie hinzu: »Es gibt natürlich noch viele andere.«

»Hört sich an wie diese Zeitschriften, die bleiche Leute auf der Straße verkaufen.«

»Wir sind in Venedig, Guido«, sagte sie und wandte sich wieder ihrem Computer zu.

Brunetti insistierte nicht weiter und suchte lieber in der Küche nach etwas Essbarem, das ihm bis zum Abendessen über die Runden half.

2

Als Brunetti am nächsten Morgen zur Questura ging, strahlte ihm auf der Rialtobrücke die Sonne ins Gesicht. Auf dem Scheitel der Brücke blieb er stehen. Er betrachtete die Palazzi, die bis zur Universität in Reih und Glied standen und dann linker Hand aus dem Blickfeld verschwanden.

Am Fuß der Brücke bog Brunetti ab und machte erst bei Didovich wieder halt auf einen Kaffee an der Bar, wobei er die Schlagzeilen der Zeitung des Mannes neben ihm überflog. Dann ging er weiter, an der Miracolikirche entlang geradeaus zum Campo Santi Giovanni e Paolo, wo er die überwältigenden Fassaden der Basilica und des Ospedale auf sich wirken ließ. Er verweilte auf dem Campo, voller Sehnsucht, die Dinge noch einmal so zu sehen wie beim ersten Mal. Dann aber wurde ihm klar, dass er damals drei Jahre alt gewesen war und vermutlich nichts anderes wahrgenommen hatte als die Löwen an der Fassade des Ospedale und Colleonis Pferd.

Innehalten und Schönheit bewundern war in jüngerer Vergangenheit nicht möglich gewesen, als er und all jene, die noch zur Arbeit gehen mussten, dies nur sehr vorsichtig taten, stets den kürzesten Weg nahmen, auf das Vaporetto möglichst verzichteten, bei Wind und Wetter lieber zu Fuß gingen und um andere Passanten einen Bogen machten, wenn die keine Maske trugen. Jetzt hatte die Lage sich etwas entspannt, und Brunetti konnte wenigstens in diesem winzigen Punkt zur Vergangenheit zurückkehren und etwas zum reinen Vergnügen tun, und das ohne Furcht. Im langen Lauf des Lebens nur eine Kleinigkeit, die Brunetti jedoch viel bedeutete.

Pendolini, der Wachmann am Eingang, trug immer noch konsequent eine Maske. Viele von denen, die im Haus arbeiteten, verzichteten mittlerweile darauf. Hielten die sich für unverwundbar, weil sie ja schließlich Polizisten waren, oder hatten sie das Risiko, keine Maske mehr zu tragen, gründlich erwogen? Brunetti hatte seinen Bruder Sergio gefragt, der im Ospedale Civile arbeitete, und der hatte gesagt, bei der Arbeit trage er immer eine Maske, sonst nicht, Brunetti als vollständig Geimpfter solle allenfalls eine tragen, wenn er sich mit jemand Gefährdetem in einem kleinen geschlossenen Raum befände.

»Eine Frau möchte Sie sprechen, Commissario. Sie wartet schon eine ganze Weile«, begrüßte ihn der Wachmann durch seine Maske. Er wies auf eine Gestalt, die hinten in der Eingangshalle auf der Besucherbank saß und von der Brunetti nur die linke Hälfte erkennen konnte. Die andere Hälfte wurde von einem Mann verdeckt, der vor ihr stand und offenbar mit ihr redete. Über den beiden hing ein Foto der Fontana di Trevi, was Brunetti seit jeher rätselhaft fand.

»Wie heißt sie?«

»Das hat sie nicht gesagt, Signore. Sie meinte, sie kenne Sie.«

»Und wer ist das vor ihr?«

»Sieht nach Tenente Scarpa aus«, sagte der Wachmann.

»Er muss nach unten gekommen sein, nachdem ich sie zum Warten dorthin geschickt hatte.«

Plötzlich wandte die Frau ihren Blick zum Eingang, und als der Mann daraufhin zur Seite trat und sich umdrehte, entpuppte er sich tatsächlich als Tenente Scarpa, der Assistent – andere hielten ihn eher für den Handlanger – von Vice-Questore Giuseppe Patta, Brunettis direktem Vorgesetzten.

Bei Brunettis Anblick mimte Scarpa ein Lächeln, raunte der Frau etwas zu, wandte sich dann langsam ab und ging zur Treppe. Obwohl Brunetti nun freie Sicht auf die Frau gehabt hätte, behielt er den Tenente im Blick, bis dieser hinter dem ersten Treppenabsatz verschwunden war.

Dann sah er zu der Frau hinüber, die eine Maske trug und ihm aus der Entfernung nicht bekannt vorkam. Schlank, eine Kurzhaarfrisur, die alles andere als knabenhaft wirkte und so viel Blond enthielt, dass sie alles andere als grau wirkte.

Auch sie hatte Scarpa auf der Treppe nachgesehen. Erst dann wandte sie sich zum Eingang. Sie hob die Linke und schwenkte sie wie ein Metronom, um ihn auf sich aufmerksam zu machen. In Brunetti stiegen Erinnerungen an alte – und nicht gerade die glücklichsten – Zeiten auf, denn diese Handbewegung konnte nur einer gehören: Elisabetta Foscarini. Ihre Familie hatte die viel größere Wohnung über Familie Brunetti bewohnt, damals, vor Jahrzehnten, in Castello. Ein alter Kriegskamerad von Brunettis Vater hatte ihnen die kleine Parterrewohnung mietfrei zur Verfügung gestellt. Als Gegenleistung erledigte sein Vater alle möglichen Arbeiten am und im Haus. Er fegte die Treppen, trug den Müll hinaus, machte kleinere Reparaturen und Besorgungen für die Hausbewohner und Nachbarn. In Castello gab es so gut wie keine Geheimnisse. Alle wussten, dass die Familie arm und der Vater seltsam war. Und dass sie umsonst dort wohnten.

Brunetti drehte sich zu Pendolini und bat ihn um eine Maske. Überrascht holte der Beamte eine unter dem Tresen hervor. Brunetti dankte, befestigte sie hinter den Ohren und ging Elisabetta entgegen.

Als sie die Wohnung bezogen, war er auf der Mittelschule. Elisabetta, ein Einzelkind, fünf oder sechs Jahre älter als er, ging auf die Morosini, die schon damals als die beste Schule der Stadt galt.

Nach kaum einem Jahr in der Wohnung ertrug Brunettis Vater die Großzügigkeit seines Freundes nicht mehr, und die Familie zog in eine noch kleinere Wohnung, ein noch schlimmeres Loch bei Santa Marta, wo er und sein Bruder Sergio sich ein Zimmer teilten und das Verhalten seines Vaters so seltsam wurde, dass man ihn, als ehemaligen Soldaten, ins Militärkrankenhaus brachte und dort so lange festhielt, bis er praktisch verstummt war und nichts Seltsames mehr hervorbrachte. Immerhin war sein Vater nach der Entlassung liebevoller zu seinen Söhnen und seiner Frau und drückte seine Gefühle freigebig mit Umarmungen aus, die ihm leichter fielen als Worte.

Elisabetta erhob sich leichtfüßig und kam ihm entgegen. Genau wie damals ging sie kerzengerade und mit weiten Schritten. Wie gut sie aussah, wie wenig die Jahre ihr angetan hatten. Als er stehen blieb, tat sie es ihm nach, ein Meter blieb zwischen ihnen. Ihre Augen lächelten. »Ah,

Guido, wie schön, dich zu sehen«, sagte sie in reinstem Italienisch. Ihre Familie hatte nie Veneziano gesprochen, den Dialekt der unteren Schichten. »Wie gut du aussiehst«, fuhr sie fort. »Es ist …«, sie stockte und schloss kurz die Augen, »… so lange her, dass ihr aus Castello weggezogen seid. Aber immerhin konnten wir uns noch in der Stadt Hallo sagen.« Wieder lächelten ihre Augen. »Sehr venezianisch, nicht wahr?«

Brunetti lächelte ebenfalls und nickte, ja, sie waren einander immer wieder begegnet. Anfangs hatten die Männer in ihrer Begleitung ein paarmal gewechselt, dann war es immer derselbe gewesen. Schließlich kam ein Baby hinzu, aus dem ein kleines Mädchen und dann ein Teenager wurde.

Auch Elisabettas Haarfarbe und Frisur hatten sich im Lauf der Jahre mehrmals geändert. Bald nachdem sie begonnen hatte, die Haare kurz zu tragen, waren die Haare des Mannes, der weiterhin an ihrer Seite ging, allmählich weiß geworden, etwas, das sie bei ihren eigenen offenbar zu verhindern wusste. Manchmal waren Brunetti und Elisabetta stehen geblieben und hatten Erinnerungen ausgetauscht, freilich nur die guten. Einmal war der Weißhaarige dabei gewesen und auf einen Kaffee mitgekommen, Bruno del Balzo, ein erfolgreicher, stadtbekannter Geschäftsmann. Ihm gehörten nicht nur Unternehmen im Ausland, Fabriken für Maschinenteile, Kleidung und Schuhe, sondern auch Supermärkte in Marghera und Mestre und ein großes Feinkostgeschäft am Campo Santo Stefano, das auf Ausländer und die wachsende Zahl von Vegetariern und Veganern ausgerichtet war.

Seit gut zehn Jahren hatte Brunetti die beiden nicht mehr

in der Gegend von San Marco getroffen und angenommen, sie seien umgezogen. Vor drei oder vier Jahren dann hatte er den Weißhaarigen einmal auf dem Campo Santi Giovanni e Paolo gesehen, wie er im Portal des letzten Palazzo linker Hand verschwand, als Brunetti gerade aus dem Rosa Salva kam.

»Schön, schön, schön«, begann Elisabetta wieder, ohne sich mit den albernen Verrenkungen aufzuhalten, die Erwachsene jetzt anstelle von Händeschütteln und Wangenküssen vollführten. Brunetti wusste um das Trügerische von Erinnerungen, dennoch machte das Wiedersehen mit Elisabetta ihm wenig Freude, nicht, weil er sie aus der härtesten Zeit seines Lebens kannte – und durch sie daran erinnert wurde –, sondern weil ihm gerade einfiel, wie sie einmal, als sie ins Haus ging, nicht auf seine von Weitem herankommende Mutter gewartet hatte, um ihr die Tür aufzuhalten. Sie war eine junge Frau aus angesehener Familie; sie hatte viele Freunde; ihre Familie galt als wohlhabend; und doch, dieser Mangel an simpler Höflichkeit hatte den jungen Brunetti schockiert und seiner Bewunderung für Elisabetta einen Dämpfer verpasst.

Er wollte gerade versichern, wie sehr ihn das Wiedersehen freue, da erklärte sie, während sie den Blick durch die riesige Eingangshalle schweifen ließ, als gehöre das alles Brunetti: »Wir haben deine Karriere verfolgt, meine Mutter und ich.« Sie standen auf Augenhöhe. Da waren nur ein paar Fältchen und Altersflecken, doch das tat ihrer Schönheit keinen Abbruch. »Aus irgendeinem Grund war meine Mutter stolz auf deinen Erfolg«, erklärte Elisabetta. »Sie hielt so große Stücke auf dich.«

»Wirklich?«, fragte Brunetti, erfreut, dass Elisabettas Mutter ihn nicht vergessen hatte.

Während sie das übliche Ritual beim Wiedersehen alter Bekannter aufführten, fragte Brunetti sich die ganze Zeit, was Elisabetta von ihm wollte. Doch wohl nicht über alte Zeiten plaudern oder darüber lamentieren, wie sehr Castello sich mit den Jahren verändert hatte.

Sie blickte um sich und fragte: »Können wir irgendwo reden, Guido?«

Er nickte; sie hatte ihn zweimal mit Vornamen angesprochen, woraus er schloss, dass es um etwas Wichtiges ging. Aber was mochte das sein?

Brunetti wies auf die Treppe, die der Tenente genommen hatte. »Mein Büro ist oben. Hoffentlich stört es dich nicht, zwei Stockwerke hochzusteigen.«

»Du liebe Zeit, nicht doch«, sagte Elisabetta. »Wir wohnen im vierten Stock. Ohne Aufzug.«

Brunetti dachte an den Palazzo, in den er ihren Mann am Campo Santi Giovanni e Paolo hatte verschwinden sehen. Wie wohl die Aussicht von da oben war? Vom vierten Stock aus mussten die Berge zu sehen sein. »Also, gehen wir?«, fragte er.

Er bot ihr nicht den Arm, denn in diesen Zeiten scheuten viele vor Berührung zurück. Keine Wangenküsse zur Begrüßung mehr, keine Umarmungen, und niemand stupste mehr einen Fremden am Arm, um ihn darauf aufmerksam zu machen, dass er etwas verloren oder sich in der Tür geirrt hatte. Sang- und klanglos war ihnen allen eisige Förmlichkeit auferlegt worden. Brunetti fehlte der lockere, freundliche Umgang zwischen den Menschen sehr.

Auf der Treppe erkundigte Elisabetta sich nach seiner Familie, seiner Frau und den Kindern. Sie schien aufrichtig interessiert. Seine Frau, erklärte Brunetti nur, arbeite immer noch an der Universität, sein Sohn studiere dort und seine Tochter wolle in zwei Jahren damit anfangen. Dann verlangsamte er seine Schritte und fragte nach dem kleinen Mädchen, das er hatte aufwachsen sehen; ihren Mann ließ er außen vor.

Am Fuß der zweiten Treppe zögerte sie kurz. »Sie ist kein kleines Mädchen mehr. Sie ist über dreißig.« Elisabetta antwortete ebenso summarisch wie er selbst.

Oben angekommen, blieb Brunetti kurz stehen, falls Elisabetta eine Verschnaufpause brauchen sollte. In diesem Moment vernahm er Schritte und sah Claudia Griffoni die Treppe hochkommen. Als Griffoni registrierte, dass Brunetti nicht allein war, wollte sie mit zum Gruß erhobener Hand wortlos an ihnen vorbei nach oben gehen.

»Claudia«, rief Brunetti.

Griffoni drehte sich zu ihnen um.

»Darf ich dir eine alte Freundin vorstellen?« Brunetti trat einen Schritt zurück und sagte: »Elisabetta Foscarini.«

Griffoni streckte freundlich die Hand aus, eine Geste, die ihr Gegenüber offensichtlich überraschte. Elisabetta schüttelte lächelnd den Kopf, und Griffoni entschuldigte sich: »Oh, Verzeihung. Ich vergesse das immer wieder.«

Elisabetta behielt die Hand unten. »*Piacere.*«

»Ganz meinerseits, Signora.«

Um ihnen allen über den peinlichen Augenblick hinwegzuhelfen, erklärte Brunetti seiner Kollegin: »Wir haben als Teenager im selben Haus gewohnt.«

Griffoni zwinkerte der anderen Frau komplizenhaft zu. »Ich wusste gar nicht, dass der Commissario mal Teenager war.«

Elisabetta ließ ein wenig damenhaftes Prusten vernehmen, gestattete sich, laut aufzulachen, und sah grinsend zwischen Brunetti und Griffoni hin und her.

Bevor Brunetti etwas sagen konnte, nickte Griffoni den beiden zu und verzog sich nach oben.

In seinem Büro sorgte Brunetti erst einmal für frische Luft. Als er vom Fenster zurücktrat, stieß er beinahe mit Elisabetta zusammen. Er sprang beiseite, bat um Verzeihung und ließ sich ihren Mantel geben. Den Schnitt hatte er schon bewundert; jetzt hatten seine Hände Gelegenheit, auch den Stoff zu begutachten.

Er hängte das Teil in den Schrank und rückte einen Stuhl vor seinen Schreibtisch. Kurz spielte er mit dem Gedanken, sich hinter den Tisch zurückzuziehen, dann aber stellte er den zweiten Stuhl dem ihren gegenüber, jedoch in einiger Entfernung. Er nahm die Maske ab; davon ermutigt, tat sie desgleichen und verstaute ihre in einer verschließbaren Plastikhülle aus ihrer Handtasche.

Jetzt, wo er ihr ganzes Gesicht sehen konnte, bemerkte Brunetti noch deutlicher, wie gut Elisabetta sich gehalten hatte. Sie war schlanker als früher, nur um die Augen und unterm Kinn hatte die Zeit Spuren hinterlassen. Ihr Blick war noch derselbe: dunkeläugig, beharrlich, fest, ohne jede Spur jener latenten Koketterie, wie attraktive Frauen sie nicht selten ausstrahlen.

War er damals nicht wenigstens ein bisschen in sie verliebt? Irgendwie schon, dachte Brunetti, aber das waren andere Zeiten gewesen, und niemals hätte ein Junge aus seiner Schicht es gewagt, einem Mädchen wie ihr den Hof zu machen. Vermutlich hatte sie das mit einem einzigen Blick klargestellt, falls nicht schon die Sache mit der Haustür seine Leidenschaft hatte erkalten lassen.

Ihre Stimme holte ihn in die Gegenwart zurück, in der sie sich Auge in Auge gegenübersaßen. »Was für nette Kollegen du hast«, begann sie. Und da er schwieg, fügte sie hinzu: »Du bist nicht gerade beschäftigt?« Ihr anbiedernder Ton war ihm unangenehm.

»Ich habe jede Menge Zeit. Dieser Tage werden nur wenige Verbrechen begangen.«

»Na, das ist doch gut, oder?«, meinte sie geistesabwesend und ohne weiter nachzuhaken. »Ich möchte dich nicht stören.« Es klang beinahe, als hoffte sie auf ein baldiges Ende des Treffens, ein verbreiteter Wunsch bei denen, die in die Questura kamen.

Gedankenlos streckte sie die Hand aus, vielleicht, um ihn am Arm zu berühren, hielt aber noch rechtzeitig inne. Sie zog die Hand zurück und senkte den Blick. Beide schwiegen.

Plötzlich erinnerte Brunetti sich an einen Nachmittag – da mochte er dreizehn gewesen sein –, als er am Küchentisch, der einzigen Stelle, wo genug Platz zum Schreiben war, seine Hausaufgaben erledigte. Es klopfte an der Wohnungstür, und da seine Mutter gerade beim Vermieter war, dem sie zweimal wöchentlich die Wohnung putzte, musste er selbst öffnen.

Er ließ die Hausaufgaben liegen, um aufzumachen, und da stand Elisabettas Mutter mit einem großen Kochtopf vor der Tür.

Sie war eine große, erschreckend dünne und nicht sehr hübsche Frau mit schütterem Haar, das sie wie seine Großmutter in einem winzigen Knoten trug. Nie wäre man auf die Idee gekommen, dass sie mit einem reichen Notar verheiratet war, es sei denn, man war Venezianer und kannte die Vorgeschichte ihrer Ehe. Sie war das einzige Kind von Notaio Alberto Cesti, einem der erfolgreichsten Notare der Stadt. Dessen junger Assistent, Leonardo Foscarini, hatte sich, wie böse Zungen behaupteten, beim bloßen Anblick der Mandantenliste und der Summen, die sie einspielte, auf der Stelle in sie verliebt.

Elisabettas Mutter grüßte den jungen Brunetti und bat ihn um einen Gefallen: Ob sie den Topf dalassen könne? Er sah, wie groß der war, und bot an, ihn ihr abzunehmen.

»Danke, Guido«, sagte sie. »Er ist heiß, am besten stelle ich ihn einfach auf den Herd.« Sie machte drei Schritte, setzte den Topf ab und schüttelte die Hände aus, die zu lange die heißen Griffe gehalten hatten. Dampf drang unter dem Deckel hervor, und die Küche der Brunettis füllte sich mit dem Duft von Tomaten, Kräutern und Zwiebeln.

Er wollte ihr etwas anbieten, doch gab es nichts anderes anzubieten als Wasser, und das war ihm peinlich. »Was soll ich meiner Mutter sagen?«, fragte der junge Brunetti.

»Sie hat mir ihr Rezept für *pasta e fagioli* gegeben, und das habe ich heute probiert.« Elisabettas Mutter lachte – Brunetti, der sie noch nie hatte lachen hören, fand das schön. Sie rieb sich die Hände an der Schürze – Brunetti sah sie oder seine Mutter selten ohne dieses Kleidungsstück – und sagte irgendwie verlegen: »Ich habe nicht aufgepasst und anscheinend zu viele Bohnen und Pasta reingetan, und jetzt habe ich viel zu viel gekocht.«

Es war nicht das erste Mal, dass Signora Foscarini die Resultate ihrer mangelnden Kochkünste nach unten brachte und die Brunettis darum bat, ihr die Peinlichkeit zu ersparen, ihrer Familie »diese Bescherung« oder »dieses viel zu groß geratene Gericht« auftischen zu müssen. Und die Brunettis halfen ihr bereitwillig aus der Patsche.

Sie zeigte auf den Topf. »Ich musste ständig Wasser nachgießen, dabei wurde es immer mehr, und schließlich musste ich es auf zwei Töpfe verteilen. Das hier«, sagte sie, »ist nicht mal die Hälfte. Wir schaffen niemals alles, also sag deiner Mutter, sie soll euch bitten, beim Aufessen zu helfen.«

Brunetti war nicht in einer Welt aufgewachsen, in der Essen verschenkt wurde, erst recht nicht in großen Mengen, er wusste nur, Elisabettas Mutter war eine gute Frau. Wie sorgfältig sie ihrer Geschichte den Anstrich von Wahrheit zu geben versuchte, begriff er erst später. Jetzt dankte er ihr und wünschte nichts so sehr, als ihr etwas anbieten zu können, und sei es nur ein Apfel.

Sie ging zur Tür. »Hoffentlich schmeckt es euch«, sagte sie lächelnd. »Ich fürchte, wir alle werden noch die ganze Woche davon essen.«

Als sie gegangen war, nahm Brunetti den Deckel von dem heißen Topf. Essensduft schlug ihm entgegen: Bohnen, Tomaten und Zwiebeln, Rosmarin und Thymian. Und oben zwischen kleinen Möhrenscheiben schwammen so viele Stückchen Wurst, wie er noch nie gesehen hatte.

Ihn überkam ein wohliges Gefühl von Sicherheit: Schon

ein Viertel vom Inhalt dieses Topfs hätte genügt, ihn satt zu machen. Jetzt, Jahrzehnte danach, erinnerte er sich nicht mehr, ob sie die Pasta an jenem Abend aufgegessen hatten oder wie viel er davon abbekommen hatte. Er erinnerte sich nur noch an die plötzlich in ihm aufsteigende Gewissheit, dass er nicht würde hungern müssen, zumindest nicht an diesem Abend.

Unwillkürlich erklärte Brunetti, zum ersten Mal aufrichtig freundlich, seit er Elisabetta unten getroffen hatte: »Es ist sehr schön, dich wiederzusehen.« Und in Erinnerung an die Güte ihrer Mutter fügte er hinzu: »Wir hatten großes Glück, in eurer Nähe zu wohnen.«

Er bemerkte ihre Verblüffung. Sie sah auf ihre im Schoß verschränkten Hände, dann zu Brunetti. »Meine Mutter hat immer gesagt, du seist ein guter Junge, Guido.«

Brunetti errötete. Um das zu überspielen, fragte er, ohne dass ihm auf die Schnelle eine schonendere Formulierung eingefallen wäre: »Lebt sie noch?«

Elisabetta schüttelte den Kopf. »Nein. Sie ist vor einigen Jahren gestorben.«

»Das tut mir leid«, sagte Brunetti, und er meinte es ernst. »Sie war sehr nett zu meiner Mutter.« Wieder riss sich eine Erinnerung los und begann, an die Oberfläche zu treiben.

»Oh, sie war zu allen nett«, sagte Elisabetta, als sei das Kompliment ihr unangenehm. Ja, richtig, dachte Brunetti; es ging um Freundlichkeit, um ihre oder seine Mutter.

»So hatte meine Mutter jemanden, mit dem sie reden konnte«, fügte Brunetti hinzu.

Elisabetta nickte. »Meine Mutter hat mir erzählt, wie sehr man sich um dich und Sergio gekümmert hat.«

Erstaunlich, dass Elisabetta all die Jahre den Namen seines Bruders behalten hatte. Doch Brunetti ließ sich seine Überraschung nicht anmerken. Um etwas zu erwidern, meinte er: »Damals habe ich nicht verstanden, wie einsam sie war, oder wie traurig, ich wusste nur, es tat ihr jedes Mal gut und half ihr über manche Tage, wenn sie mit ihr reden konnte.«

Elisabetta war sichtlich verwirrt. »Sprichst du von meiner Mutter?«, fragte sie, und es klang beinahe entrüstet.

Ihr Ton rief Erinnerungen wach, er hörte seine Mutter, selbst die Freundlichkeit und Geduld in Person, sagen: »Ich glaube, ihre Mutter weiß, Elisabetta hat kein so gutes Herz wie sie.« Mit einem Hemd seines Vaters am Bügelbrett stehend, hatte sie hinzugefügt: »Aber das scheint Elisabetta nicht zu kümmern.«

Ganz in diese Gedanken versunken, hatte Brunetti es schwer, auf Elisabettas Frage einzugehen. Schließlich platzte er heraus: »Nein doch, nein. Ich kannte sie ja kaum. Ich habe von meiner Mutter gesprochen, nicht von deiner, Elisabetta. Glaub mir bitte.«

Elisabetta schloss die Augen und presste die Lippen zusammen. Sie setzte zum Sprechen an, hielt inne, öffnete den Mund und dann die Augen und sagte schließlich: »Entschuldige, Guido. Ich habe das falsch verstanden.« Nachdenklich, als sinne sie einem neuen Gedanken nach, fuhr sie fort: »Vermutlich müssen Frauen mehr reden als Männer. Es hilft uns, wenn wir erzählen können, wie man uns behandelt und was wir von anderen halten und was uns glücklich macht oder traurig.«

»Während Männer nur über Geld und Macht reden?«

Brunetti versuchte, die Frage wie einen Scherz klingen zu lassen.

»Richtig«, ging Elisabetta über den Scherz hinweg oder tat zumindest so, als habe sie ihn nicht mitbekommen.

Beide schwiegen, bis er sich vorbeugte und seine Hand auf ihre Stuhllehne legte. »Warum bist du zu mir gekommen, Elisabetta?«

Ihre Hände verkrampften sich. Sie versuchte, nach hinten auszuweichen, saß aber schon so weit hinten wie möglich und brachte nur den Stuhl zum Knarren. Sie wandte den Blick von ihm ab zum Fenster.

Nachdem Elisabetta mehrmals tief Luft geholt hatte, fuhr sie sich mit der Hand übers Gesicht, drehte sich wieder zu ihm um und erklärte: »Es geht um Flora, meine Tochter.«

Wieder sah Elisabetta zum Fenster, offenbar nach Worten suchend. Brunetti wusste, in Situationen wie dieser war es das Beste, abzuwarten und beharrlich zu schweigen.

Als sie die Sprache wiedergefunden hatte, sah sie ihm in die Augen und meinte: »Ihr Mann hat etwas gesagt, das sie das Schlimmste befürchten lässt.«

3

Brunetti hatte sich in langen Jahren antrainiert, keine Reaktion zu zeigen, wenn Zeugen, Opfer oder Verdächtige ihre Aussagen machten. Er hörte sich die Geständnisse von Mördern an, ohne mit der Wimper zu zucken; er hörte mit einer Miene, die nichts als Aufmerksamkeit bekundete, Verbrechensopfer unter Tränen von Übergriffen, Misshandlung und Vergewaltigung erzählen; er blieb äußerlich gelassen, wenn Mörder behaupteten, mit der Überwachungskamera am Haus des Opfers stimme etwas nicht.

Und auch jetzt widerstand er dem Drang, Elisabettas Hand zu nehmen, ihr Trost oder Hilfe anzubieten, während sie in den Abgrund blickte, der alle Eltern in Panik versetzt: dass ihrem Kind etwas zustoßen könnte.

Brunetti wusste nichts über die Frau, zu der Elisabetta herangewachsen war, nichts über ihre Ehe und schon gar nichts über ihre Tochter. Wie hatte Elisabetta sie erzogen? Glich sie ihrer Mutter oder ihrem Vater? Gab es Enkelkinder? Sie schwiegen immer noch beide, und er beschloss, Elisabetta so zu behandeln wie jede andere Unbekannte, die ihm ihre Geschichte erzählte.

Brunetti ergriff endlich das Wort und sagte: »Wenn ich das verstehen soll, Elisabetta, brauche ich mehr Informationen. Es mag dir unangenehm sein, über persönliche Dinge zu reden, aber es muss sein, sonst können ich oder die Polizei dir nicht helfen.«

Sie schoss nach vorn. »Genau das möchte ich nicht,

Guido.« Ihre Stimme war schrill geworden, schnappte beinahe über. »Du kennst doch dieses Nest, wie schnell hier Tratsch und Gerüchte verbreitet werden, auch über Leute, die man gar nicht kennt.«

Wem sagte sie das? Wer ein Geheimnis bewahren wollte, musste es für sich behalten, aber das schafften nur die wenigsten. Elisabetta hob das Kinn. Als solle er ihre Worte auswendig lernen, sagte sie betont langsam und deutlich: »Guido, in all diesen Jahren hat meine Mutter nie etwas ausgeplaudert – kein einziges Wort –, was deine Mutter ihr erzählt hat.« Da er schwieg, fuhr sie fort: »Und auch ich habe nie etwas ausgeplaudert, was deine Mutter erzählt hat, wenn ich dabei war.« Aus dem Mund eines Fremden hätte dies wie eine Drohung geklungen; so aber nahm er es als Zeichen, wie ernst es ihr war.

Verlangte sie von ihm, dass er ebenfalls dichthielt? Dass seine Mutter etwas erzählt hatte, das auch nur im Entferntesten mit einer Gesetzesübertretung zu tun hatte, war ganz unmöglich. Wenn hingegen die Worte des Schwiegersohns Elisabetta so sehr beunruhigt hatten, dass sie bei der Polizei Hilfe suchte, ging es womöglich um eine Straftat.

Die Generation ihrer Eltern kannte Verbrechen nur vom Hörensagen. Sein Vater war ein ehrlicher, rechtschaffener Mann, dem die jahrelange Kriegsgefangenschaft aufs Gemüt geschlagen war, der sich aber seinen Anstand immer bewahrt hatte. Manchmal redete er wirres Zeug, doch das waren nur Worte. Außerdem hatten irgendwelche Geheimnisse, die Brunettis oder Elisabettas Eltern gehabt haben mochten, nach all den Jahren keine Bedeutung mehr und taugten nicht mehr für einen Skandal. Trank er? Trank sie? Waren die Kinder beim Ladendiebstahl erwischt worden? Hatte er eine Geliebte? Hatte sie einen? Fragen wie diese interessierten heute niemanden mehr. Die Zeiten hatten sich geändert und die meisten Erpresser arbeitslos gemacht. Ihre Mutter war gut zu seiner gewesen; alles andere zählte für Brunetti nicht.

Elisabetta deutete sein Schweigen offenbar als Zögern, ihr irgendeine Zusage zu machen, und begann daher erneut: »Wie gesagt, ich möchte nicht …«, doch Brunetti unterbrach sie.

»Also schön, Elisabetta«, sagte er, noch immer unter dem Eindruck seiner Erinnerungen. »Die Sache bleibt unter uns. Keine Polizei.« Misstraut denn wirklich jeder der Polizei?, fragte er sich. Trauten die Leute nur Familie und Freunden? Und selbst da hatten sie ihre Vorbehalte.

Er überlegte, was ihn erwarten konnte – Familienprobleme waren immer schlimm –, und sagte: »Ich möchte Commissario Griffoni dazuholen.«

Er sah Abwehr in ihren Augen, kam ihr jedoch zuvor: »Du kannst ihr vertrauen, Elisabetta. So sehr, wie du mir vertrauen kannst.«

Darüber dachte Elisabetta lange nach, bevor sie nickte.

Brunetti nahm sein Handy und wählte Griffonis Nummer.

»*Sì?*«, meldete sie sich beim ersten Klingeln.

»Komm bitte, und hör dir an, was meine Freundin zu sagen hat.«

»Zwei Minuten«, sagte Griffoni und legte auf.

»Sie ist gleich hier.« Worüber könnten sie sprechen, bis Griffoni eintraf? Von der Tochter wollte er nicht anfangen: Das Thema käme noch früh genug zur Sprache.

»Deine Mutter, war sie bis zum Ende geistig da?«, fragte er, wohl wissend, dass er damit eine Grenze verletzte. Der Geist seiner eigenen Mutter hatte sich schon lange verabschiedet, bevor dann auch ihr Körper starb, und Brunetti wusste nicht zu sagen, welcher Tod der schlimmere war, und für wen. In all den Jahren hatte er viele befragt, die Vater oder Mutter verloren hatten, aber nie etwas erfahren, das ihm weitergeholfen hätte.

Elisabetta antwortete kaum hörbar: »Sie war lange krank, aber sie war bis zum Ende bei sich.«

Weiteres blieb ihnen erspart, schon klopfte es dreimal, und Griffoni kam ins Zimmer.

Sie lächelte Elisabetta zu, holte sich den dritten Stuhl vom Fenster und setzte sich in gleicher Entfernung zu ihnen beiden. Sie wirkte vollkommen entspannt, und Brunetti registrierte, wie Griffonis Ruhe sich auf die andere Frau übertrug.

Zunächst einmal musste er Griffoni die Abmachung erklären, in die sie ungefragt einbezogen worden war. »Signora Foscarini spricht mit mir als einem alten Freund, nicht als Polizisten«, begann er und ließ seiner Kollegin Gelegenheit nachzufassen.

»Das heißt«, fragte sie denn auch, »wir ermitteln privat, und es kommt nicht als offizieller Fall in die Akten?« Dies war eine Missachtung der Vorschriften – oder Schlimmeres –, doch ihre Stimme blieb vollkommen ruhig und gelassen. Sie akzeptierte einfach, dass die Abmachung, die er mit seiner Freundin getroffen hatte, nun auch für sie galt.

»Ja«, meinte Brunetti nur.

Griffoni hielt ihr Notizbuch hoch. »Darf ich mitschreiben?«

»Ja«, sagte Brunetti mit einem Blick zu Elisabetta.

Elisabetta sah Griffoni unverwandt an und erklärte schließlich, wie um die Grenzen ihrer Macht zu testen: »Aber nur in Ihr Notizbuch; nichts geht in einen Computer.« Sie sah zu Brunetti, der zustimmend nickte.

Griffoni bestätigte lächelnd: »Selbstverständlich, Signora«, schlug das Notizbuch auf und zückte einen Stift.

Brunetti wandte sich Elisabetta zu. »Du hast mir erzählt, dein Schwiegersohn habe deiner Tochter etwas gesagt, das sie in Schrecken versetzt habe.«

Elisabetta nickte nur.

Griffoni hob den Stift. »Dürfte ich Sie bitten, mir Namen und Alter der beiden zu nennen, Signora, mir zu sagen, wie lange sie sich kennen und seit wann sie verheiratet sind?« Sie hielt das Notizbuch so, als sei es ein lebendiges Wesen, das die Fragen von sich aus stellte.

Das war eine Methode, die Brunetti selbst oft anwandte und empfahl: die Zeugen von etwas Vertrautem erzählen lassen; ihnen einfache Fragen stellen, auf die es einfache Antworten gab – Zahlen, zum Beispiel. Einmal in Schwung geraten, fiel es dem Gegenüber leichter, dann auch schwierigere oder verfängliche Fragen zu beantworten.

»Flora del Balzo, sie ist einunddreißig. Ihr Mann heißt Enrico Fenzo, er ist zwei Jahre älter. Keine Kinder.« Nach einer Pause fügte Elisabetta hinzu: »Noch nicht.«

Griffoni sah lächelnd von ihrem Notizbuch auf, als freue sie sich schon auf die schöne Liebesgeschichte von Elisabettas Tochter: »Und wie lange kennen sich die beiden?«

»Ungefähr sechs Jahre. Geheiratet haben sie vor drei Jahren.«

Griffoni schrieb das auf. Ohne den Blick zu heben, erkundigte sie sich im Plauderton: »Würden Sie sagen, die Ehe ist glücklich?«

Elisabetta warf Brunetti einen überraschten Blick zu. Griffoni sah weiter in ihr Notizbuch, und Brunetti mimte nur gelindes Interesse.

»Ich denke schon, ja«, sagte Elisabetta schließlich. »Auf alle Fälle bis vor zwei Monaten. Da hat Flora mir erzählt, Enrico habe sich verändert.«

»In welcher Weise?«, schaltete Brunetti sich ein.

»Flora sagt, er wirke nervös und geistesabwesend. Sie hat erst davon angefangen, nachdem ich sie und Enrico einmal zum Essen eingeladen hatte.« Sie verstummte und legte die Rechte an ihre Lippen.

Nach einiger Zeit fragte Griffoni: »Was ist passiert, Signora?«

»Flora rief mich am Tag der Einladung an und sagte, sie könnten nicht, das heißt, sie schon, aber Enrico müsse bis spät arbeiten, und allein kommen wollte sie nicht.«

Den Stift über dem Papier, fragte Griffoni: »Was arbeitet Ihr Schwiegersohn denn?«

»Er führt anderen Leuten die Bücher.«

Brunetti hatte keine Ahnung von den Arbeitszeiten in der Buchführung, aber er ließ ihre Bemerkung durchgehen, um Griffonis Fragerhythmus nicht zu stören.

Griffoni nickte, als verstünde es sich von selbst, dass Buchhalter bis in die späten Abendstunden arbeiteten. »Mögen Sie mir sagen, für wen er tätig ist?«, fragte sie und schenkte der anderen jenes warme Lächeln, mit dem sie schon oft die verstocktesten Zeugen zum Reden gebracht hatte.

»Er hat sich selbstständig gemacht als *ragioniere*«, antwortete die Ältere. »Er hat eine ganze Reihe privater Klienten: Leute mit kleinen Geschäften, die nicht genug Umsatz machen, dass sie einen Steuerberater brauchen. Er hat sein Büro bei Il Giustinian, dort arbeitet er. Allein.«

»Macht er das schon immer so?«, fragte Brunetti, der nun auch an dem Gespräch teilnehmen wollte, auch wenn es für ernstere Fragen noch zu früh war.

»Nein. Als er nach dem Studium seine Zulassung bekam, war er zunächst bei der Caritas angestellt, dann bei einer Steuerberatungsfirma in Noale, bis er sich schließlich selbstständig machte.«

Brunetti und Griffoni tauschten einen Blick aus, und als sie kaum merklich nickte, fragte Brunetti: »Kennst du seine Klienten?«

Elisabetta überlegte. »Ganz am Anfang, gleich nachdem er sein Büro aufmachte, hat Bruno ihn beschäftigt, und der war so zufrieden mit ihm, dass er Enrico seinen Freunden empfahl.«

Griffoni sah sie fragend an, offenbar kam sie nicht mehr mit, und Elisabetta erklärte: »Das ist mein Mann, Bruno del Balzo.«

»Und seine anderen Klienten? Kennen Sie die auch?«

»Nein, nicht wirklich. Er hat mal von zwei Restaurants und einem Optiker gesprochen.« Sie ließ ihre Handtasche aufschnappen, wühlte darin herum und nahm ein dunkelbraunes Brillenetui heraus: Brunetti erkannte den Namen des Optikers. Den Blick abgewandt, versuchte sie, sich an andere Klienten ihres Schwiegersohns zu erinnern, schüttelte dann aber den Kopf.

Weil er dieser Ansicht war und nicht, um etwas Schmeichelhaftes über Elisabettas Schwiegersohn zu sagen, bemerkte Brunetti: »In diesen Zeiten ist man sicher gut beraten, für ein breites Spektrum von Klienten zu arbeiten. Selbst beim härtesten Lockdown muss doch das eine oder andere Geschäft offen bleiben.« Mein Gott, dachte er, infiziert diese Krankheit jetzt wirklich alle unsere Gedanken?

»Aber die Namen wissen Sie nicht?«, fragte Griffoni.

Elisabetta dachte angestrengt nach. »Eins der Restaurants gehört einem Ottavio Pini«, sagte sie schließlich. »Ich könnte Flora fragen. Sie weiß vielleicht mehr.«

Brunetti kannte Pini von der Mittelschule her und aß gelegentlich in seinem Restaurant: Auf Pini war Verlass, er würde es nicht weitererzählen, wenn Brunetti ihn über Fenzo ausfragte. Aber das musste nicht für alle Klienten Fenzos gelten. »Nein«, sagte er schnell, »lass das lieber, Elisabetta.« Ihre Miene, verwirrt und erleichtert zugleich, ließ ihn verstummen.

Nachdem er eine Weile vergeblich gewartet hatte, dass Elisabetta den Faden wieder aufnahm, fragte er: »Hat er hier studiert, Elisabetta?«

Die Frage löste ihr die Zunge. »Ja. Bald nach seinem Studium ist er Flora begegnet, bei einem Essen mit Freunden.« In wärmerem Ton fuhr sie fort: »Sie hat mich gleich am nächsten Tag angerufen.« Als habe sie die Gefahr erkannt, sentimental zu werden, fügte sie hinzu: »Flora redet nicht viel.«

Wieder tauschten Brunetti und Griffoni einen Blick aus, was Elisabetta nicht mitbekam, da sie ihre Aufmerksamkeit dem Fenster zugewandt hatte. »Da ist etwas …«, begann sie und brach ab.

»Ja? Was denn?«, fragte Brunetti.

»Na ja, er kommt aus … einfachen Verhältnissen. Seine Mutter war nie berufstätig – wegen der vier Kinder –, und sein Vater hat im COIN gearbeitet, bis die dichtgemacht haben, als Schuhverkäufer, glaube ich.« Sie hob die Hände auf Brusthöhe und ließ sie wieder in den Schoß sinken. »Sie sind aus einer anderen …« Anscheinend brachte sie das Wort »Schicht« nicht über die Lippen, oder es fiel ihr nicht ein, aber Brunetti hatte schon verstanden.

»Wie bei mir und Paola«, sagte er beiläufig; er nahm an, sie wusste, dass er weit über seinem Stand verheiratet war, und hoffte, sie erkannte daran, dass so etwas auch gut gehen konnte. Er hielt ihrem Blick stand und sagte: »Es kann funktionieren, Elisabetta.«

Ihre Antwort kam mit Verzögerung: »Hat es vielleicht. Bis jetzt. Ich kenne meine Tochter.«

»Bis was?«, fragte Griffoni, ohne von ihrem Notizbuch aufzublicken.

Elisabetta erstarrte. Ihre Lippen öffneten sich, aber sie sagte nichts, und Brunetti gelangte zu der Überzeugung, es werde nichts mehr von ihr kommen. Er sah zu Griffoni, die nicht aufblickte, sondern den Stift in das offene Notizbuch legte und die Hände darüber faltete.

Nichts rührte sich im Zimmer. Nur Elisabettas Atem war zu hören.

Nach einer Weile holte Brunetti kaum vernehmbar Luft und überlegte, wie er Elisabetta erklären sollte, dass er und Griffoni nicht viel für sie tun konnten. Griffoni versteifte sich, legte die Stirn in Falten und schoss ihm einen grimmigen Blick zu, eindeutige Aufforderung, jetzt bloß den Mund zu halten.

Viel Zeit verging, und dann noch mehr. Schließlich seufzte Elisabetta tief auf und sagte: »Ich fürchte, er tut etwas Schlechtes.«

4

Etwas Schlechtes?«, nahm Griffoni Elisabettas Worte auf, als sängen sie ein *recitativo*. »Wie meinen Sie das, Signora?« Sie schlug so leise eine Seite um, als solle nichts von Elisabettas Antwort ablenken.

Elisabetta hob eine Faust, und bei jedem ihrer Verdachtsmomente schnellte ein Finger hervor. »Er spricht mit ihr nicht mehr über seine Arbeit. Er antwortet nicht auf Floras Fragen: Wenn sie wissen will, was los ist, sagt er, alles sei in Ordnung, sie solle ihm nicht so zusetzen.« Fast hätte sie noch etwas gesagt, senkte jedoch schnell den Kopf und presste die Lippen zusammen. Doch sie musste es loswerden: »Vielleicht ist es eine Frau.« Dann verstummte sie erschöpft.

»Wie kommen Sie darauf?«, fragte Griffoni.

»Was soll es denn sonst sein?«

Brunetti schaltete sich ein: »Du sagtest, das habe vor ungefähr zwei Monaten angefangen?«

»Da hat Flora es mir erzählt. Sie ist ja so verschlossen, nie will sie etwas preisgeben, weder von sich noch von Enrico.« Elisabetta hielt inne, nachdem ihr der Name ihres Schwiegersohns herausgerutscht war. Sie stemmte beide Hände auf die Schenkel und betrachtete ihre Fingernägel. Nach geraumer Zeit fuhr sie fort: »Wenn sein Telefon klingelt, verlässt er bisweilen das Zimmer, um das Gespräch anzunehmen.«

»So etwas kommt vor«, meinte Brunetti lahm.

Elisabetta schlug die Hand vor den Mund. »Aber Flora ist doch mein Baby«, sagte sie und schien an dem letzten Wort fast zu ersticken. Sie holte ein paarmal tief Luft und fuhr ruhiger fort: »Ich kann sie nicht drängen. Ich kann nur warten, bis sie mir mehr erzählt.« Wieder bedeckte sie ihren Mund, als habe sie schon zu viel verraten. Sie legte die Hände aneinander und klemmte sie zwischen die Schenkel. Sie schwieg lange vor sich hin, und Brunetti fürchtete schon, es käme nichts mehr.

»Was hat sie dir noch erzählt, Elisabetta?«, fragte er.

Elisabetta zuckte die Schultern, hob die Hände und ließ sie hilflos wieder sinken.

Griffoni beugte sich vor und fragte so leise, als dürfe niemand im Raum es mitbekommen: »Ist etwas vorgefallen, das Ihre Tochter für seltsam hielt?«

Elisabettas Kinn fuhr in die Höhe, und sie starrte Griffoni ins Gesicht. »Wer hat Ihnen ...«, begann sie, verstummte dann aber, wohl, weil sie begriff, wie abwegig es war, dass jemand bereits mit Griffoni gesprochen haben könnte. Sie stemmte sich mühsam aus ihrem Stuhl empor. Ohne ein Wort ging sie zum Fenster und wandte ihnen ihr Profil zu.

Brunetti und Griffoni sahen sich schweigend an. Er hatte die Hände im Schoß, und jetzt hob er vorsichtig einen Finger und wies auf seine Kollegin.

Griffoni ließ sich viel Zeit, ehe sie sagte: »Signora, ich kenne weder Ihre Tochter noch Sie, noch Ihren Schwiegersohn, aber ich weiß, manchmal schöpft man schon wegen einer Kleinigkeit Verdacht. Ein Wort, eine Geste, oder auch die Bemerkung eines Außenstehenden. Es kommt wie aus dem Nichts, doch plötzlich sieht man klar. Wie das fehlende Stück eines Puzzles. Man sieht ein halbes Auge, und auf einmal begreift man, dass hinter dem Baum jemand steht.«

Beide sahen die Reaktion: Elisabettas Miene erstarrte. Dann kehrte sie ihnen den Rücken zu und sah zum Fenster hinaus, genau wie so viele andere im Gespräch mit Brunetti: Sie erhoben sich, gingen auf Distanz, suchten einen Fluchtweg, und wenn es nur das Fenster war. Dem Ausgang so in dreifacher Beziehung näher, konnten sie endlich aussprechen, was ihnen auf der Seele lag.

Als rede sie zur Aussicht vor dem Fenster, begann Elisabetta: »Vorige Woche hat Flora mich besucht. Sie machte einen nervösen, fahrigen Eindruck, aber ich tat, als bemerkte ich es nicht. Wir gingen auf einen Kaffee in die Küche, wie immer.«

Sie legte eine Pause ein, hing einen Moment dieser Idylle nach. Dann drehte sie sich nach den anderen beiden um: »Wir setzten uns an den Tisch. Flora schaufelte Zucker in ihren Kaffee, drei Löffel, vier. Sie sah, was sie tat, aber sie registrierte es nicht. Ich nahm ihr den Löffel aus der Hand und schob ihr meinen Kaffee hin, da war noch kein Zucker drin. Flora nimmt keinen Zucker. Sie merkte gar nicht, was sie getan hatte, und trank.« Elisabetta hob hilflos die Hand.

»Es dauerte eine Weile, aber dann erzählte sie mir, sie habe Enrico endgültig zur Rede gestellt. Doch er sei ihr nur ausgewichen. Er erklärte, er habe Ärger auf der Arbeit und wolle nicht darüber sprechen.«

Was hatte das nun wieder zu bedeuten? War Elisabettas Geschichte nicht vielmehr ein Fall fürs Sozialamt oder – flüsterte der unverbesserliche Zyniker in Brunetti – Stoff für eine Seifenoper? Was käme als Nächstes? Flora fragt, wer ihn angerufen habe, und Enrico erklärt unter Tränen, er habe sich verliebt und wolle die Scheidung? Müsste Elisabetta jetzt nicht zu weinen anfangen?

Tatsächlich fuhr Elisabetta sich schon mit dem Handrücken übers Gesicht. Griffoni hob kaum merklich die Augenbrauen.

Brunetti wies mit den geöffneten fünf Fingern einer Hand auf seine Uhr. Sie nickte.

»Ich bilde mir das nicht nur ein, Guido«, begann Elisabetta wieder mit belegter Stimme. »Flora hat mir erzählt, da sei sie ausgerastet, habe ihn angeschrien, sie glaube ihm nicht. Er verberge etwas vor ihr.

Da habe Enrico seinen Stuhl so heftig zurückgestoßen, dass er umstürzte. Er sprang auf, beugte sich über den Tisch, packte sie an den Schultern und zog ihr Gesicht an seins heran. Sie wusste nicht, wie ihr geschah, so schockiert war sie. Es sei gefährlich, wenn herauskäme, was da vor sich gehe, rief er.« Elisabettas Stimme bebte, sie suchte nach den richtigen Worten. Schließlich endete sie kleinlaut: »Und dann lief er einfach aus dem Haus, ohne ein Wort der Erklärung oder Entschuldigung, und kehrte erst nach Mitternacht zurück.«

Alle drei schwiegen, bis Brunetti sagte: »Und deswegen bist du hier.«

Sie ging zu ihrem Stuhl und setzte sich wieder hin. Dann nickte sie mehrmals, den Blick auf den Fußboden gerichtet. »Ich habe tagelang darüber nachgedacht. Du bist der Einzige, den ich kenne, der vielleicht …« Sie beendete ihren Satz nicht.

Brunetti sah zu Griffoni, die schweigend in ihr Notizbuch schrieb.

Bevor Brunetti etwas sagen konnte, blickte Griffoni auf: »Haben Sie wörtlich wiederholt, was Ihre Tochter gesagt hat, Signora?«

»Verzeihung?«

Ohne in ihr Notizbuch zu sehen, erklärte Griffoni: »Sie haben etwas von Gefahr gesagt.« Sie blickte in ihre Notizen und las vor: »... es sei gefährlich, wenn herauskäme, was da vor sich gehe.«

Elisabetta nickte, wenngleich sichtlich überrascht, dass man ihr ihre eigenen Worte vorlas: »Mehr oder weniger.«

Griffoni beharrte nach einem kurzen Lächeln: »Könnten Sie versuchen, sich zu erinnern, was genau Ihre Tochter gesagt hat?«

Elisabetta dachte nach. Sie hielt den Kopf ein wenig schief, schloss die Augen, ballte die Hände zu Fäusten und pochte damit auf ihre Schenkel. Ihre Lippen bewegten sich wie im Selbstgespräch. Sie öffnete die Augen und sagte: »Wortwörtlich kann ich es nicht mehr wiedergeben, aber auf jeden Fall hat sie gesagt, es wäre ›gefährlich‹, wenn jemand dahinterkäme, was sich da abspiele.«

Fast beiläufig fragte Griffoni: »Gefährlich für sie beide?«

»Ja«, antwortete Elisabetta ohne Zögern.

»Ohne ihr zu sagen, worum es ging?«

Elisabetta nickte.

»Danke«, sagte Griffoni und setzte mitfühlend hinzu: »Das muss furchtbar für Ihre Tochter gewesen sein.« Und als sei ihr dies eben erst eingefallen, fragte sie: »Hatten die beiden früher auch schon mal Streit?«

Elisabetta musste nicht lange überlegen. »Nein. Niemals«, sagte sie mit Nachdruck. »Das würde ich wissen. Das hätte ich gespürt.« Sie strich gedankenverloren über den Ärmel ihrer Jacke, als sei da ein unsichtbares Stäubchen, und faltete die Hände im Schoß. Fast entschuldigend fügte sie hinzu: »Wenn er nicht diesen Ausbruch gehabt hätte, wäre ich nicht gekommen. Glauben Sie mir.«

Brunetti wartete, ob sie noch etwas hinzufügen würde, und als nichts kam, fragte er, ohne sich anmerken zu lassen, dass ihm allmählich die Geduld ausging: »Was sollen wir für dich tun, Elisabetta?«

Sie sah ihn verlegen an. »Das weiß ich nicht, Guido. Ich habe auch meinem Mann davon erzählt, und er hat gesagt, das gehe uns nichts an, so etwas müssten Eheleute untereinander ausmachen.«

Bevor die beiden Polizisten nachfragen konnten, fügte sie hinzu: »Er meinte, Enrico habe einen anstrengenden Job, das müsse sie verstehen.« Elisabetta sah zu Brunetti, zog die Brauen hoch und presste die Lippen zusammen, offenbar zum Zeichen, dass ihr Mann keinen Widerspruch duldete.

Griffoni fragte: »Bringt Enricos Arbeit genug ein, dass die beiden davon leben können?«

»Ich glaube schon. Mein Mann sagt, seine Freunde waren sehr von ihm angetan. Und die zwei sind immer gut miteinander ausgekommen, Bruno und Enrico.« Elisabetta wurde plötzlich ernst. »Mein Mann war *un imprenditore*.« Sie ließ das wirken und fügte hinzu: »Er ist jetzt im Ruhestand. Aber immer noch beschäftigt. Er hatte ein paar Firmen hier und im Ausland.«

Griffonis Augen leuchteten voller Bewunderung auf.

»Du sagtest, dein Mann und dein Schwiegersohn sind ausgezeichnet miteinander ausgekommen?«, hakte Brunetti nach.

Elisabetta sah verblüfft auf. Schließlich sagte sie: »Ja und nein.«

»Worin waren sie sich nicht einig?«, fragte Griffoni und setzte höflich hinzu: »Wenn ich fragen darf.«

»Das Übliche«, antwortete Elisabetta nach kurzem Nachdenken.

Griffoni fasste lächelnd nach: »Könnten Sie mir ein Beispiel nennen, Signora?«

»Bruno findet, sie soll aufhören, wo sie jetzt einen Mann hat.«

»Aufhören? Womit?«, fragte Brunetti, während ihm durch den Kopf ging, dass Flora vor drei Jahren geheiratet hatte und schon in den Dreißigern war: Da musste sie vorher doch irgendetwas getan haben.

»Arbeiten«, erklärte Elisabetta. »Sie ist Tierärztin. Sie hat eine Praxis auf Murano.«

»Schön für sie«, warf Griffoni ein.

Elisabetta fuhr herum und starrte Griffoni befremdet an. Ihr Blick verriet keine Milde.

Brunetti verlor allmählich wirklich die Geduld. »Elisabetta, du hast uns erzählt, dein Schwiegersohn habe zu Beginn seiner Laufbahn für deinen Mann gearbeitet. Weißt du noch für wie lange?« Da sie nicht sofort antwortete, wiederholte er gereizt: »Weißt du das noch?«

Griffoni rührte sich nicht, vielleicht verwirrte es sie, wie kühl Brunetti trotz des familiären »Du« auf einmal klang.

»Etliche Monate«, antwortete Elisabetta schließlich.

»Nur für ein einziges Projekt. Als das erledigt war, kümmerte Enrico sich wieder um seine anderen Klienten.«

Brunetti fand zu einem freundlichen Tonfall zurück. »Vielleicht war es ja eine gute Erfahrung für ihn, sich einmal nur einem einzigen Klienten zu widmen.«

Auch Griffoni suchte bei einem Gemeinplatz Zuflucht: »Aber man sollte sich zu Beginn seiner Karriere nicht auf einen einzigen Job festlegen.« Dann aber wechselte sie abrupt das Thema: »Tierärztin – für mich war das immer ein Traumjob.«

»Sie haben Tiere gern?«, fragte Elisabetta.

»O ja, wir sind damit aufgewachsen. Zwei Hunde und drei Katzen.«

»Wie war das in einer Wohnung möglich?«, fragte Elisabetta aufrichtig interessiert.

»Oh, wir hatten einen Bauernhof, die nächste Stadt war zwanzig Kilometer weit weg«, schwärmte Griffoni wie von seligen Kindheitstagen. »Ein Paradies.«

Brunetti wusste wenig von Griffonis Vergangenheit, aber zu dem wenigen gehörte, dass sie im Spagnoli-Viertel von Neapel groß geworden war, und das war kein Ponyhof und ganz bestimmt kein Paradies.

»Elisabetta«, störte er das bukolische Idyll seiner Kollegin, »kannst du uns sagen, woran dein Schwiegersohn und dein Mann zusammen gearbeitet haben?«

Aus der schönen Stimmung herausgerissen, sah sie ihn verwirrt an. Als ihr aufging, dass er eine Antwort erwartete, sagte sie: »Es ging um eine wohltätige Stiftung, die Bruno schon lange vorgeschwebt hatte. Er nutzte die Muße des Ruhestands, um sie aufzubauen.«

Wohltätigkeit war keine Tugend, die Brunetti mit Geschäftsleuten verband; gespannt blickte er auf und wartete auf mehr.

»Zufällig«, fuhr Elisabetta fort, »hatte die Firma, für die Enrico in Noale gearbeitet hatte, zwei ähnliche Stiftungen gegründet, also war er mit den Vorschriften und Formalien vertraut.«

»Was war der Zweck der geplanten Stiftung?«, fragte Brunetti.

»Gesundheitsfürsorge.«

Damit konnte Brunetti nicht viel anfangen. »Kannst du etwas mehr dazu sagen, Elisabetta?«, fragte er.

Ihre Miene entspannte sich, vielleicht, weil sie nicht weiter von Familienangelegenheiten zu sprechen brauchte; an ihrer nervös steifen Haltung änderte sich jedoch nichts.

»Vor Jahren, als er noch arbeitete«, begann sie, »beteiligte sich Bruno an einer Stiftung, die ein Freund von ihm in Brasilien einrichtete. Dann aber starb der Freund, und die Stiftung wurde von den Erben so schlecht geführt, dass sie einging.« Nach einer Pause fuhr sie fort: »Alles war schrecklich kompliziert – wegen der unterschiedlichen Gesetzeslage in den beiden Ländern. So jedenfalls hat Bruno es mir erzählt.

Als er dann im Ruhestand beschloss, Gutes zu tun für die Welt, bat er unseren Gemeindepfarrer um Vorschläge. Don Marco brachte Bruno in Kontakt mit einem Priester, den er vom Seminar her kannte; der war als Missionar nach Belize gegangen und arbeitete dort als Geistlicher in einer kleinen Klinik.« Sie sah mit einem Lächeln in die Runde, als sei daran etwas ihr eigenes Verdienst. »Bruno setzte sich mit diesem Priester in Verbindung, und so kam die Sache in Gang.«

Nachdenklich fuhr sie fort: »Ich denke, Bruno war die Stiftung seines Freundes ein warnendes Beispiel. Deshalb sollte Enrico dafür sorgen, dass alles einwandfrei war und die Stiftung ihren Zweck erfüllte.«

»Wofür war sie denn gedacht?«, fragte Griffoni neugierig dazwischen.

Elisabetta erklärte stolz: »Bruno wollte ein Krankenhaus errichten.«

Sie sah fragend zwischen den beiden hin und her, ob sie weitererzählen solle. Sie nahm beider Lächeln als Zustimmung und fuhr fort: »Sie gründeten eine Stiftung, mit deren Unterstützung die bestehende Klinik erweitert und zu einem richtigen Krankenhaus ausgebaut werden sollte. Doch als es dann losging, wurden Enrico und Bruno fast wahnsinnig von all den bürokratischen Hindernissen und Genehmigungsverfahren, mit denen die staatlichen Stellen und das Gesundheitsamt ihnen das Leben schwer machten. Sogar der dortige Bischof wollte wissen, ob das Angebot rechtlich überhaupt zulässig sei.« Sie dachte kurz nach: »Seltsamerweise war nur die andere Seite so bürokratisch. Die Italiener – wenn ich mich richtig erinnere – sahen das relativ locker.«

Die beiden Polizisten lauschten gespannt, und Elisabetta erklärte: »Es dauerte ewig, drüben alles so zu regeln, dass die Bauarbeiten beginnen konnten. Aber eines muss man ihnen lassen, als es erst einmal so weit war, ging alles zügig voran.«

»Und da ist dein Schwiegersohn ausgestiegen?«, fragte Brunetti.

Elisabetta schien zu überlegen, was sie erzählen durfte. »Er blieb, bis die Genehmigungen erteilt waren und die Arbeit beginnen konnte.« Zögernd fügte sie hinzu: »Man muss bedenken, Enrico wurde nicht dafür bezahlt. Er hat sich von Anfang an geweigert, für die Arbeit an einem wohltätigen Projekt Geld zu nehmen, obwohl sein eigenes Unternehmen noch in den Kinderschuhen steckte. Und als sich zeigte, dass die Sache viel komplizierter war als gedacht, kam er mit Bruno überein, er werde, sobald sie alle Genehmigungen beisammenhätten, aussteigen und sich wieder um seine anderen Klienten kümmern.«

Und mit einer Arglosigkeit, die Brunetti ebenso überraschte, wie er sie freudig zur Kenntnis nahm: »Bruno fragte Enrico, wie er sich für all die Hilfe, die er geleistet habe, erkenntlich zeigen könne.« Elisabetta sah die beiden an wie ein Kind, das ein Zauberkunststück vorführt. »Und Enrico antwortete, Bruno solle selbst eine Summe festlegen und als ersten Beitrag in die Stiftung einzahlen.«

Offenbar war ihr das Schweigen der beiden nicht geheuer, denn plötzlich erklärte sie nüchtern: »Und dann stand das Ganze.«

Griffoni reagierte als Erste. Sie legte den Stift in ihr Notizbuch und sagte leise: »Sie müssen sehr stolz auf ihn sein, Signora. Auf alle beide.« Griffoni musste eine katholische Schule besucht haben, das wurde Brunetti angesichts ihres scheinheiligen Lächelns klar: Wo sonst erlernte man das alchemistische Geheimrezept für Falschheit und Heuchelei, das selbst den skeptischsten Zuhörer überzeugte?

Übergangslos zur Täuschung wechselnd, fragte Griffoni

mit ehrfürchtig gedämpfter Stimme: »Kann Ihr Mann die Finanzen jetzt selbst verwalten?«

Elisabetta überlegte: »Nicht ganz allein. Er hat mir erzählt, Enrico habe vor seinem Weggang ein Buchführungsprogramm installiert, und damit kommt Bruno jetzt ganz gut zurecht.« Sie senkte den Kopf in einer, wie Brunetti dachte, altmodischen Geste weiblicher Hilflosigkeit. »Ich kenne mich damit nicht so gut aus, wo sie doch heute alles im Internet machen.« Sie hob lächelnd den Kopf. »Sie haben eine eigene Website eingerichtet.«

»So gut hat sich die Stiftung entwickelt?«, fragte Griffoni mit unverhohlener Bewunderung.

»O ja«, antwortete Elisabetta. »Zum Glück hat Bruno eine sehr fähige Sekretärin, die zweimal die Woche kommt und sich um die Korrespondenz kümmert, und er hat eine Freiwillige gefunden, ein Mädchen, das jeden Morgen so etwa eine Stunde mithilft. Sie öffnet die Post mit den Münzen und Briefmarken und kleinen Banknoten, die die Leute ihnen schicken, und führt Buch darüber. Einmal die Woche bringt sie das gespendete Geld zur Bank.« Sie blickte auf und vergewisserte sich, dass die beiden ihr zuhörten. »Die drei arbeiten in einer Wohnung bei uns im Haus. Nur zwei Zimmer, aber Platz genug zum Arbeiten.«

Brunetti krümmte sich innerlich bei der Vorstellung, dass es Leute gab, die Geld mit der Post verschickten. »Sonst noch jemand?«, fragte er.

Elisabetta zögerte lange mit der Antwort, sagte dann aber entschieden »Nein«, um sich sogleich zu korrigieren: »Es gibt da eine Frau, die für Publicity zuständig ist, aber die habe ich noch nie gesehen.« Zur Erklärung fügte sie hinzu: »Sie wohnt in Mestre und arbeitet meistens von zu Hause aus.«

Brunetti fiel nichts mehr ein, was er noch fragen könnte. Die Stiftung dürfte kaum etwas mit dem Problem zu tun haben, weswegen Elisabetta ihn aufgesucht hatte. Mehr noch, er hatte allmählich das sichere Gefühl, dass alles, was sie gesagt hatte, und alles, was sie gefragt hatten, von Anfang an irgendwie ins Leere gegangen war. Für Elisabetta stand doch offenbar die Sorge um ihre Tochter im Vordergrund.

Brunetti wusste, unter Stress sagen Leute oft die Unwahrheit, oder sie stellen die Wahrheit überzeichnet dar. Elisabettas Schilderung ihres Schwiegersohns hatte sich ein wenig so angehört.

Auch Elisabetta schien das zu dämmern. »Es ist merkwürdig, Guido«, sagte sie, »aber wo ich dir jetzt von dem Vorfall erzähle, fällt mir plötzlich auf, wie vage das alles ist und dass ich das Ganze wahrscheinlich überbewertet habe.« Sie senkte den Kopf und schien die Augen zu schließen. »Aber ich habe sonst niemand, mit dem ich reden kann.«

Mit einem schmalen Lächeln blickte sie auf. »Vielleicht hat Bruno recht, und Flora und Enrico müssen das unter sich ausmachen.«

Darauf wusste Brunetti nichts zu antworten. Er nickte Griffoni zu und erhob sich.

5

Auch Griffoni stand auf, dankte Signora Foscarini für ihr Kommen, machte ihr jedoch keinerlei Zusagen. Brunetti begleitete Elisabetta zur Tür und nach unten zum Ausgang. Auf der Treppe überlegte er, wie er ihr das Gefühl geben könnte, dass aus alten Freundschaften Verpflichtungen erwüchsen und sie recht daran getan hatte, sich ihm anzuvertrauen.

»Ich werde mich mal umhören«, war das Befriedigendste für sie beide, das ihm einfiel.

Auf dem letzten Absatz blieb Elisabetta stehen und meinte kopfschüttelnd: »Ich verstehe ihn einfach nicht.« Es klang verzweifelt.

Brunetti, der geglaubt hatte, sie seien fertig, und schon die letzten Stufen hinuntergegangen war, stoppte mitten in der Bewegung und sah sie über die Schulter hinweg an: »Wie meinst du das, Elisabetta?«

Elisabetta hielt sich am Geländer fest, bevor sie sich erklärte: »Ich bin eine verheiratete Frau und habe ein erwachsenes Kind, Guido. Aber mit den Leuten von heute kenne ich mich nicht aus.« Er sah Tränen in ihren Augen und hörte, wie unglücklich sie war. »Ich habe länger gelebt als du, aber ich weiß überhaupt nichts mehr.«

Brunetti drehte sich um, ging wieder zu ihr hinauf und wartete, bis sie die Hand vom Geländer nahm. »Komm, Elisabetta. *Forza. Coraggio*«, versuchte er, sie scherzend aufzumuntern. Tatsächlich schien sie daraus Kraft zu schöpfen. Sie fuhr sich mit dem Ärmel über die Augen, machte einen Schritt von ihm weg und sagte: »Danke, Guido. Das Ganze liegt mir seit Tagen auf der Seele. Es hat mich einfach übermannt.«

Brunetti ging neuerlich hinunter und steuerte die Wartebank an, um Elisabetta dorthin zu geleiten. Elisabetta aber verlangsamte ihre Schritte, blieb schließlich ganz stehen und erklärte mit fester Stimme: »Ich denke, ich gehe direkt nach Hause, Guido. Ich bin derlei Situationen nicht gewöhnt, verstehst du?« Sie lächelte, und für einen Moment kam die junge Frau zum Vorschein, die damals in Castello über den Brunettis gewohnt hatte.

Er bat um ihre Telefonnummer, tippte sie in sein Handy ein und folgte ihr nach draußen. Sie ging davon, ohne sich noch einmal umzudrehen, bog rechts ab und war verschwunden, da waren nur noch die Brücke und der jetzt menschenleere Campo auf der anderen Seite des Kanals.

Brunetti ging wieder hinein und stieg die Treppe zu Griffonis winzigem Büro hinauf. Er war eine Weile nicht mehr dort gewesen und sah schon von Weitem, dass die Tür offen stand – ein sicheres Zeichen, dass Griffoni da war. Die Tür ging nach innen auf und verkleinerte den Raum so sehr, dass Griffoni nur arbeiten konnte, wenn sie bei offener Tür mit ihrem Stuhl halb auf den Flur rückte; gewöhnlich schloss sie die Tür erst nach Feierabend, was aber nur gelang, wenn sie zuvor den Stuhl auf ihren Schreibtisch gestellt hatte.

Da Griffoni sich nur nach hinten zu lehnen brauchte, um zu sehen, wer zu ihr kam, erübrigte sich das Anklopfen. Brunetti blieb im Flur stehen und fragte: »Was hältst du von ihrer Geschichte?«

»Signora Foscarini?«

»Ja.«

Griffoni stand auf und schob den Stuhl beiseite, damit er sich an ihr vorbeiquetschen und auf dem zweiten Stuhl an der hinteren Wand Platz nehmen konnte.

Griffoni setzte sich wieder und klemmte sich unter den Schreibtisch. Sie überlegte sich ihre Antwort ganz genau. »Ich glaube, sie hat im Leben viel Glück gehabt.«

»Wie bitte?«

»Du hast sie doch gehört: Tochter und Schwiegersohn sind anständige Leute in gesicherten Verhältnissen. Ihr Mann musste nie fürchten, gefeuert zu werden, und engagiert sich nach erfolgreicher Karriere für das Gemeinwohl.« Da Brunetti nichts entgegnete, fuhr sie fort: »Und beim leisesten Anflug von Ärger im Paradies gerät sie in Panik und kommt hierher. Überlässt es dir, einen Ausweg zu finden«, erklärte sie kühl.

Offenbar war sie fertig. »Könnte man das nicht ein bisschen weniger sarkastisch sehen?«, fragte Brunetti.

Mit breitem Lächeln gab sie zurück: »Ja, man könnte es weniger sarkastisch sehen, da stimme ich dir zu, aber ich sehe es nun einmal so.« Sie ließ ihn nicht zu Wort kommen. »Streit unter jungen Eheleuten kommt vor, Guido.« Und dann: »Ich sage das, weil es so ist, nicht, weil ich aus dem heißblütigen Süden komme.«

Sie holte Luft, und Brunetti warf eilig ein: »Ja, sicher; aber es kommt immer noch auf die Lautstärke an.«

Griffoni überlegte. »Findest du nicht, deine Freundin übertreibt?«

Sie schlug ihr Notizbuch auf, blätterte ein wenig, fand,

was sie suchte, und las vor: »... packte sie an den Schultern und zog ihr Gesicht an seins heran.« Sie blickte auf und meinte nachdenklich: »Das zu hören würde jede Mutter beunruhigen.«

Sie verstummte, doch Brunetti spürte, sie war noch nicht fertig. Griffoni wischte ein unsichtbares Stäubchen vom Tisch und blickte auf. »Was, wenn er sie einfach nur küssen wollte? In Filmen sieht man solche Szenen ständig.«

»Aber sie sagt doch, er habe so eine Art Drohung gegen sie ausgestoßen. Er habe sie in Angst und Schrecken versetzt. Glaubst du ihr nicht?«

»Vergiss nicht, wir haben die Geschichte nicht von der Betroffenen selbst gehört, sondern lediglich aus zweiter Hand.«

Brunetti kannte Griffoni gut genug; er wusste genau, dass sie auf etwas Bestimmtes hinauswollte, und wartete ab.

»Nichts als Hörensagen«, meinte sie ruhig.

Brunetti ließ sich das durch den Kopf gehen. Griffoni versuchte nur, eine weniger dramatische Version zu liefern, eine andere Sicht auf das Ganze. Packen wir manchmal nicht fest zu, wenn wir jemandem helfen wollen? Neigen wir nicht zu Überreaktionen, wenn wir den Eindruck haben, jemand, den wir lieben, sei in Gefahr? Von Griffonis Warte aus hatte Elisabetta tatsächlich extrem reagiert. Aber reagieren Mütter nicht oft so?

So oder so hatte er versprochen zu tun, was er konnte. Darum beharrte er: »Vielleicht beunruhigt ihn etwas bei seiner Arbeit.« Und dann: »Wir könnten uns das Projekt ansehen, bei dem er seinem Schwiegervater geholfen hat.«

Er sah auf die Uhr und sagte: »Ich muss heute Nachmittag nach Treviso. Vertagen wir uns auf morgen?«

»Gute Idee«, stimmte Griffoni zu. Sie fuhr sich mit den Fingern nachdenklich über die Unterlippe. »Es war mir noch nie geheuer, wenn Gutmenschen eine Wohltätigkeitsorganisation gründen.«

»Weil sie so weltfremd sind?«, vermutete Brunetti.

»Etwas in der Art«, sagte sie. »Sie leiden unter Charakterschwäche.«

»Warum sagst du das?«, fragte Brunetti verblüfft.

Griffoni stand auf, verstaute ihren Stuhl, wobei sie Brunetti nur um Haaresbreite verfehlte. Dann zog sie die Tür halb zu sich heran, ließ Brunetti an sich vorbei auf den Flur, zog die Tür ganz zu und griff nach dem Schlüssel.

Mit dem Rücken zu ihm, sodass er ihre Miene nicht sehen konnte, schloss sie ab und sagte: »Weil ich Neapolitanerin bin.«

Brunetti wandte sich um und ging ihr voran zum Treppenhaus.

6

Am nächsten Morgen traf Brunetti wie üblich um kurz nach neun in der Questura ein. Der Wachposten meldete ihm, Commissario Griffoni sei vor zwanzig Minuten gekommen und erwarte ihn in ihrem Büro.

Er ging erst einmal in sein eigenes, warf den *Gazzettino* auf den Schreibtisch, checkte seine Mails und machte sich dann auf den Weg nach oben. Griffonis Tür stand offen. Wie immer, wenn sie da war.

Griffoni blickte auf und rückte näher an den Tisch heran, damit er auf dem Gästestuhl Platz nehmen konnte. Lächelnd fragte sie: »Wo waren wir?«

»Wie wär's, wenn wir uns sein Privatleben vornehmen? Das Problem könnte genauso gut dort zu finden sein.«

»Das berühmte ›eine andere‹?«, fragte sie mit zitternder Stimme.

»Immer ganz oben auf der Liste«, stimmte er leichthin zu. Doch bevor ihr Pingpong so weiterging, glaubte er, klarstellen zu müssen: »Als Erstes sollten wir überlegen, ob wir dem wirklich nachgehen wollen.«

»Weil sich der Aufwand vielleicht nicht lohnt?«

»Nein«, gab er zurück. »Weil es ein Freundschaftsdienst ist und es sich nicht um eine Straftat handelt. Oder es jedenfalls nicht danach aussieht.«

Griffoni stand auf und stellte sich unter das Unding von einem Fenster, so winzig und in so unerreichbarer Höhe, dass man den Eindruck hatte, die Arbeiter hätten damals bei der Fertigstellung des Dachgeschosses kurzerhand ein Loch in die Mauer geschlagen, um ein wenig frische Luft zu haben, und dann seien sie zu faul gewesen, es wieder zuzumauern, und hätten einfach ein Fenster daraus gemacht. Sie schob die Hände in die Taschen ihrer Jeans, legte den Kopf so weit nach hinten, dass sie fast aus dem Gleichgewicht geriet, und starrte in die fernen Wolken.

In dieser Haltung verharrte sie sehr lange und wirkte dabei so angespannt, als beobachte sie die Wolken nicht nur, sondern lausche ihnen. Schließlich nahm sie die Hände aus den Taschen, setzte sich wieder, schlug die Beine übereinander, und als sie endlich den Mund aufmachte, hörte es sich an, als spräche sie zu sich selbst. »Sie ist eine alte Freundin. Wir beanspruchen Kontakte und Kräfte der Polizei, um ihr bei einem persönlichen Problem zu helfen, und finden nichts.« Dass sie, ohne zu zögern, »wir« gesagt hatte, machte Brunetti Mut. »Ein Unbeteiligter könnte uns alles Mögliche unterstellen, zum Beispiel ...« Sie hob die Stimme, und Brunetti konnte ihr Gespür für ein melodramatisches Timing nur bewundern. »... Vergeudung von Steuergeldern und Amtsmissbrauch.«

Sie sah ihm in die Augen. Was würde er darauf erwidern?

»Tenente Scarpa?«, fragte Brunetti.

Griffoni hob die Hand. »Und nicht nur er, obwohl er bestimmt der Erste wäre.« Brunetti schenkte ihr das verdiente Grinsen, und sie fuhr fort: »Falls Scarpa nach seinem kurzen Gespräch mit Signora Foscarini dahinterkommt, dass wir gegen die Familie eines erfolgreichen Geschäftsmanns ermitteln, des Direktors einer der letzten wohltätigen Stiftungen in Venedig, und dass wir das nur aufgrund vager

Aussagen einer Kindheitsfreundin von dir tun – oder auch von mir … oder Vianello. Oder Pucetti – egal. Es kann uns eine Menge Ärger einbringen.«

Sie spitzte die Lippen, eine Geste, die den meisten Frauen nicht stand, ihr aber schon. »Du kennst die Verhältnisse in der Questura länger als ich, Guido, also kannst du auch besser beurteilen, wie wir vorgehen müssen, um Ärger zu vermeiden.«

»Sobald Scarpas Name fällt, ist Ärger nicht fern«, sagte Brunetti. Hatte Paolas Bewunderung für Oscar Wildes Theaterstücke auf ihn abgefärbt, oder warum sprach er von Scarpa immer so, als wäre er ein bloßer Komparse in einem Stück von Wilde und nicht die graue Nemesis der Questura?

»Vielleicht sollten wir Vianello hinzuziehen«, endete er.

»Gute Idee«, sagte Griffoni.

Brunetti entnahm dem, dass sie an der Sache dranbleiben wollten, und machte sich gleich auf den Weg nach unten.

Vianello saß an seinem Tisch im Bereitschaftsraum und las die vor ihm ausgebreitete Zeitung, weit nach hinten gelehnt; Brunetti bemerkte das zum ersten Mal. Im Näherkommen erkannte er den orange-blauen Titelkopf des *Gazzettino*.

Vianello blickte auf. »Ich nehme an, du hast das schon gesehen?«, fragte er und zeigte auf den Aufmacher.

Brunetti kannte den Artikel. »Diese Jungen?«, fragte er mit einem Blick auf die vier Männer, die ihn auf dem Weg zur Arbeit von den Fotos der vor allen Kiosken gestapelten Zeitungen angelacht hatten.

Die vier Kommilitonen waren um drei Uhr morgens mit

dem Auto von einer illegalen Hausparty in Padua auf dem Heimweg nach Venedig, als der Fahrer, übermannt von *un colpo di sonno* (die Zeitung nannte als Erklärung grundsätzlich »Sekundenschlaf«), mit circa 160 Stundenkilometern gegen eine Platane am Straßenrand krachte.

Der Amtsarzt hatte von *colpo di sonno* nichts wissen wollen und als Todesursache in allen vier Fällen massive stumpfe Gewalteinwirkung festgestellt.

Nicht erwähnt im *Gazzettino*, jedoch im Polizeibericht, den Brunetti und Vianello gelesen hatten, war die Tatsache, dass keiner der jungen Männer angeschnallt gewesen war und die Blutanalyse überwältigende Mengen Amphetamine beim Fahrer und nicht ganz so viel bei den drei anderen ergeben hatte.

»Warum haben die ihn bloß fahren lassen?«, fragte Vianello verzweifelt.

Ähnlich nüchtern wie der Amtsarzt meinte Brunetti: »Weil sie jung und übermüdet waren und Drogen genommen hatten und er vermutlich darauf bestanden hat.« So war es fast immer.

»Ohne nachzudenken«, sagte Vianello, faltete die Zeitung und schob einen Aktendeckel über die Fotos, bis nur noch die reißerische Schlagzeile zu sehen war.

»Na ja, Paduas Problem«, meinte er noch, auch wenn ihnen beiden klar war, dass Venedig früher oder später damit zu tun bekäme.

Sie ließen das Thema fallen. Beide hatten Kinder im Teenageralter, die sich, soweit sie wussten, nicht mit Drogen abgaben, aber ging es so nicht allen Eltern, bis sie eines Schlechteren belehrt wurden?

Brunetti zog einen Stuhl heran, nahm neben Vianello Platz und rückte mit seinem Anliegen heraus. »Hast du schon mal von einem Geschäftsmann namens Bruno del Balzo gehört?«, fragte er.

Den Blick in die Ferne gerichtet, sagte Vianello den Namen leise vor sich hin. »Gehört habe ich den schon, weiß aber nicht mehr, bei welcher Gelegenheit.« Er hob stirnrunzelnd das Kinn und wies damit zu einem Polizisten, der an seinem Computer saß, und zu zwei anderen Uniformierten, die ins Gespräch vertieft am Fenster standen. »Warum fragst du?«

»Ich habe gestern mit seiner Frau gesprochen. Die kenne ich seit einer Ewigkeit«, erklärte Brunetti. »Beide zusammen habe ich nur einmal getroffen, auf einen Kaffee. Sein Name ist mir im Lauf der Jahre ab und zu untergekommen, aber ich habe vergessen, in welchem Zusammenhang. Du weißt ja, wie das ist.« Dann kam er endlich zur Sache. »Wie es aussieht, verhält ihr Schwiegersohn sich merkwürdig.«

»Guido«, sagte Vianello lächelnd. »Wenn uns jeder gemeldet würde, der sich merkwürdig verhält …« Der Ispettore verstummte und überließ es Brunetti, den Satz zu beenden. Da Brunetti schwieg, sagte er: »Warum fragst du nach seinem Schwiegervater?«

»Das weiß ich auch nicht genau«, gab Brunetti zu.

»Wie heißt der Schwiegersohn?«

»Enrico Fenzo. Er ist *ragioniere*. Mit eigenem Büro. Sie macht sich Sorgen um ihre Tochter.« Brunetti versuchte nach Kräften, das Ganze für Vianello nachvollziehbar zu machen. »Seine Schwiegermutter, die Frau, die mit mir gesprochen hat, war mal unsere Nachbarin.« Es war ihm ein bisschen peinlich, wie typisch venezianisch diese Erklärung klang. Oder wie typisch für jede Kleinstadt überall auf der Welt. Menschen hinterließen Spuren im Leben der anderen: sei es ein Schulfreund, der Hausarzt, der Gemeindepfarrer, die erste Liebe oder der Ehepartner. Jeder taxierte das Verhalten der anderen, sah sie sich gut oder schlecht benehmen, bekam mit, ob sie in der Schule, bei der Arbeit oder in der Liebe Erfolg hatten oder scheiterten. Lange bevor Computer persönliche Daten eines Menschen sammeln konnten, taten dies die Nachbarn. Nur mit dem Unterschied, dass Nachbarn und Freunde die Gründe für die Scheidung, den Abbruch des Studiums, den Umzug in eine kleinere Wohnung, den Verlust des Arbeitsplatzes kannten, die Computer hingegen nur dürre Fakten. Computer dokumentieren, Freunde versuchen, im Herzen zu lesen.

»Klingt lächerlich, oder?«, meinte Brunetti. »Ich habe sie im Lauf der Jahre höchstens ein Dutzend Mal gesehen, und viel mehr als Hallo sagen und nach der Familie fragen war da nicht. Und doch, kaum hat sie mich um Hilfe gebeten, blieb mir keine Wahl, oder so kam es mir jedenfalls vor.«

»Warum?«, fragte Vianello.

Brunetti spürte selbst, wie einfältig es sich anhörte: »Weil ihre Mutter gut zu meiner war.«

Doch Vianello strahlte. »Hoffentlich wartest du nicht auf einen noch besseren Grund.«

Ermutigt erklärte Brunetti: »Ich habe gesagt, ich würde mich mal umhören.« Er versuchte, ebenso unverbindlich zu klingen, wie schon Elisabetta gegenüber.

Dann berichtete er, was Elisabetta ihm erzählt hatte: dass die Ehe ihrer Tochter von etwas Dunklem überschattet war, das ihr Mann aus der Arbeit nach Hause brachte. Oder von woanders, oder jemand anderem.

Er verzichtete auf jegliche Einschätzung und äußerte keinen Verdacht, wiederholte nur nahezu wörtlich, was Elisabetta erzählt hatte: Wie Enrico zunächst bei der Einrichtung der Stiftung seines Schwiegervaters half, bevor er sich dann um seine eigene wachsende Kundschaft kümmerte. Als er zu der Szene kam, in der Enrico seine Frau an den Schultern packte, fragte Vianello: »Vor wem hat er Angst?«

»Das weiß ich nicht«, sagte Brunetti. »Seine Frau offenbar auch nicht. Und seine Schwiegermutter auch nicht.«

»Aber er glaubt, für ihn und seine Frau wird es gefährlich, wenn etwas ruchbar wird?«

»Sieht ganz so aus.«

»Weiß er«, fragte Vianello, »dass Flora es ihrer Mutter erzählt hat?« Und bevor Brunetti etwas entgegnen konnte: »Oder noch schlimmer, wird er erfahren, dass ihre Mutter es der Polizei erzählt hat?«

»Keine Ahnung«, wich Brunetti aus.

Vianello bohrte ungerührt weiter. »Du hast es Griffoni erzählt, und du hast es mir erzählt, das heißt, wir drei wissen es jetzt, und ihre Mutter weiß es auch.« Er zog die Zeitung heran und nahm den Aktendeckel weg, und so bekamen sie noch einmal die vier jungen Männer zu sehen, die ihnen aus dem Reich der Toten zulächelten. Der Ispettore stach mit dem Finger auf eine Stelle unterhalb der Fotos ein: »Wo es so viele Mitwisser gibt, dauert es nicht lange, bis die Geschichte hier in der Zeitung steht.«

Brunetti musste ihm recht geben, theoretisch zumindest.

»Deswegen möchte ich mich möglichst unauffällig umhören«, sagte er.

Vianello schob die Zeitung beiseite. »Sag mir noch einmal die Namen, ich schaue dann mal, was ich finden kann.«

»Er heißt Enrico Fenzo, seine Frau Flora del Balzo. Er führt anderen Leuten die Bücher, sie ist Tierärztin. Ihre Eltern sind Elisabetta Foscarini und Bruno del Balzo; sie wohnen am Campo Santi Giovanni e Paolo.« Vianello schrieb alles in sein Notizbuch.

Wenn das Interesse an Elisabetta Foscarinis Schwiegersohn eine ansteckende Krankheit wäre, dachte Brunetti, dann hat sie sich jetzt schon ausgebreitet. Fragen seitens der Polizei waren oft die ersten Erreger, durch sie breitete sich die Infektion rasend schnell unter denen aus, die befragt wurden, dann unter Verwandten und Freunden, die davon erfuhren und alles weitertrugen. Früher oder später steckte sich jemand an, der besonders anfällig war. Manch einer ging zugrunde; andere ließen sich von Anwälten auskurieren.

Vianello unterbrach Brunettis Grübeleien mit der Frage: »Hast du irgendeine Vorstellung, um was für Schwierigkeiten es sich handeln könnte?«

»Nein.«

Vianello nickte gedankenverloren vor sich hin und fragte plötzlich: »Aber offiziell ist das nicht, oder?«

»Nein, es ist nur ein Freundschaftsdienst. Allzu viel Zeit sollten wir nicht damit verschwenden müssen.« Brunetti erkannte erst jetzt, wie automatisch er davon ausgegangen war, dass Vianello nicht Nein sagen würde. »Ich möchte herausfinden, was ihn beunruhigt oder beängstigt. Dann erzähle ich es seiner Schwiegermutter, und dann müssen sie selbst damit fertigwerden.«

»Also ganz einfach.«

»Ach, lass das, Lorenzo«, sagte Brunetti. »Ich mache das auch nicht gern, und bevor du mich darauf hinweist: Ja, es ist mir bekannt, dass ich andere Leute mit hineinziehe, dich und Claudia.«

»Und vermutlich Signorina Elettra«, meinte Vianello liebenswürdig.

Brunetti stützte den Unterarm auf den Schreibtisch und legte den Kopf auf seine Hand. »Es ist schon außer Kontrolle. Richtig?«

Vianello lächelte nur und scharrte unter dem Schreibtisch mit den Füßen, als ginge es gleich in die Startblöcke. »Besser, als hier herumzusitzen und darüber zu brüten, wie der Tod dieser jungen Leute hätte vermieden werden können«, sagte er, mit dem Kinn nach der Zeitung weisend.

Brunetti lächelte. »Also dann, Lorenzo. Wir machen Folgendes: Ich sehe mich mal bei Fenzos Klienten um; und du schaust, ob du etwas über Fenzo findest – aber ohne Signorina Elettra.«

7

Unschlüssig, wie es weitergehen sollte, machte Brunetti »Hmhm«, wie alte Leute es tun, wenn sie bei einer Unterhaltung mitreden wollen, aber nicht wissen, was sie sagen sollen. Doch Vianello ließ sich nicht aus der Reserve locken. Schließlich fragte Brunetti: »In Ordnung?«

Vianello nahm einen Stift und begann, auf den unteren Rand des *Gazzettino* Dreiecke zu zeichnen, jedes ein wenig kleiner als das vorige und alle durch dieselbe Grundlinie miteinander verbunden. Am rechten Rand angekommen, legte er den Stift beiseite und fragte scheinbar gleichgültig: »Kümmern wir uns auch um die Stiftung, bei deren Gründung er mitgeholfen hat?«

Brunetti nickte.

Vianello rutschte auf seinem Stuhl nach hinten. »Online gibt es bestimmt Informationen, was man bei Einrichtung einer Stiftung alles zu berücksichtigen hat. Und ein Verzeichnis aller wohltätigen Organisationen, die von den zuständigen Behörden genehmigt wurden. Und irgendwo müssen auch die Geschäftsberichte zu finden sein, entweder auf Landesebene oder nach Provinzen sortiert.« Er angelte sich den Stift und begann, die Dreiecke auszumalen, wobei er sorgfältig darauf achtete, nicht über die Ränder hinauszukritzeln.

Und ohne den Blick von der Zeitung zu heben: »Du weißt, wie aufwendig die einfachsten Dinge sind …«

Vianello hielt die Hand still, während er nach Beispielen suchte. »Einen Festnetzanschluss kündigen oder einrichten. In einer neuen Wohnung die Gasleitung anschließen lassen.« Vianello widmete sich wieder seinen Dreiecken.

Brunetti wartete ab, obwohl er ahnte, worauf der Inspektor hinauswollte.

»Ich möchte nur darauf hinweisen«, sagte Vianello, »wie kompliziert es sein dürfte, eine gemeinnützige Organisation zu gründen, zudem noch im Ausland.« Er sah zu Brunetti und meinte kopfschüttelnd: »Überleg mal, was das für ein Aufwand ist und was das kostet.«

Brunetti wollte dem etwas entgegenhalten, doch da er nicht so viel von Computern verstand, sagte er lieber nichts.

Vianello machte zufrieden lächelnd mit seinen Dreiecken weiter. »Bevor du loslegst, lass mich online ein paar Informationen sammeln. Da wird sich schon was finden.« Freundlicher fügte er hinzu: »Lass mich das machen, Guido. Das geht schneller.«

So taktvoll, wie Vianello diese Wahrheit aussprach, konnte Brunetti nur zustimmend nicken.

Vianello füllte das letzte Dreieck aus, legte den Stift weg und stand auf. Die Hände auf den Schreibtisch gestützt, beugte er sich zu Brunetti vor.

»Ich weiß nicht, wie die Eltern jemals damit fertigwerden können«, sagte er. »Die Jungen waren noch keine zwanzig.«

Brunetti schwieg betroffen. Einer der Beamten hinten im Raum schlug seinem Nebenmann lachend auf die Schulter – unangenehm laut, wie Brunetti fand. Er erhob sich, berührte leicht Vianellos Arm und ging in sein Büro.

Von dort rief er den Wachhabenden an.

»*Sì*, Commissario?«, meldete sich Pendolini.

»Hat Pucetti heute Dienst?«

»Er hat Frühschicht, Dottore. Hat um acht angefangen.«

»Könnten Sie versuchen, ihn zu finden, und ihn bitten, zu mir ins Büro zu kommen?«

»Selbstverständlich, Commissario.«

Bevor Brunetti seinen Computer einschaltete, öffnete er das Fenster, um frische Luft hereinzulassen. Einige Papiere flatterten von seinem Schreibtisch auf und segelten eins nach dem anderen zu Boden.

Er schloss eilig das Fenster und ging in die Knie, um die Papiere aufzusammeln. Da hörte er ein »Signore?« von der Tür.

Aus dem Augenwinkel erkannte er Pucetti: in Uniform und mit Pistole im Halfter, die Mütze in der Hand. »Kommen Sie rein, Pucetti, nehmen Sie Platz.« Er klatschte die letzten Papiere auf den Tisch und kam wieder unter dem Schreibtisch hervor. Erst da trat Pucetti näher und ließ sich auf dem Besucherstuhl nieder.

Brunetti, der längst bereute, sich auf diese Geschichte eingelassen zu haben, wollte nicht noch mehr Zeit vergeuden und begann ohne Umschweife: »Ich möchte Sie um einen Gefallen bitten, Pucetti.«

»Ja, Signore?«, fragte dieser eifrig.

»Die Sache hat nichts mit irgendeiner unserer aktuellen Ermittlungen zu tun.«

»Sehr gut, Signore. Ich freue mich über jede Abwechslung vom täglichen Einerlei.«

»Ob es wirklich eine Abwechslung ist, wird sich noch

zeigen«, sagte Brunetti. »Jedenfalls werden Sie die Uniform nicht brauchen.«

»Das heißt, es ist etwas Privates, Signore?«, fragte Pucetti, ohne eine Miene zu verziehen.

Brunetti lächelte. Es wäre nicht das erste Mal, dass er Pucetti zu etwas heranzog, das keine … offizielle Ermittlung war. »Privat«, ja, das sollte als Erklärung genügen. »Es hat schon mit der Questura zu tun«, begann er. »Ich hatte ein Gespräch mit einer Frau, die fürchtet, jemand, den sie kennt, sei in Gefahr. Ich habe ihr gesagt, ich wolle versuchen herauszufinden, ob es einen Grund für ihre Befürchtung gibt.«

»Verstehe«, sagte Pucetti mit sanfter Stimme. »Was kann ich für Sie tun?« Wie aus dem Nichts waren Notizbuch und Stift in seinen Händen erschienen.

»Mich interessieren zwei Personen. Enrico Fenzo, selbstständiger Buchführer, und Flora del Balzo, sie hat eine Tierpraxis auf Murano. Hören Sie sich um, was die Nachbarn über sie sagen. Ich möchte wissen, ob die beiden sich irgendwie auffällig benommen haben. Unruhig, besorgt – Dinge dieser Art.«

»Können Sie mir nichts Genaueres sagen, Commissario?« Brunetti schwieg, und Pucetti erklärte: »Es könnte mir helfen, die richtigen Fragen zu stellen.«

Brunetti bemerkte lächelnd: »Ich kenne die richtigen Fragen nicht, Pucetti.« Und da dieser nichts erwiderte, fügte Brunetti hinzu: »Betrachten Sie es als Angelexpedition. Und wählen Sie den Köder je nach den Fischen.«

Pucetti blickte erwartungsvoll auf. »Wann soll ich anfangen, Commissario?«

»Vielleicht heute Nachmittag? Machen Sie ein paar Stunden früher Schluss. Sagen Sie Pendolini, Sie hätten einen Sonderauftrag von mir und er soll Sie zu Ihrem normalen Dienstschluss ausstempeln.«

»Verstößt das nicht gegen die Vorschriften, Signore?«, fragte Pucetti unsicher.

Wieder lächelte Brunetti. »Ja. Es verstößt gegen die Regeln der Questura. Aber Pendolini hat seine eigenen Regeln.«

Jetzt lächelte auch Pucetti. Er schien etwas sagen zu wollen, machte den Mund aber wieder zu und richtete sich gerade auf.

»Nur raus mit der Sprache«, ermunterte Brunetti ihn.

Er beobachtete, wie der junge Mann überlegte, was er jetzt sagen sollte. Die Wahrheit – und sich womöglich zu viel herausnehmen? Gar nichts – und sich den Anschein dumpfen Gehorsams geben?

»So wie Signorina Elettra?«, fragte Pucetti schließlich.

Brunetti lachte unwillkürlich auf. »Sie denken, sie hat ihre eigenen Regeln?«, fragte er.

»Ja, Signore«, kam es wie aus der Pistole geschossen.

»Und heißen Sie das gut?«

»Es steht mir nicht zu, darüber zu urteilen, Signore«, erklärte Pucetti bescheiden. »Zumal wir von ihrem Tun profitieren, wie mir scheint.«

Brunetti wollte sich nicht – zumindest nicht mit jemandem, der so viel jünger war als er selbst – auf eine Debatte zum Thema »Der Zweck heiligt die Mittel« einlassen. Seine Meinung hatte sich in den letzten Jahren geändert, er war sich längst nicht mehr sicher, ob eine großzügige Auslegung zulässig war. Nur wenige Leute bekannten sich zu egoistischen Zielen; die meisten waren überzeugt, aus edlen Motiven zu handeln, egal, wie schlecht sie sich benahmen oder wie niedrig ihre Beweggründe waren.

»Verstehe«, sagte Brunetti. Er zog ein paar Papiere zu sich heran, warf einen Blick darauf und wandte sich wieder dem jungen Beamten zu. »Soweit ich weiß, gibt es keine Regel und erst recht kein Gesetz, das einem Polizisten in Zivil verbietet, in eine Bar zu gehen und sich mit den Leuten dort zu unterhalten.«

Pucetti ließ nicht einmal Platz für ein Komma nach dieser Bemerkung seines Vorgesetzten: »Oder in einen Tabakladen, um seine Carta Venezia aufzuladen und sich dabei zu erkundigen – auf Veneziano –, ob sein Freund Enrico Fenzo immer noch in der Gegend wohnt.«

»Ganz recht.«

Pucetti erhob sich lächelnd, wünschte dem Commissario einen guten Tag und ging, während Brunetti sich fragte, ob sich überhaupt noch jemand in der Questura, dem er vertraute, an die Regeln hielt.

Vianello hatte keine Stunde für seine Recherchen gebraucht. Er klopfte an, trat unaufgefordert ein und wedelte triumphierend mit einem Stoß Papiere.

Brunetti winkte ihn stumm heran, und Vianello setzte sich, die Papiere auf dem Schoß.

»Schieß los.«

»Ich habe die Vorschriften zur Gründung einer ONLUS gefunden«, erklärte Vianello. Als Brunetti zu einer Frage ansetzte, stoppte er ihn mit erhobener Hand wie ein Verkehrspolizist.

»Ich dachte, das wäre wie üblich kompliziert. Zumal diese Organisationen Geld an andere verteilen und keinen Profit einbringen.«

»Und steuerbefreit sind«, ergänzte Brunetti.

Vianello ging darauf nicht ein. »*Organizazzione Non Lucrativa di Utilità Sociale.* Ich hatte nie gewusst, wofür die Abkürzung steht«, gab er zu. »Nicht profitorientierte Organisation zur Förderung des Gemeinwohls.« Er schüttelte den Kopf wie über etwas Unbegreifliches. »Hört sich an wie etwas aus den Sechzigern.« Er sah Brunetti fragend an. »Wann hast du das letzte Mal jemanden voller Überzeugung von ›Gemeinwohl‹ reden hören?«

»Meine Kinder reden oft davon.«

Vianello ließ sich nicht bremsen. »Meine auch. Aber Erwachsene?«, fegte er den Einwand vom Tisch.

Brunetti gab sich nicht geschlagen. »Doch. Manche schon.«

Das brachte Vianello kurz aus dem Konzept; dann aber kam er, ohne näher auf Brunettis Antwort einzugehen, auf sein Thema zurück. »Eine Stiftung zu gründen ist ein Kinderspiel. Das kann jeder.« Er lauschte dem nach und korrigierte sich: »Na ja, jedenfalls ist der Aufwand nicht groß.«

»Das heißt?«

»Ich habe nicht alle Schritte nachvollzogen«, erklärte Vianello. »Aber ich habe die Anleitung komplett durchgelesen, und dann habe ich einen Freund in der Agenzia delle Entrate in Udine angerufen und gefragt, ob stimmt, was da geschrieben steht.«

»Und?«

»Er sagt, genau so ist es. Es wird einem sehr leicht

gemacht, eine solche steuerbefreite Organisation zu gründen. Und schon rettet man die Welt.«

»Oder zumindest einen Teil davon?«

»Wenn dir das lieber ist«, sagte Vianello.

»Was hast du sonst noch herausgefunden?«, ermunterte Brunetti seinen Freund, auch wenn das gar nicht nötig war.

Jetzt kamen die Papiere zutage. Vianello zog seine Brille aus der Tasche, vermied es aber, Brunetti anzusehen, während er sie aufsetzte. Er nahm die oberen beiden Blätter und schob sie Brunetti hin. »Das sind die Formulare für die Gründung einer Stiftung. In Formular eins – nur eine Seite – soll der Antragsteller Alter und Wohnsitz eintragen. In Formular zwei – auch nur eine Seite – Name und Einzelheiten zu Sinn und Zweck der Stiftung und noch einmal den Namen des Antragstellers.«

Brunetti erkannte die üblichen amtlichen Formulare mit den üblichen leeren Kästchen. »Das hier«, fuhr Vianello fort und schob zwei weitere Blätter über den Tisch, »ist die Anleitung zum Ausfüllen der beiden Formulare.« Brunetti wurde aus dem Buchstabensalat erst schlau, nachdem auch er seine Brille aufgesetzt hatte. Er überflog die erste Seite der Anleitung: Die einzelnen Wörter waren durchaus verständlich, die ganzen Sätze jedoch nicht. Typische Amtsformulare eben.

»Und das ist der Rest – fünf Seiten Formulare, die als Selbstauskunft dienen, falls man das alles nicht von einem Notar erledigen lassen möchte. Ziemlich simpel: Man erklärt, was die Organisation tun wird, wer die Gründungsmitglieder sind und wie das Geld aufgetrieben werden soll.«

»Das ist alles?«, fragte Brunetti und wies auf die paar Blätter.

»Sieht ganz so aus.« Vianello schob die Papiere zusammen. »Ich habe alles durchgelesen und finde, wer sich nur ein bisschen mit Amtschinesisch auskennt, kommt mit diesen Formularen ohne Weiteres zurecht.«

Brunetti sagte: »Ich hatte angenommen, zur Gründung einer Stiftung brauche man einen Anwalt oder Notar, oder wenigstens müsse einer im Vorstand sein.« Er schüttelte verwundert den Kopf. »Noch etwas?«

»Ich weiß jetzt, wie die Stiftung heißt.«

»Ja?«

»Belize nel Cuore.«

Brunetti schlug die Hände vors Gesicht. Dann ließ er sie wieder sinken und sagte so beherrscht, dass er selbst nur staunen konnte: »Schätze, so muss man das wohl machen: die Leute dazu bringen, sich Belize zu Herzen zu nehmen.«

»Wieso?«, fragte Vianello verwirrt.

»Marketing«, war die Antwort, ein Fremdwort, das mittlerweile so allgegenwärtig war wie »Taxi« oder »Pyjama«.

»Aber es handelt sich doch um eine Stiftung«, rief Vianello aus.

»Eben darum.«

Vianello überlegte lange, dann brach es aus ihm hervor: »Vierbeiner-Asyl, Happy-Hunde-Heim, Pfötchen-Paradies.«

»Was soll das?«

»Hab ich mir eben ausgedacht. Namen für Tierheime. Wenn Hunderetter ihre Einrichtungen so nennen – warum sollen Menschenretter nicht auch alle Register ziehen? Wie

wohlig sich das nach Glück und Rechtschaffenheit anhört.«
Dann fiel ihm noch ein: »Oder dem ist tatsächlich so: Man
muss mit dem Herzen denken, um sich für das Wohl der
anderen einzusetzen.«

8

Brunetti rutschte auf seinem Stuhl zurück, schlug die Beine übereinander und bat, um Ernst bemüht: »Erzähl mir mehr von Belize nel Cuore.«

Vianello zückte sein Notizbuch und begann, darin zu blättern. Er wollte einen Finger befeuchten, ließ die Hand aber wieder sinken und schlug Seite um Seite um.

Schließlich hatte er gefunden, was er suchte, er bog die Seiten nach hinten und stützte das aufgeschlagene Notizbuch auf seine Schenkel. »Der Hauptsitz ist hier, gegründet vor drei Jahren von Bruno del Balzo. Die anderen Vorstandsmitglieder sind Luigino Guidone und Matteo Fullin.« Er blickte auf und fragte: »Kennst du die?«

»Guidone nicht«, antwortete Brunetti. »Aber Fullin habe ich mal getroffen.« Er versuchte, sich zu erinnern, wann und wo, aber die Erinnerung nahm keine Form an. Achselzuckend meinte er: »Ich komme schon noch darauf.«

Beide schwiegen, bis Brunetti in der Annahme, die Papiere auf dem Schreibtisch seien Kopien für ihn, sie zu sich heranzog. »Danke, Lorenzo.« Den Blick auf die Papiere gerichtet, bemerkte er beiläufig: »Ich habe Pucetti gebeten, sich ein wenig in Fenzos Nachbarschaft umzuhören.«

Vianello meinte versonnen: »Ja, in solchen Dingen ist er sehr gut. Er wirkt so vertrauenswürdig.« Er hob die Stimme: »Überhaupt nicht wie ein Polizist.« Brunetti grinste, und Vianello fuhr fort: »Als was will er sich ausgeben? Alter Schulfreund, aus der Zeit, wo sie zusammen Fußball gespielt haben?«

Brunettis Grinsen wurde breiter. »Er ist ein richtiger Herzensbrecher.«

»Keine alte Dame ist vor ihm sicher«, lobte Vianello Pucettis Lügnerqualitäten.

»Die Dame oder ihre Rente?«

»Die Rente. Die luchst er ihr in fünf Minuten ab, als Spende für Schulkinder in Kalabrien oder die Menschen in Irpinien.«

Der Name ließ in Brunetti Erinnerungen aufsteigen wie einen Geist aus der Flasche. Wie können wir über solche Katastrophen scherzen?, fragte er sich. Sind wir so verdorben, dass wir den Diebstahl von Milliarden an Hilfsgeldern für Erdbebenopfer nicht mehr als Verbrechen ansehen, nicht einmal als einen Skandal, sondern nur noch als nichts Neues unter der Sonne?

Brunetti sah zu seinem Freund, überzeugt, dass auch ihm jene furchtbaren Ereignisse durch den Kopf gingen. Er überlegte fieberhaft, wie er sie beide da herausholen könnte.

Vianello fand als Erster in die Gegenwart zurück. »Haben wir ein Haltbarkeitsdatum für den Gefallen, den du deiner Freundin schuldest?«

»Was soll das heißen«, fragte Brunetti eine Spur zu aggressiv.

»Das heißt«, erklärte Vianello ungeduldig, »wie lange schnüffeln wir hinter diesen Leuten her, bis wir einpacken und zugeben, dass wir nichts finden, und du deiner Freundin sagst, sie soll sich lieber selbst um ihre Probleme kümmern?«

Musste Brunetti ihm nicht recht geben? Venedig hatte andere Sorgen, und doch wollte er die Polizei einsetzen, um die Befürchtungen einer Freundin zu zerstreuen?

»Ein paar Tage?«, schlug Brunetti im Frageton vor.

Vianello überlegte lange. »Na schön. Aber sobald irgendetwas unbestreitbar Kriminelles geschieht, konzentrieren wir uns ganz darauf.«

»Einverstanden«, stimmte Brunetti zu. Er stand auf und ging zum Mittagessen nach Hause.

Zu seiner Freude gab es Risotto mit *radicchio di Treviso,* was er sich seit Tagen gewünscht hatte. Zum Abschluss stellte Paola eine große Käseplatte auf den Tisch und erklärte, sie habe sich nach den Vorlesungen verspätet und auf dem Heimweg nichts anderes mehr einkaufen können. Der köstliche Risotto machte es allen leicht, Nachsicht zu üben, zumal Paola nicht zuletzt ein großes Stück Gorgonzola mitgebracht hatte, umhüllt von Mascarpone.

Brunetti ließ Paola und Raffi mit dem Abwasch allein – sein Sohn war diese Woche dran – und ging zum Lesen ins Wohnzimmer, bevor er wieder zur Arbeit musste. Im *Espresso* dieser Woche gab es einen Artikel zum Jahrestag der Ereignisse in Irpinien, was vielleicht erklärte, warum Vianello davon angefangen hatte. Plötzlich erschien Chiara in der Zimmertür.

»*Papà*, kann ich dich was fragen?«

»Hm?«, machte er und blickte von den Fotos auf, die nichts von ihrem Schrecken verloren hatten.

»Welches ist für dich das beste griechische Theaterstück?«

»Wie bitte?« Er hatte gedacht, sie wolle ihn um einen

Vorschuss auf ihr Taschengeld bitten. »Griechisches Theaterstück?«

»Genau.«

Er dachte kurz nach und meinte schließlich: »Das ist so ähnlich, wie wenn du mich nach meinem Lieblingsessen fragen würdest. Heute wäre es Risotto *alla Trevigiana*. Aber wenn du mich im Juni fragst, würde ich etwas anderes sagen.«

Sie ließ sich neben ihm aufs Sofa fallen. Eilig deponierte er die Zeitschrift mit dem Gesicht nach unten auf dem Tisch und legte ihr einen Arm um die Schultern.

»Ich dachte, du würdest mich um zehn Euro anschnorren«, erklärte er. Und dann vorsichtig: »Da wäre mir die Antwort leichter gefallen.«

»Als dich für ein Stück zu entscheiden?«

»Als mich für ein einziges zu entscheiden.« Er hob den Arm auf die Sofalehne und wandte sich ihr zu: »Wieso fragst du?« Bestimmt ging es um ihren Griechischunterricht.

»Der Lehrer hat uns alle gebeten, unser Lieblingsstück zu nennen. Aus dem, das die meisten Stimmen kriegt, will er eine Szene mit uns durchgehen.«

»Auf Griechisch?«

»Natürlich. Hast du die Stücke in der Schule etwa nicht im Original gelesen?«

»Nur eins. Vermutlich wollte der Lehrer uns nicht überfordern.« Lächelnd fügte er hinzu: »Und er hatte recht. Die sind wirklich schwer zu lesen. Ich habe es später noch mal versucht, konnte aber die Kraft ihrer Sprache nicht spüren.«

Sie legte ihm lächelnd eine Hand an die Wange. »Aber du weißt genug, um zu spüren, dass die Kraft da ist, oder?«

Brunetti antwortete ein wenig verlegen: »Wenn man sie sorgfältig liest, selbst auf Italienisch, kommt man gar nicht daran vorbei, etwas von dieser Kraft zu spüren. Sie schimmert durch.«

»Meinst du das wirklich, *papi*?« So redete sie ihn nur bei ihren ernsthaftesten Gesprächen an. Er frohlockte innerlich und nickte.

»Also, welches ist dein Lieblingsstück?«

»Darf ich schummeln und drei nehmen?«

»Zum Preis von einem?«

Brunetti lachte, wie sie es sicher von ihm erwartete. »Wenn du gestattest, nehme ich die *Orestie*.« Er hatte die Trilogie unlängst wieder gelesen, überwältigt von der Aktualität ihrer Themen: Rolle und Rechte von Frauen; Ursprung, Sinn und Zweck von Justiz; die Frage, wie man Verbrechen bestrafen sollte.

»Und welche Szene darin ist für dich die wichtigste?«

Es klang, als fragte sie nicht für die Schule, sondern wollte es selber wissen. »Da gibt es viele, *stella mia*«, sagte er. »Zum Beispiel Klytämnestras Rede, mit der sie Agamemnon zu Hause willkommen heißt; ihr Zwiegespräch, in dem er seine Eitelkeit und seinen lächerlichen Stolz offenbart; oder auch ihr Wortgefecht mit dem Chor, oder was sie zu Kassandra sagt. Wann immer sie den Mund aufmacht, führt sie das Kommando.« Er hielt kurz inne und gestand dann seiner einzigen Tochter: »Ich habe Klytämnestra immer geliebt, und jedes Mal wenn ich das Stück lese, liebe ich sie ein wenig mehr.«

»Liebe?«, fragte Chiara.

Aus dem Konzept gebracht von ihrer unerwarteten Frage, geriet er ins Grübeln und erklärte dann vorsichtig: »Vielleicht nicht Liebe, sondern Bewunderung und Respekt und Anteilnahme.« Er verschränkte die Hände hinterm Kopf und sah zum Fenster hinaus über die Dächer. »Nein. Nicht Liebe. Dafür ist sie irgendwie zu groß. Zu gewaltig, zu ungezähmt.« Eine Möwe landete auf dem Terrassengeländer, und ihm kam der Verdacht, es sei Klytämnestra, die hören wollte, was er über sie zu sagen hatte.

»Und ich fürchte mich vor ihr«, gestand Brunetti.

»Warum?«, fragte Chiara gespannt.

»Weil sie so viel stärker ist als ich.«

Zurück in der Questura, saß Brunetti in der Falle: Seit zwei Tagen drückte er sich davor, einem befreundeten Commissario in Mestre einen Gefallen zu tun. Der Mann hatte ihn gebeten, sich das ursprüngliche Festnahmeprotokoll zweier Polizisten anzusehen, die später beschuldigt worden waren, den Tatverdächtigen verprügelt zu haben, weil er offenbar in der Nähe einer Schule Drogen verkauft hatte. Die Bitte war inoffiziell: Commissario Tamiello hatte den Bericht per Kurier geschickt, sein Name stand nicht auf dem Päckchen. Tamiello wollte wissen, ob Brunetti der Meinung sei, dass die Vorwürfe gegen den Dealer weiterverfolgt werden sollten.

Als Erstes fiel Brunetti das Fehlen des offiziellen Stempels auf, wo normalerweise Datum und Uhrzeit, Namen der an der Festnahme beteiligten Beamten, Tatvorwurf und Namen der Beschuldigten angegeben waren. Brunetti hatte nur den Polizeibericht selbst, und der begann so: »Weil er aussah wie ein Nordafrikaner, beschlossen wir zu überprüfen, ob er dort Drogen verkaufte.« Auf den insgesamt zwei Seiten wurde kein weiterer Grund dafür erwähnt, warum die Beamten den Beschuldigten angehalten und befragt und schließlich durchsucht hatten, und es wurden auch keine Zeugen dafür benannt, wie weit der Dealer sich der Schule genähert hatte. Die über hundert Kapseln mit Amphetamin, LSD und Methadon und dreizehn Ampullen Kokain und Heroin, die man bei dem Mann gefunden hatte, taugten nach jenem ersten Satz nicht mehr als Beweismaterial.

Brunetti senkte den Kopf und bewegte ihn hin und her wie eine Löschwiege, welche überflüssige Tinte aufsaugt. Da er nicht vorhatte, seine Bedenken schriftlich festzuhalten, suchte er Tamiellos Handynummer heraus und rief ihn an. Tamiello war sofort am Apparat. Er meldete sich mit seinem Namen.

»Ciao, Pietro«, sagte Brunetti munter. »Wollte mal wieder von mir hören lassen. Alles klar bei dir?«

»Ah, *ciao*, Luciano. Und bei dir?«, antwortete Tamiello. Alarmiert überlegte Guido Brunetti, wer sich für Tamiellos Telefonate interessieren könnte. Und warum.

Nach dem Austausch der üblichen Höflichkeiten fragte Tamiello: »Hast du diesen Netflix-Film gesehen, von dem ich dir erzählt habe?«

»Ja«, sagte Brunetti und gab sich Mühe, möglichst pikiert zu klingen, »hab ich. Hat mir gar nicht gefallen.« Und als käme ihm der Gedanke erst jetzt, fügte er hinzu: »Ich glaube, die Anfangsszene hat mir den ganzen Film ruiniert:

So was Plumpes, hab ich gedacht.« Und dann noch: »Hat die ganze Spannung verdorben.«

»Ah«, sagte Tamiello gedehnt. »Genau das habe ich auch gedacht. Auch wenn ich einige der späteren Szenen ganz interessant finde.«

»Nein, Pietro. Ich habe schon viele solche Filme gesehen, und keiner davon hat nach einer so verkorksten Anfangsszene noch etwas hergegeben. Ehrlich gesagt, für mich war damit bereits alles im Eimer.« Brunetti legte eine Pause ein, um seinem Kollegen Gelegenheit für eine Antwort zu geben und sich selbst Zeit zum Überlegen, wie er seine Meinung weiter in der Sprache von Cinecittà verklausulieren könnte.

Tamiello schwieg jedoch, und so bemerkte Brunetti abschließend: »Lausiges Drehbuch. Ich würde den Film keinem meiner Freunde empfehlen.«

»Na ja, über Geschmack kann man nicht streiten«, zog sich der andere Commissario aus der Affäre. »Aber du wirst doch hoffentlich weiterhin versuchen, dir Filme anzusehen, auf die ich dich hinweise?«

»Vorschläge von dir, Pietro, sind immer willkommen«, entgegnete Brunetti lachend, verabschiedete sich und legte auf.

Die Zustände in Mestre mussten besorgniserregend sein. Seit dem Ende der vielen Lockdowns und Sperrstunden und der Rückkehr zu einem fast normalen Leben war – wie Brunetti befürchtet hatte – der Damm gebrochen, und Drogen strömten ungehindert in die Stadt.

Die Dealer beobachteten ihren Markt sehr genau und hatten schnell erkannt, welche Chancen sich am Ende eines so stressigen Jahres für sie auftaten. In einer Zeit, die vielen wie der Vorhof zur Hölle vorkam, war mit der Zahl der Infizierten auch das Verlangen nach Betäubung gestiegen. Dann sanken die Zahlen, und wie hätte man die Rückkehr ins Leben besser feiern können als mit ein wenig von diesem oder viel von jenem? Selbst jetzt, nachdem die Lage sich beruhigt hatte, war der Stress noch da und mit ihm das Verlangen nach Trost.

Brunetti, geboren in Zeiten, als Drogen in Italien noch nicht verbreitet waren, hatte niemals Geschmack daran finden können. Nicht nur das Jahr seiner Geburt, auch die Armut seiner Familie hatte ihn immun gemacht. Als Jugendlicher konnte er sich Rauschmittel nicht leisten, und so war er herangewachsen, ohne dass sein Interesse daran geweckt worden wäre. Als Polizist hatte er oft genug die Folgen von Sucht zu sehen bekommen, und jetzt lebte er mit der Angst, dass all sein Wissen und all seine Abneigung nicht reichen könnten, seine Kinder von der Verlockung fernzuhalten.

Brunetti ließ diese Grübeleien. Vielmehr sollte er, wie mit Vianello abgemacht, sofort damit anfangen, sich über Fenzos Klienten umzuhören. Er hatte seit einem Jahr nicht mehr mit Ottavio Pini gesprochen, hatte seine Nummer aber noch und rief an.

Pini meldete sich, sagte Hallo und fragte, wie es Brunetti gehe und wo er gesteckt habe, worauf der Commissario antwortete: »*Ciao*, Ottavio, ich war die ganze Zeit damit beschäftigt, dich und alle anderen braven Bürger zu beschützen.«

Pini lachte, vielleicht, weil man ihn noch nie einen braven Bürger genannt hatte. »Schön, deine Stimme zu hören, Guido«, sagte er ziemlich überzeugend. »Womit kann ich dienen?«

»Könnte ich nicht einfach nur angerufen haben, um zu fragen, wie es dir geht?«, spielte Brunetti den beleidigten Teenager.

»Natürlich. Und ich könnte Präsident der Republik sein«, sagte Pini, und nach einer Kunstpause: »Bin ich aber nicht.«

Brunetti verkniff sich weitere Frotzeleien, wie er sie früher gern mit Pini ausgetauscht hatte. Heute fiel einem das nicht mehr so leicht. »Also gut, du hast sicher zu tun, und ich will dich –«

»Das Restaurant ist seit zwei Wochen geschlossen«, fiel Pini ihm ins Wort. »Da habe ich mehr Zeit, als mir lieb ist.«

»Das wusste ich nicht, Ottavio.« Zwar war noch immer nicht alles wieder beim Alten, und viele Leute schreckten davor zurück, mit Fremden in einem Restaurant zu sitzen, obwohl die Lage sich gebessert hatte. Doch die Rückkehr der Touristen war für die Restaurants ein Segen. Warum sollte ausgerechnet ein so gutes wie das von Ottavio zumachen müssen?

Einem alten Freund wie Pini durfte Brunetti die Frage stellen: »Was ist passiert?«

»Die übliche Sauerei«, meinte er, korrigierte sich dann aber: »Ja, eine Sauerei, aber keine übliche.«

»Was denn?«

Pini ließ sich mit der Antwort Zeit. »Du kennst mein Restaurant?«

Brunetti ließ ein Brummen hören.

»Ich habe einundzwanzig Tische drinnen und fünf draußen. Es hat Jahre gedauert, die Genehmigung für die Außenbestuhlung zu bekommen. Mit den Tischen draußen mache ich im Sommer einen Großteil meines Umsatzes, besonders jetzt, wo die Leute immer noch lieber im Freien essen wollen.« Müde fügte er hinzu: »Du brauchst dir das nicht anzuhören, Guido.«

»Erzähl trotzdem weiter.«

»Du kennst dieses andere Restaurant gegenüber auf dem Campo?«, fragte Pini.

»Das neben dem Maskengeschäft?«, fragte Brunetti.

»Herrgott, alles in dieser Stadt liegt neben einem Maskengeschäft«, schimpfte Pini.

Brunetti sparte sich den Kommentar.

»Jedenfalls wollte der Besitzer – er betreibt es erst seit einem Jahr – sich Außentische genehmigen lassen, aber der Antrag wurde abgelehnt, weil der Campo dafür zu klein ist. Da ruft er aus heiterem Himmel eines Tages, während ich noch geöffnet hatte, die *vigili urbani,* und als sie kommen, zückt er einen Zollstock und misst nach, wie viele Quadratmeter ich auf dem Campo zugestellt habe.« Pinis Stimme überschlug sich beinahe.

»Die Stühle an zwei meiner Tische ragten zehn Zentimeter in den öffentlichen Raum, und ein Tisch zur Hälfte.« Pini holte mehrmals tief Luft und fuhr ein wenig ruhiger fort: »Er ließ sich von einem seiner Kellner beim Messen fotografieren, und dann notierte er die Namen der *vigili.*« Pini ließ Brunetti nicht zu Wort kommen. »Sie waren in Uniform und trugen ohnedies Namensschilder an der Jacke.«

»Und weiter?«

»Nach einer Woche kam ein Schreiben der *comune:* Es gebe eine Beschwerde gegen mich wegen ›unerlaubter Nutzung öffentlichen Raums‹. Bis zum Abschluss der Ermittlungen müsse ich mein Restaurant schließen.«

»Machst du Witze, Ottavio?«, fragte Brunetti.

»Schön wär's.«

»Was kannst du tun?«

»Einen besseren Anwalt finden«, sagte Pini verbittert, korrigierte sich aber sogleich: »Nein, stimmt nicht. Meiner hat wirklich getan, was er konnte, Gegenleistung für einen Gefallen eingefordert, alles vergeblich.« Pini sammelte sich und fuhr gelassener fort: »Anscheinend gab es eine Menge Beschwerden, nachdem die Stadt die Vorschriften gelockert hatte und man die Außenbereiche um fünfzig Prozent erweitern durfte. Ständig wurden Hauseingänge blockiert. Darum machen sie jetzt, wo noch nicht so viele Touristen da sind und die Außentische nicht ausgelastet sind, plötzlich ein Riesentheater um die Rechte der Bewohner …« Pini lachte laut auf. »Für fünf Zentimeter verhängen sie ein Bußgeld, und für zehn schließen sie einem den Laden.« Plötzlich war sein Zorn verraucht, und er meinte nur noch: »Niemand weiß, wie es mit uns weitergeht, darum wird auch nichts entschieden.«

»Und du hast geschlossen?«

»Und ich habe geschlossen«, bestätigte Pini resigniert, wie es gar nicht seine Art war, wurde dann aber versöhnlicher: »Es geht vorbei, Guido. Alle sind gesund, es ist nur eine Frage des Geldes.«

Das hatte Brunetti noch nie aus dem Mund eines Venezianers gehört. Umso bemerkenswerter, dass Pini es allem Anschein nach ernst meinte.

»Was möchtest du wissen, Guido?«, fragte Pini, als wolle er liebend gern über etwas anderes reden.

»Es geht um den Mann, der dir die Bücher führt.«

»Enrico?«, fragte Pini überrascht. »Du bist doch noch bei der Polizei?«

»Ja. Warum?«

»Weil es ausgeschlossen ist, dass ein Polizist mich nach Enrico fragt. Du könntest dich nach meinen Gästen erkundigen, nach meinem Friseur, meiner Frau, aber nicht nach Enrico.«

»So sehr vertraust du ihm?«

»Mehr als meinen Gästen oder meiner Frau. Vielleicht nicht ganz so sehr wie meinem Friseur.«

»Wie lange arbeitet er schon für dich?«

»Eigentlich müsstest du fragen, wie lange ich schon für ihn arbeite.«

»Wie meinst du das?«

»Nur der Gnade Gottes habe ich es zu verdanken, dass ich nicht in den Fängen der Guardia di Finanza gelandet bin und in ihren nicht vorhandenen Verliesen gefoltert werde, damit ich ihnen verrate, wo das Geld steckt, das ich der Regierung in den Jahren vorenthalten habe, bevor Enrico für mich tätig wurde.«

»So schlimm?«

»Hoffnungslos. Ich hatte einen Cousin als Steuerberater angeheuert.« Finster fuhr er fort: »Meine Frau hat mich gewarnt. Meine Frau hat mich gewarnt. Meine Frau hat mich gewarnt. Ich habe es trotzdem getan.«

»Und?«

»Er hat den Staat betrogen, er hat mich betrogen, und garantiert betrügt er auch alle seine übrigen Klienten.«

»Wie bist du dahintergekommen?«

»Ein Freund bei der Guardia di Finanza rief mich an, sie hätten meinen *commercialista* im Visier, ich sollte mir besser einen anderen suchen. Wir sind«, fügte er sentimental hinzu, »als Zwölfjährige zusammen aus dem Katechismusunterricht geflogen.«

Brunetti vermutete, damit war der Mann bei der Guardia gemeint, nicht der Steuerberater, doch bevor er fragen konnte, erklärte Pini: »Mein Freund hat mir geraten, mich an Enrico zu wenden, und das habe ich getan.«

»Und?«

»Er hat mich gerettet. Er hat mir gezeigt, was der andere getrieben hatte. Ich bekomme es noch heute mit der Angst zu tun, wenn ich daran denke.«

»Angst?«

»Ich bin haftbar für alle Angaben, die er gemacht hat.«

Brunetti zögerte, bevor er seine Frage wiederholte. »Wie lange arbeitet er schon für dich?«

»Knapp drei Jahre.« Diesmal zögerte Pini, ehe er fragte: »Warum interessierst du dich für ihn?«

»Sein Name ist im Zusammenhang mit einer anderen Person aufgetaucht, da sind wir neugierig geworden.«

»Ich hoffe, ich konnte dich überzeugen«, sagte Pini.

»Mehr als das, Ottavio. Danke, und viel Glück mit deiner Außenterrasse.«

Pini stieß einen Seufzer aus, und Brunetti beendete das Gespräch.

9

Brunetti ging ans Fenster und betrachtete den Garten der Villa jenseits des Kanals. Der Herbst war ungewöhnlich trocken gewesen, das Weinlaub an der Grundstücksmauer reckte seine Ranken schmachtend nach dem Wasser. Brunetti staunte über die Ähnlichkeit zwischen den von morgens bis abends der Sonne ausgesetzten Reben und dem berühmten Gemälde vom *Floß der Medusa*. Die Arme und Beine der Gestalten im Vordergrund jenes Werks hingen so matt wie die Ranken ins Wasser, während die Gestalten im Hintergrund sich verzweifelt nach etwas streckten, das ein Boot sein mochte, ein Stück Land, womöglich aber auch eine heranbrausende Woge, die sie endgültig unter sich begraben würde.

Wie viel jämmerlicher die Ranken wirkten als die Männer auf dem Floß. Bei dem dargestellten Unglück sollten sie furchtbar unter Hunger und Durst gelitten haben. Doch wann immer Brunetti das Bild betrachtete, suchte er vergeblich nach Anzeichen des Elends, er sah in einem Dreieck angeordnete muskulöse Oberkörper, emporragende Beine und Arme und panisches Fähnchenschwenken. Künstler bevorzugten offenbar genau wie Politiker den schönen Schein gegenüber der nackten Wahrheit.

Im Strom dieser Gedanken schwamm plötzlich der Name »Fullin« vorüber. Brunetti setzte sich und starrte den *armadio* an, in dem Stiefel, Schirme und Mäntel verstaut waren. Vielleicht war der Zugang zu dieser Erinnerung ja leichter als zu diesem Schrank. Es musste Jahre her sein, dass er den Namen gehört hatte, bei einem Abendessen vermutlich, irgendeinem Anlass. Andere waren auch dabei gewesen, Männer und Frauen, und es hatte einen ausgesprochen kräftigen Montepulciano gegeben.

Die Erinnerung an den Wein holte auch die Einladung zurück, den Rahmen, in dem sie stattgefunden hatte, und die Frau zu seiner Linken, eine Frau mit einem ungewöhnlichen Job. Waffenhändlerin? Judolehrerin? Er starrte die Schranktür an und wartete, dass die Frau hervorkam. Er wusste, wenn er einfach wartete und die Tür nicht aus den Augen ließ …

Fechten! Das war's! Fechttrainerin an einer amerikanischen Universität, einer der guten, an welcher, hatte er vergessen. Sie war nach Venedig gekommen – und jetzt fiel ihm ein, das Essen hatte bei seinen Schwiegereltern stattgefunden –, um ihre Familie und auch ihren alten *maestro* zu besuchen, einen Mann in den Achtzigern, der drüben bei Sant'Alvise immer noch Fechtstunden gab.

Was hatte sie damals erzählt? »Erst gaben wir ihm die Hand und sagten ›*Buon pomeriggio, Maestro*‹, und dann stellten wir uns auf und warteten auf seine Anweisungen, wer mit wem trainieren sollte.«

Er erinnerte sich, wie ihre Stimme sich veränderte, wenn sie von ihrem *maestro* sprach, an den Respekt, den sie ihm mit jedem Wort zollte. »Sprechen verboten. Wenn wir es taten, genügte ein kurzer Blick, danach traute sich das niemand mehr. Ich weiß noch, wie zwei Jungen in Tränen ausbrachen, als er sie so ansah.« Sie schaute versonnen in ihr Glas. »Es war wunderbar, seine Meisterschaft, sein Geschick als Lehrer. Nie hob er die Stimme, selten zeigte er ein Lächeln. Er war ...« Sie nahm einen Schluck Wein und sah zu Brunetti. »Er war unerbittlich.«

Brunetti fragte lächelnd: »Sind Sie das auch?«

Sie lachte laut auf. »O ja. Meine Schüler haben Angst vor mir.« Ihre Stimme war so freundlich und warm, dass Brunetti ihr nicht recht glauben mochte.

»Ich bin grausam zu ihnen, glauben Sie mir. Niemand spricht in meinem Unterricht, niemand kritisiert einen anderen Schüler, nicht mal einen von einer anderen Schule. Respekt, Respekt, Respekt. Wer keinen Respekt hat, hat bei mir nichts zu suchen.«

Ihnen gegenüber saß ein älterer breitschultriger Mann, der bisher fast nichts gesagt und sich für niemanden in der Runde interessiert hatte, abgesehen von der kleinen Frau neben ihm, die seine Gattin sein musste. Plötzlich stand er vom Tisch auf, und Brunetti wunderte sich, wie lange er dafür brauchte: nicht weil er gebrechlich war, sondern weil er so viel von sich hochzuwuchten hatte. Er war fast zwei Meter groß und richtete sich kerzengerade auf. Tief gebräunt, mit breiter Stirn und dichtem weißem Haarschopf, wirkte er noch imposanter. Beiläufig nahm er Messer und Gabel vom Tisch und ließ sie mit der größten Selbstverständlichkeit in seine Tasche gleiten. Leise, aber hörbar in dem Schweigen, das sich bei diesem Anblick breitgemacht hatte, sagte er zu der Frau neben ihm: »Ich möchte nach Hause, Antonia.«

Die Frau, weißhaarig und verhärmt, erhob sich und legte ihm eine Hand auf den Arm. Ihr Kopf reichte kaum bis an seine Schulter.

»Natürlich, Matteo. Es ist sehr spät, und wir sollten die

Freundschaft unserer Gastgeber nicht strapazieren, nicht wahr?«

Der Mann schüttelte den Kopf und hörte erst damit auf, als sie sich nach oben streckte und ihm eine Hand an die Wange legte. »Wollen wir jetzt unsere Mäntel holen?«

Bevor er zu nicken beginnen konnte, trat sie vom Tisch zurück und führte ihn, die Hand jetzt auf seinem Unterarm, zur Tür. Contessa Falier, an deren Tisch die beiden gesessen hatten, war bereits dort und empfing sie mit warmem Lächeln. Der Conte flüsterte einem Dienstboten etwas ins Ohr.

Der Diener entschwand, und der Conte ging zu den dreien an der Tür, nahm die Hand des Riesen und sagte: »Mein Boot wartet draußen, Matteo. Es bringt dich nach Hause.« Lächelnd fügte er hinzu: »Du hast das Kommando.« Er salutierte lässig, wie ein Offizier einem anderen gegenüber, der im Rang über ihm steht, aber nur knapp. »Ich begleite dich nach unten.«

Jedem Widerspruch zuvorkommend, sagte die Contessa schnell: »Komm, Antonia. Holen wir eure Mäntel. Das Wetter ist umgeschlagen, ihr werdet froh sein, dass ihr sie mitgenommen habt.«

Wie eine waschechte Engländerin! Komme, was wolle, mochte eine Situation noch so heikel sein, das Wetter half über alles hinweg. Die Unterhaltung im Raum kam, nachdem die beiden verschwunden waren, wieder in Gang, wenn auch nur allmählich.

Als Brunetti und Paola sich später verabschiedeten, sagte Brunetti zu seinen Schwiegereltern: »Ihr wart sehr nett zu eurem Freund.«

Paolas Eltern tauschten einen Blick aus, dann sagte die Contessa: »Ah, Matteo Fullin. Antonia, seine Frau, war eine der Ersten, die ich bei meiner Ankunft in Venedig kennengelernt habe. Sie war sehr gut zu mir. Wir kennen die beiden seit Ewigkeiten.«

Brunetti dachte, damit sei das Thema erledigt, aber sie hatte noch mehr zu sagen. »Orazio und ich achten darauf, sie zusammen mit Leuten einzuladen, die sie genauso lange kennen wie wir, damit niemand etwas sagt, das Matteo aufregen könnte.« Lächelnd fügte sie hinzu: »Antonia schickt morgen jemand mit dem Tafelsilber vorbei.« Sie presste die Lippen zusammen und sah bedrückt drein. »Das war nicht das erste Mal.«

Paola berührte ihre Mutter am Arm. »Du hast mir von ihm erzählt, als er die Diagnose bekam, aber ich hatte keine Ahnung, dass es so schlimm um ihn steht. Vor ein paar Monaten habe ich die beiden in der Stadt gesehen, und da schien er …« Sie rief sich die Szene ins Gedächtnis und fuhr fort: »Er hat kein Wort gesagt. Nur Antonia hat gesprochen.« Offenbar wunderte sie sich über sich selbst, dass ihr das damals nicht merkwürdig vorgekommen war. Sie hob hilflos eine Hand. »Ich hatte ja keine Ahnung«, wiederholte sie, und es klang beinahe ärgerlich. »Und Antonia hat mich nicht aufgeklärt.«

Die Contessa setzte zu einer Antwort an, schluckte und sagte es dann doch. »Weil es da nichts aufzuklären gibt, Liebes.«

Sie stellte sich auf die Zehenspitzen und gab ihrer Tochter einen Kuss, dann beugte sich Brunetti zu ihr hinunter und küsste sie auf beide Wangen. Auf dem Heimweg hatte

Paola die ganze Zeit geschwiegen. Und die Contessa hatte recht gehabt: Es war tatsächlich viel kälter geworden, und sie waren froh, dass sie ihre Mäntel dabeihatten.

Die Schranktür blieb zu, aber die Erinnerung an Fullins Verhalten stieß das Tor zu weiteren Gedanken auf. Brunetti wusste, bestimmte Formen von Demenz wurden als »galoppierend« bezeichnet, bei anderen schwanden Gedächtnis, Würde und Denkvermögen schleichend. Die Geschwindigkeit war verschieden, doch am Ende wartete immer dasselbe unerbittliche Nichts.

Bei Fullin war die Diagnose noch nicht so lange her. Doch Brunetti wusste aus eigener Erfahrung, dass viel Zeit vergehen konnte zwischen ersten Symptomen und einer endgültigen Diagnose. »Oh, ich kann mir einfach nichts mehr merken.« – »Wer war die Frau, mit der ich im Supermarkt gesprochen habe?« – »Ich finde meine Schuhe nicht.« – »Ach, habe ich den Wasserhahn nicht zugedreht?«

Im Fall seiner Mutter hatten sich die Symptome über Jahre hinweg angeschlichen, bevor er oder sein Bruder Sergio sie ernst nahmen. Nicht hinsehen, sich fürsorglich dumm stellen, nachsichtig die Augen verschließen. Dann aber war er für zwei Wochen nach Livorno abgestellt worden, und als er nach Venedig zurückkam, waren das Chaos in ihrer Küche, die Essensflecke auf ihrer Kleidung und ihre mürrischen Antworten auf seine Fragen offenkundig gewesen.

Er riss sich von diesen Gedanken los und griff nach seinem Handy, um Signorina Elettra anzurufen, hielt es dann aber für ratsam, sie persönlich aufzusuchen. Auf dem Weg nach unten überlegte er, wie man an Matteo Fullins Patientenakte herankommen könnte, doch abgesehen von den Unterlagen im Ospedale Civile – falls er dort in Behandlung war – fiel ihm nichts ein.

Signorina Elettra saß am Schreibtisch, den Blick auf der Tischplatte, die aus Brunettis Entfernung leer wirkte. Den Computer hatte sie nach hinten geschoben, die Tür war angelehnt. Um sie nicht zu erschrecken, klopfte Brunetti leise an.

Sie sah auf, lächelte und senkte den Blick dann langsam wieder. Brunetti näherte sich neugierig und entdeckte auf der dunklen Tischplatte einen kleinen schwarzen Gegenstand, etwa halb so groß wie ein Kaugummistreifen, nur dicker.

Bevor er etwas sagen konnte, führte sie den Zeigefinger vor die Lippen und bedeutete ihm zu schweigen. Er rührte sich nicht mehr und hob fragend beide Hände.

Signorina Elettra zeigte erst auf den Gegenstand und dann mehrmals unter den Schreibtisch. Brunetti beobachtete gespannt, wie sie abermals auf das schwarze Ding zeigte, dann auf ihren Mund – wobei sie übertrieben die Lippen bewegte –, dann wieder auf das Ding.

Er nickte und fragte sie, die Hände hebend, wortlos, was zu tun sei.

Sie nahm das Ding mit spitzen Fingern, rollte lautlos auf ihrem Stuhl zurück und bückte sich unter den Schreibtisch. Brunetti erstarrte: Jetzt nur kein Geräusch machen.

Sekunden später tauchte sie lächelnd wieder auf. »Oh, Commissario Brunetti, ich habe Sie gar nicht kommen hören. Ich wollte gerade meinen Computer ein wenig nach links versetzen. Würden Sie mir bitte dabei helfen?«

»Selbstverständlich, Signorina«, sagte Brunetti so gekünstelt wie in synchronisierten Filmen, wo jede Emotion um dreißig Prozent übertrieben wird, um authentisch zu klingen.

Er hob den Computer an und bewegte ihn zu ihr hin. »Ein bisschen weiter nach links«, sagte sie. »Noch ein bisschen weiter nach rechts, bitte.« Und schließlich: »Perfekt. Vielen Dank.«

Und mit einer Stimme, die vor höflichem Interesse triefte: »Was kann ich für Sie tun, Commissario?«

»Nun ja«, begann er, fieberhaft überlegend, da bemerkte er, dass Pattas Tür offen stand und der Vice-Questore mithin nicht da war: »Ob der Vice-Questore wohl einen Augenblick Zeit für mich hätte?«

»Oh, das tut mir leid. Er hat vorhin angerufen, er kommt erst spät am Nachmittag. Er hat einen Termin beim Prefetto.« Sie legte eine Pause ein, wie sie bei dem Gespräch, das sie hier aufführten, üblich wäre, und fragte dann: »Soll ich ihm ausrichten, Sie möchten ihn sprechen?«

»Machen Sie sich keine Umstände«, dankte Brunetti. Er entnahm ihrem Papierkorb lautlos einen Umschlag. »Sein Schneider hat das Geschäft aufgegeben, darum bat er mich, ihm Namen und Telefonnummer des Tailleurs meines Schwiegervaters zu geben.«

Er raschelte mit dem Papier, strich es glatt und schrieb: »*Hilfe?*«

Sie entzifferte die auf dem Kopf stehende Nachricht und lächelte wortlos.

Als Nächstes schrieb Brunetti: »*Matteo Fullin – ärztlicher Befund – Alzheimer?*« Und dann noch: »*Für mich.*«

Er schob ihr den Umschlag hin und sagte mit Rücksicht auf den unsichtbaren Lauscher klar und deutlich: »Hier, sein Name und die Telefonnummer. Er kann sich, wenn nötig, auf meinen Schwiegervater berufen.«

Sie warf einen Blick darauf und erklärte förmlich: »Danke, Commissario, ich kümmere mich darum.«

»Einen Moment«, sagte Brunetti und nahm den Umschlag noch einmal an sich. »Ich gebe ihm für alle Fälle noch die Handynummer.« Er schrieb: »*Auch andere Informationen.*«

Signorina Elettra zog das Papier mit einem manikürten Finger heran, drehte es um und las.

»O ja«, sagte sie, »die ist oftmals wichtiger – und schwieriger zu finden, wenn man den Betreffenden und seine Freunde nicht kennt.« Energisch fügte sie hinzu: »Ich lege das dem Vice-Questore gleich auf den Tisch, Signore.« Sie schob geräuschvoll ihren Stuhl zurück.

Ohne das Papier zu beachten, ging sie in Pattas Büro, und Brunetti kehrte in seins zurück. Dort rückte er sogleich den Stuhl beiseite und krabbelte unter seinen Schreibtisch. Auf allen vieren, den Kopf zwischen den beiden Schubladenreihen, prüfte er die Innenseite. Noch nicht zufrieden, setzte er sich wieder und zog die Schubladen heraus, leerte ihren Inhalt auf den Tisch und stapelte sie neben sich auf dem Fußboden. Dann untersuchte er jede einzelne Schublade innen und außen und tastete die Führungsschienen ab.

Da war nichts, jedenfalls nichts, was dem Ding auf Signorina Elettras Schreibtisch glich. Also setzte er die Schubladen wieder ein, schlug die Beine übereinander und lehnte sich zurück. Er sah nach dem Stück Himmel in seinem Fenster und suchte eine Erklärung.

Brunetti war überzeugt, Patta würde nicht zögern, ihm eine Wanze ins Büro zu pflanzen, aber niemals würde er das bei Signorina Elettra wagen. Seit der Vice-Questore nach Venedig gekommen war, tat er eigentlich nur zwei Dinge: Zum einen beklagte er ständig, nicht mehr in Palermo zu sein, »der schönsten Stadt der Welt«, zum anderen setzte er alles daran, seinen Vorgesetzten mit List und Tücke vorzuspiegeln, er sei ein ungemein tüchtiger Polizeibeamter und vorbildlicher Chef für die Männer und Frauen, die unter ihm arbeiteten.

In Wirklichkeit war Patta weder ein Vorbild noch ein guter Chef, er hatte nur das Glück gehabt, kurz nach Antritt seines Postens als Vice-Questore eine überaus fähige Sekretärin zu finden. Zu behaupten, Signorina Elettra sei der eigentliche Boss, wäre übertrieben, vor allem aber eine Beleidigung, weil es bedeuten würde, dass sie sich ihre Machtfülle anmerken ließe. Dies war nicht der Fall, so wenig, wie sich ein Alpha-Erdmännchen mit derlei aufhielt, wenn es eine Kobra zu verscheuchen galt.

Folglich dürfte Patta nichts mit der Wanze zu tun haben. Brunetti verschob ihn aus der Liste der Tatverdächtigen in die der möglichen Opfer und begann von vorn. Signorina Elettras Büro war leichter zugänglich als das von Patta; falls also jemand wissen wollte, was Patta in seinem Büro anstellte, würde er die Abhörvorrichtung allenfalls am Schreibtisch seiner Türhüterin platzieren.

Es sei denn, natürlich, *sie* war die Zielperson, und das hieße, derjenige, der die Wanze unter ihrem Schreibtisch angebracht hatte, interessierte sich dafür, wie weit ihr Einfluss auf Pattas dienstliche Handlungen und Entscheidungen reichte. Oder sogar dafür, in welchem Umfang ihre Fähigkeiten zur Beschaffung von Informationen, zu denen sie von Rechts wegen keinen Zugang hatte, genutzt wurden.

Brunetti schlug die Beine andersherum übereinander und richtete den Blick wieder auf das Stück Himmel vor dem Fenster. Wer ihr auf die Schliche kam, würde feststellen, dass sie sich ein ums andere Mal strafbar machte. Doch drohte ihr dabei keine Gefahr, weil die Aufdeckung ihrer illegalen Methoden demjenigen seinerseits nur mit illegalen Methoden gelungen wäre. Sollte jemand es also tatsächlich auf Signorina Elettra abgesehen haben, dann ging es dabei nicht darum, ihrem Tun einen Riegel vorzuschieben.

Brunetti sehnte sich nach einem Kaffee, blieb aber sitzen und schwor sich, erst aufzustehen, wenn er eine plausible Erklärung gefunden hatte.

Warum sollte sich jemand dafür interessieren, mit wem sie sprach und was sie sagte? Ihr Telefon anzuzapfen war ein Kinderspiel: viel einfacher, als die Wanze zu installieren. Aber war es nicht so, dass Signorina Elettras illegale Recherchen sich hauptsächlich aus Gesprächen ergaben, die sie in ihrem Büro führte, Gesprächen, die er mit ihr führte?

Bei all diesen Grübeleien wäre ihm nie der Gedanke gekommen, jemand könnte ihren Computer gehackt haben. Hacker drangen ins Pentagon ein und durchforsteten geheime Dokumente. Sie verschafften sich Zugang zu den Finanzdaten der Europäischen Union, zur Weltbank oder gar zu den Dateien des Vatikans mit den Verfehlungen seiner Prälaten.

Aber der Computer auf Signorina Elettras Schreibtisch? Niemals.

»Also hat man es wohl auf mich abgesehen«, sprach Brunetti es laut aus, zufrieden mit sich, dass er zu einem Ergebnis gekommen war. Er stand auf, ging in die Bar an der Ecke und belohnte sich mit einem Kaffee.

10

Die Wanze in Signorina Elettras Büro beunruhigte Brunetti nicht über die Maßen. Italienern saß das Misstrauen nun einmal tief in den Knochen. Gab es nicht sogar ein eigenes Wort dafür? »*Dietrologia*«, die Neigung, überall nach dem zu suchen, was *wirklich* dahintersteckte. Für ihn war die Abhörvorrichtung lediglich ein Ausdruck dieses Wunsches, die ganze Wahrheit zu erfahren.

Zeitungsartikel oder offizielle Verlautbarungen waren kaum gedruckt oder gesendet, schon begann jedermann zu spekulieren, was *wirklich* geschehen sei und was das Ganze *wirklich* zu bedeuten habe. Warum war es so schwierig / einfach gewesen, den Mörder zu fassen? Warum wurde keine / wurden sechs Obduktionen an der Getöteten durchgeführt? Warum befand sich kein / so viel Geld auf ihrem Konto? Warum hatte man seine Aktentasche / seine Leiche nicht gefunden? War sein Bruder / Cousin nicht Erziehungsminister?

Brunetti vermutete, diese Unfähigkeit, den Fakten zu trauen, war die zwangsläufige Folge eines jahrhundertelang verbreiteten, nie hinterfragten Glaubens, wie er in Italien noch bis vor wenigen Jahrzehnten geherrscht hatte. Bis es damit vorüber war.

Früher glaubten die Menschen an Gott und den Papst und die Unbefleckte Empfängnis – obwohl Brunetti noch keinen getroffen hatte, der wusste, was das war –, und plötzlich ging ihnen auf, dass sie im Grunde an nichts von alledem mehr glaubten, aber sonst nichts hatten, woran sie glauben konnten. Gott war schwer zu ersetzen. Es gab den Wohlstand nach den Jahren wirtschaftlichen Aufschwungs, doch wie spätere Ereignisse gezeigt hatten, war Wohlstand nicht unbedingt von Dauer. Es gab neue politische Parteien, aber jeder wusste, die verkauften nur alten Wein in neuen Schläuchen. Es gab Wellness, Pilates, Yoga und alle möglichen neuen Kulte, aber die entschädigten einen kaum für das Geld und die Zeit, die man in sie investierte. Gott hingegen hatte die große Leere mühelos ausgefüllt.

Brunetti überlegte, wer so starkes Interesse an Signorina Elettra haben könnte, dass er es riskierte, ihr diese Wanze unterzujubeln. Mindestens zweimal müsste man dazu in ihr Büro eindringen, wenn sie nicht da war. Die Kommunikation lief hauptsächlich telefonisch oder, wenn es um Dokumente ging, per Mail. Dass jemand Signorina Elettra persönlich aufsuchte, kam nur selten vor. Auf der Suche nach einer historischen Parallele kamen Brunetti die Wahrsagerinnen der Antike in den Sinn, zu denen auch niemand nur zum Plaudern kam.

Brunetti, der auf ihre Talente angewiesen war, hatte immer direkt mit ihr gesprochen – bei gewissen Dingen, die schlichtweg illegal waren, wie er sich im Innersten eingestand. Im Lauf der Jahre hatte Signorina Elettra ihre Fähigkeiten stetig ausgebaut und verfeinert; der Kreis ihrer Kontakte und Kollegen war größer geworden und umfasste mittlerweile Leute in Ämtern, Bibliotheken, Ministerien und Archiven. Ihre Namen erfuhr Brunetti nie, aber er wusste zu schätzen, was sie zu leisten imstande waren, und hatte einige von ihnen geradezu ins Herz geschlossen.

An erster Stelle stand ein Ex-Monsignore, vor einigen Jahren seines Priesteramts entbunden und aus dem Vatikan verstoßen – ohne Erklärung gefeuert, nicht einmal sein Büro durfte er noch betreten. Signorina Elettra, stets sehr zurückhaltend, wenn es um ihre Quellen ging, hatte Brunetti nur erzählt, der Ex-Monsignore habe sich von diesem Verbot nicht beirren lassen; er trage ein hölzernes Kruzifix um den Hals, das ein Kunsthandwerker in Trastevere eigens für ihn angefertigt habe; der ausgehöhlte linke Querbalken diene als Versteck für seinen Speicher-Stick, und zum Öffnen müsse man auf den Nagel in der rechten Hand des gekreuzigten Jesus drücken.

Brunetti rief sich zur Ordnung. Zunehmend verunsichert, ob es klug sei, einer Frau einen Gefallen zu tun, mit der ihn keine echte Freundschaft verband, nahm er sich vor, nur noch mit einer einzigen weiteren Person über Fenzo zu reden. Falls sich daraus nichts Auffälliges ergab, würde er Elisabetta anrufen – oder aufsuchen – und ihr sagen, er habe über ihren Schwiegersohn nichts herausgefunden, was ihre Befürchtungen berechtigt erscheinen lasse.

Er dachte an die Personen, die ihm bisher genannt worden waren, nahm ein Stück Papier und verteilte ihre Namen über das Blatt. Elisabetta oben rechts, ihr Mann unten links. Ihre Tochter, ihr Schwiegersohn. Pini, die zwei Vorstandsmitglieder Fullin und Guidone. Der Optiker in Barbaria delle Tole schied aus: In dem Geschäft wurden jetzt Masken verkauft. Er betrachtete die Namen und überlegte, wo sich vielversprechende Verbindungen herstellen ließen.

Eine direkte Linie gab es bislang nur zwischen Bruno del Balzo und Fullin bzw. Guidone. Luigino Guidone stand weder im Telefonbuch noch im polizeiinternen Verzeichnis von Handynummern.

Eine überregionale Recherche ergab, dass Guidone nie verhaftet worden war und nie ein Haus gekauft oder gemietet hatte. Er hatte keine Universität besucht und keinen Militärdienst geleistet.

Brunetti nahm sein Handy und wählte die Nummer seiner Schwiegermutter. Die Contessa meldete sich: »Wie schön, dass du anrufst, Guido«, sagte sie. »Wie kann ich dir helfen?«

Brunetti ließ sich seine Überraschung nicht anmerken: »Indem du nicht annimmst, ich rufe an, um dich um einen Gefallen zu bitten.«

»Also habt ihr beschlossen, du und Paola, euch scheiden zu lassen, und ich soll es als Erste erfahren?«

Er lachte laut auf. »Volltreffer.«

»Nun sag schon«, bat sie.

»Ich möchte, dass du mich einer Freundin von dir vorstellst.«

Seiner Bitte folgte eine lange Pause.

»Darf ich auf dem Heimweg bei euch vorbeikommen und es dir erklären?«

»Natürlich«, sagte sie. »Möchtest du zum Essen bleiben?«

»Vielen Dank, Donatella, aber wir sind schon eingeladen, und deine Tochter würde tatsächlich die Scheidung einreichen, wenn ich ihr so kurzfristig sagen würde, ich hätte eine andere Einladung.«

Diesmal lachte die Contessa. »Passt es dir um halb fünf? Später habe ich noch eine Verabredung.«

»Gut. Bis dann«, sagte Brunetti und legte auf.

Er war pünktlich. Die Contessa, in grauem Wollpullover, schwarzer Hose und einreihiger Perlenkette, stand vor dem Zimmer, das alle »La Sala dei Giochi« nannten, auch wenn es seit mindestens hundert Jahren nicht mehr zum Geldspiel benutzt wurde. Der Legende nach war der Ur-urururgroßvater des Conte spielsüchtig gewesen, so wie die meisten Adligen der Stadt. Juwelen, Säckchen voll Goldmünzen, ja ganze Palazzi wechselten beim Kartenspiel oder Würfeln die Besitzer. Jede Adelsfamilie hat ihre Erklärung für verlorenen Reichtum: Leichtsinn und Dummheit zählen nicht dazu.

Die Faliers hingegen sonnten sich im Erfolg ihres Vorfahren bei einer Partie Trappola, die der Familienlegende zufolge in ebendiesem Zimmer stattgefunden hatte. Vor jener Partie hatten die Sala dei Giochi und der Rest des Gebäudes dem letzten Erben der dann ausgestorbenen Familie Pisani gehört. Am Ende wurden die Punkte zusammengezählt, und neuer Besitzer des Palazzo wurde das Oberhaupt der Familie Falier, die riesige Ländereien nördlich der Stadt besaß, bis dahin aber nur einen wesentlich kleineren Palazzo, der nicht einmal am Canal Grande lag.

Drei Monate später zog Giambattista Falier mit seiner Familie an den Canal Grande, nachdem er Conte Pisani überredet hatte, das kleinere Gebäude als Trost für den Verlust seines Familiensitzes zu akzeptieren. Die Geschichte war in der ganzen Stadt bekannt und wurde häufig als Beleg für den Großmut und den Anstand der Adelsfamilien zitiert, die einander in Zeiten der Not unter die Arme griffen.

Die Contessa erwartete ihn in dem kleinen Zimmer, wo sie zu lesen oder gute Freunde zu empfangen pflegte. Seit ihrer letzten Begegnung hatte sie sich die Haare schneiden lassen: Sie waren jetzt knabenhaft kurz und geradezu blendend weiß. Sie begrüßte Brunetti an der Tür und begleitete ihn zu der Sitzgruppe, als fürchtete sie, er könnte sich verlaufen. Brunetti ging automatisch zu dem Sessel, auf dem er immer saß, wenn er sie besuchte, und bemerkte sogleich das Tablett mit der silbernen Kaffeekanne und zwei kleinen Tassen.

Donatella setzte sich aufrecht hin, obwohl zwei Kissen an der Rückenstütze ihres Sessels lehnten. Sowie auch Brunetti saß, schenkte sie ihnen Kaffee ein und schob ihm das Zuckerschälchen hin.

Er leerte die Tasse in einem Zug und stellte sie schon wieder ab, während Donatella den ersten Schluck nahm und dann sagte: »Wen möchtest du treffen?«

Brunetti wäre nie auf die Idee gekommen, ihr die Wahrheit zu verschweigen. Von Berufs wegen musste er so manchen Verdächtigen mit Halbwahrheiten und Bluffs in die Irre führen, darum hatte er sich schon vor Jahren geschworen, wenigstens niemals irgendwen in seiner Familie zu belügen.

»Deine Freundin Antonia.«

»Matteos Frau?«

Angesichts ihrer Verblüffung erklärte Brunetti: »Ich

ermittle in einer Sache, in die ihr Mann verwickelt sein könnte.«

Ein Schatten huschte über Donatellas Gesicht und vertiefte die Falten um ihren Mund. »Ich glaube nicht, dass Matteo ... noch an irgendetwas Interesse hat, Guido.«

Brunetti nickte. »Davon gehe ich aus. Ich habe ihn ja hier vor einiger Zeit beim Essen erlebt, und da schien er mir nicht ganz ...«

»Bei Verstand?«, fragte sie.

»Nein, anders. Eher so, als ob er sich nicht unter Kontrolle hätte.« Vielleicht half es, deutlicher zu werden, auch wenn er dem Thema eigentlich lieber aus dem Weg ging. »Ich kenne das von meiner Mutter. Wir haben lange gebraucht zu lernen, womit man sie ablenken konnte.« Nach einer Pause fügte er hinzu: »Aber mit der Zeit wurde es unmöglich, sie zu bremsen. Wenn sie sich einmal etwas in den Kopf gesetzt hatte ...«

»Ich habe sie nie kennengelernt«, unterbrach ihn die Contessa, ohne ihn daran zu erinnern, dass seine Eltern zu spät zur Hochzeit ihres eigenen Sohnes gekommen waren, sich in die hinterste Bank gesetzt und nach der Trauung das Weite gesucht hatten. »Nach allem, was du mir von ihr erzählt hast, denke ich, wir hätten einander gemocht.«

Die Contessa überraschte Brunetti immer wieder. Er suchte nach einer diplomatischen Antwort und gab schließlich zu: »Ich bin mir nicht sicher, ob sie in der Lage gewesen wäre, dich zu mögen, Donatella.«

Die Contessa sah ihn fassungslos an. »Wie bitte?«

»Nein, nicht, was du denkst. Es ist nur so, dass all das

hier ihr Angst machte.« Er wies auf die Bücherregale, die Gemälde, den Teppich unter dem Kaffeetisch.

»Wir hätten uns ja nicht hier treffen müssen«, wehrte die Contessa ab.

Er lächelte beschwichtigend. »Ich fürchte, es gibt keine Umgebung, in der sie sich bei einer Begegnung mit dir wohlgefühlt hätte, Donatella.« Bevor seine Schwiegermutter gekränkt reagieren konnte, fügte er hinzu: »Obwohl ich vermute, wenn du aus demselben … Milieu gestammt hättest, hättet ihr einander gemocht. Ihr habt beide von Natur aus ein gutes Herz.«

Sie sah ihm ruhig in die Augen. »Erzähl mir mehr von dieser Sache, in die Matteo verwickelt ist. Beziehungsweise verwickelt war«, setzte sie ein wenig zu pedantisch hinzu.

Brunetti lehnte sich zurück und schlug die Beine übereinander. »Vor drei Jahren wurde er Vorstandsmitglied einer Stiftung für ein Krankenhaus in Belize. Die hier gegründet wurde und von hier geleitet wird.«

Die Contessa nickte bedächtig, als habe sie verstanden, doch ihre Miene sprach dagegen.

»Über den zweiten Mann im Vorstand habe ich nichts in Erfahrung gebracht, seinen Namen habe ich noch nie gehört: Luigino Guidone.«

Die Contessa schüttelte den Kopf: Auch ihr sagte der Name nichts. »Kommst du mit polizeilichen Mitteln nicht weiter?«, fragte sie.

»Schon«, sagte Brunetti.

»Warum setzt du dann nicht Signorina Elettra ein?«, fragte die Contessa.

»Weil sie im Wesentlichen nur Sachinformationen beschafft: Zahlen, verschleierte Besitzverhältnisse von Unternehmen und Grundstücken, Vorstrafenregister. Die Stiftung existiert, ich weiß, wer sie leitet, und ich weiß, dass Signor Fullin die Papiere unterschrieben hat, die …« Die Contessa unterbrach ihn mit einer Handbewegung.

»Vizeadmiral Fullin, Guido«, sagte sie, und es klang beinahe vorwurfsvoll. »Hat man dir das nicht gesagt, als du ihm vorgestellt wurdest?«

Brunetti dachte an das Dinner zurück und erinnerte sich, dass er ein wenig zu spät gekommen war und gerade noch rechtzeitig am Tisch Platz genommen hatte, sodass ihm nur noch Zeit blieb, seinen Namen zu nennen und die Namen jener, die er nicht kannte, in Erfahrung zu bringen, darunter Fullin.

»Nein, nur seinen Nachnamen«, sagte er.

»Matteo ist ein alter Freund der Familie«, erklärte sie. »Der hiesigen, der Faliers, nicht meiner in Florenz.«

»Und?«

»Nach dem Krieg waren Orazio und er zwei Jahre lang auf demselben Gymnasium. Dann kam Matteo auf die Marineakademie und schlug eine Laufbahn bei der Marine ein. Als er in den Ruhestand ging, war er Vizeadmiral, wie gesagt, und weiterhin Chef der San-Marco-Brigade – das sind Taucher und Spezialeinsatzkräfte, glaube ich –, und konnte es an Kraft mit jedem seiner Leute aufnehmen.« Sie sann dem nach und fügte hinzu: »Du hättest ihn vor dreißig Jahren sehen sollen: Er hätte mich dir auf den Rücken packen und uns beide zusammen durchs Zimmer schleudern können.«

Brunetti malte sich das aus und fragte dann: »Willst du damit sagen, er war gewalttätig?«

Sie lachte. »*Santo cielo*, Guido. Ganz im Gegenteil. Antonia hat einmal gesagt, er habe nie auch nur die Stimme gegen sie erhoben.« Sie ließ Brunetti nicht zu Wort kommen. »Bei der Arbeit war er natürlich anders.« Ein feines Lächeln erschien auf ihrem Gesicht; sie beugte sich zu ihm vor: »Ganz ähnlich wie du, Guido.«

Brunetti wartete, bis diese Bemerkung sich verflüchtigt hatte, und fragte dann: »Wann ist er in den Ruhestand getreten?«

»Oh«, sagte sie und überlegte kurz. »Vor mindestens fünfzehn Jahren. Sie lebten in Rom, hatten aber ihr Haus in Venedig behalten und kamen dann hierher zurück.« Leise fügte sie hinzu: »War auch besser so.«

Plötzlich wurde sie energisch: »Warum willst du mit ihr sprechen, Guido?«

Er sah keinen Grund, es Donatella zu verschweigen: »Ich möchte Fullins Frau fragen, ob sie glaubt, dass er noch in der Lage war zu verstehen, was er da unterschrieben hat. Nur jemand, der ihm sehr nahesteht, kann mir das beantworten.« Ihr zu verschweigen, dass Signorina Elettra sich nach Fullins Krankenakte umsah, zählte nicht als Lüge, redete Brunetti sich ein.

»Und du willst meine Freundschaft mit seiner Frau zu deinem Vorteil nutzen?«

Brunetti erschrak. »Von übervorteilen kann keine Rede sein, Donatella. Im Gegenteil. Es könnte ihn schützen.«

»Wie meinst du das?«, fragte sie.

»Wenn er damals nicht im Vollbesitz seiner geistigen Kräfte war, trägt er für das Geschäftsgebaren der Stiftung keine Verantwortung.« Vianello hatte ihm den Gründungsvertrag für Belize nel Cuore gezeigt, und daraus ging hervor, dass die Vorstandsmitglieder für die Aktivitäten dieser gemeinnützigen Organisation nicht haftbar waren, ungeachtet ihres Geisteszustands bei der Unterzeichnung des Vertrags. In Venedig galt guter Ruf allerdings noch mehr als anderswo, war entscheidend, wenn nicht für einen Demenzkranken, so doch für seine Frau und seine Familie.

»Darüber will ich mir Klarheit verschaffen«, endete er.

»Warum?«, fragte sie.

Brunetti hob resigniert die Hände. »Das weiß ich selbst nicht so genau. Bis vor Kurzem hatte ich von dieser Organisation noch nie gehört.« Er gab ihr Gelegenheit, Fragen zu stellen, aber da kam nichts. Ihm fiel jedoch auf, dass sie sich in die Kissen zurückgelehnt hatte.

»Als ich begriff, dass ich vor Jahren eines der Vorstandsmitglieder kennengelernt hatte, einen Mann, dessen Zustand mir damals … bedenklich vorkam, wollte ich mehr über ihn in Erfahrung bringen.«

Lächelnd fragte sie: »Bist du immer so, Guido?«

»Misstrauisch, wenn etwas anders zu sein scheint, als es aussieht?«

»So könnte man es nennen«, sagte sie, immer noch lächelnd.

»Ja, so ist es wohl«, gab er zu.

Sie verfielen in einträchtiges Schweigen. Brunetti wandte sich ein wenig nach links und betrachtete ein Porträt, das er immer bewundert hatte, angeblich eine Vorfahrin Paolas, die Frau, der Paola ihr blondes Haar verdankte. Im Speisezimmer hing das Porträt einer weiteren Vorfahrin, diese mit

Paolas Nase. Schon ein eigenartiges Gefühl, überall in dem Palazzo Einzelteile seiner Frau wiederzufinden.

»Und was willst du unternehmen, wenn Matteo bei Unterzeichnung des Vertrags nicht voll zurechnungsfähig war?« Da Brunetti zögerte, fügte sie hinzu: »Ich muss Antonia einen Grund nennen, warum du sie sprechen willst.«

»Ich möchte herausfinden, ob er von jemandem zur Unterschrift genötigt worden ist«, sagte Brunetti.

»Und für den interessierst du dich?«

Brunetti nickte.

»Und dann?«

»Dann würde ich versuchen herauszufinden, warum derjenige den Vizeadmiral im Vorstand haben wollte.« Brunetti legte eine lange Pause ein und erklärte schließlich ohne erkennbare Gemütsbewegung, aber nachdrücklich: »So etwas macht man mit hilflosen Leuten einfach nicht.«

»Ich verstehe«, antwortete die Contessa, löste sich von den Kissen und erhob sich. Brunetti machte ebenfalls Anstalten, doch sie bedeutete ihm, sitzen zu bleiben. »Nein, Guido. Bleib. Ich gehe nur nach nebenan und rufe Antonia an.«

Sie stützte sich mit einer Hand auf der Rückenlehne seines Sessels ab, als sei ihr schwindlig, dann verließ sie das Zimmer.

11

Brunetti hatte nichts zu lesen dabei, nicht einmal den *Gazzettino*, also stand er auf und ging zu dem Porträt von Paolas mutmaßlicher Vorfahrin. Sicher war er sich nicht, aber es war wohl tatsächlich eine venezianische Arbeit, zu erkennen am geraden Schnitt des Mieders, an der einsträngigen goldenen Halskette und natürlich am aschblonden Haar. Brunetti hatte in der Schule gelernt, venezianische Frauen hätten im Sommer stundenlang, mit Zitronensaft in den Haaren, in der Sonne gesessen und darauf gewartet, blond zu werden, doch er hatte das nie so recht glauben können.

Hatten die nicht ihr Haus zu führen, auch die Wohlhabenden? Und woher hatten sie die ganzen Zitronen? Er rückte dicht an das Gemälde heran und setzte seine Lesebrille auf, um es genauer zu studieren. Wie pflegten die Frauen in den ruhmreichen Zeiten der Serenissima ihr Haar? Schon das Waschen war bestimmt eine Plackerei, schließlich musste das Wasser erst einmal dorthin geschleppt werden, wo sie es brauchten, ganz zu schweigen davon, dass es erhitzt werden musste, weil sie der Berührung mit kaltem Wasser die meiste Zeit des Jahres aus dem Weg gingen. Noch heute gerieten Leute in Panik bei dem Gedanken, sich Wind oder Kälte oder gar beidem aussetzen zu müssen.

Wie oft war er, als Waggons noch Fenster statt Aircondition hatten, gebeten worden, das Fenster zu schließen, »weil es zieht«, weil *»una corrente d'aria«* potenziell so tödlich war wie eine geladene Waffe in Kinderhand.

In diesem Augenblick kam die Contessa zurück und riss ihn aus seinen Gedanken; ihr Lächeln machte ihm Hoffnung, dass ihre Freundin Antonia einverstanden war, mit ihm zu reden. »Sie hat gefragt, wann wir kommen möchten, und ich habe morgen Nachmittag vorgeschlagen, gegen vier. Kannst du das einrichten, Guido?«

»Ja natürlich. Danke, dass du das arrangiert hast.« Ein wenig unsicher fragte er: »Meinst du, sie fühlte sich verpflichtet, dich ebenfalls einzuladen?«

»Es ist ihr lieber so. Sie kennt dich ja nicht so gut.« Dann fiel ihr ein: »Noch etwas, Guido. Sie wollte wissen, ob jemand in deiner Familie im Krieg gedient hat.«

»Wie bitte?«

»Ich weiß nicht, warum, aber sie sagt, falls du irgendwelche Orden besitzt, die jemand in deiner Familie verliehen bekommen hat, solltest du sie dir ans Jackett heften. Sie sagt, manchmal reagiert ihr Mann positiv auf so etwas.«

»Aber das ist doch …« Brunetti suchte nach einem unverfänglichen Wort und fand es: »Seltsam.«

»Nicht seltsamer als manch anderes an ihm heutzutage, Guido«, antwortete die Contessa traurig.

»Kann es sein, dass ich nicht wie ein Polizist aussehen soll?«, fragte er, um sie aufzuheitern.

»Wohl kaum«, antwortete die Contessa. »Leute ihrer Schicht vertrauen für gewöhnlich den Behörden, die sie an der Macht halten, und den Staatsdienern, die für ihre Sicherheit sorgen.«

»Hast du die Briefe von Rosa Luxemburg wieder gelesen, Donatella?«, fragte Brunetti mit ernster Stimme.

Sie lachte ihr helles Lachen, das er so gern hörte, war es

doch ein kostbares Geschenk, von dieser Frau für klug und amüsant gehalten zu werden.

»Nein, mein Lieber. In letzter Zeit nicht mehr. Die sind zu ernst und voll ketzerischer Gedanken über die inneren Widersprüche des Kapitalismus. Ich bin zu alt, an derlei noch Gefallen zu finden.« Sie maß ihn mit einem Blick, als suche sie zu erkunden, wie weit sie gehen dürfe – er kannte diesen Blick von ihrer Tochter –, und fügte hinzu: »Und zu reich.«

Diesmal lachte Brunetti.

Tags darauf erschien er um fünf vor vier vor dem Palazzo Albrizzi, nicht weit von seiner Wohnung. Die Contessa wartete schon. Sie nickte beifällig, als sie den Orden an seinem Jackett bemerkte, und fragte: »Wofür war der?«

»Tapferkeit, glaube ich. Mein Vater hat nie davon gesprochen. Für ihn war das alles Schwindel.«

Sie legte ihm eine behandschuhte Hand auf den Arm. »So ging es vielen von uns«, sagte sie und drückte mit dem Daumen der anderen Hand auf den Klingelknopf, unter dem nur der Name »Fullin« stand. Eine Männerstimme fragte: »*Sì?*«, und sie erwiderte: »Falier.«

Das Türschloss klickte. Brunetti schob das massive Holzportal auf und folgte der Contessa in die riesige Eingangshalle. Jahrhunderte von *acqua alta* hatten die Ränder der weißen und bernsteinfarbenen Bodenplatten angenagt, aber die Farben leuchteten noch immer in dem dämmrigen Licht. Links an der Wand lehnte die schwere *felze,* die einst auf der Gondel der letzten Contessa Albrizzi gestanden hatte; das ins Glasfenster eingravierte Familienwappen war noch zu erkennen.

Contessa Falier blieb stehen und richtete den Blick nach oben, wo von einem Deckenbalken eine mächtige Laterne hing. »Orazio behauptet, das sei die Laterne der Galeone von Angelo Emo, dem letzten Admiral der Republik Venedig. Weißt du, ob das stimmt?«

»So habe ich es auch immer gehört«, antwortete Brunetti.

Sie lächelte. »In Venedig gilt das eine für das andere, nicht wahr?« Brunetti lachte, und die Contessa führte ihn zu einem alten Fahrstuhl. Sie stiegen ein, und die Contessa drückte auf den Knopf für die dritte Etage; beide dachten wohl dasselbe.

»Er ist zuverlässig. Ich habe Antonia schon oft besucht, und meine Busenfreundin Emanuela wohnt im vierten Stock.«

Bevor Brunetti etwas sagen konnte, zog der winzige Aufzug scharf an, stieg ein wenig, stoppte schlingernd und ruckelte dann weiter. Brunetti dachte an Dokumentarfilme über Gänse in Kanada, die aus unberührten Seen abzuheben versuchen. Wie sie sich wild mit den Flügeln schlagend hochstemmen, mit den Füßen vom Wasser abstoßen und schließlich mit einem letzten Flügelschlag in die Luft schwingen. Nicht anders machte es der Aufzug, der nun endlich Fahrt aufnahm und sie würdevoll an ihr Ziel brachte.

Brunetti schob eine der Holztüren auf, die Contessa die andere; sie trat ihm voraus auf den kleinen Treppenabsatz.

Ein gut aussehender junger Mann mit sehr heller Haut und kurzen braunen Haaren, in Jeans und leichtem Pullover, erwartete sie vor der gegenüberliegenden Tür. Er verbeugte sich vor der Contessa. Ohne ihre Hand zu ergreifen, hauchte er einen Kuss in die Luft, dorthin, wo die Hand wie schwerelos zwischen ihnen schwebte. »*Buon giorno, Contessa*«, sagte er, trat einen Schritt zurück und lud sie mit einer anmutigen Geste ein, an ihm vorbei die Wohnung zu betreten. Dann wandte er sich zu Brunetti und nickte. »Girolamo Fullin.« Auch Brunetti stellte sich nur mit Namen vor.

»Bitte, kommen Sie herein, Signore«, bat ihn der junge Mann.

Als Erstes bemerkte Brunetti die Temperatur. Hier im Eingang war sie sehr angenehm. Die Contessa seufzte wohlig. »Ah, Girolamo, Sie haben eigens für mich geheizt?«

Der junge Mann erwiderte lächelnd: »Ich habe an Ihren Besuch letztes Jahr gedacht.« Er schloss eilig die Tür, damit keine Wärme entwich.

»Als Sie mir Ihren Pullover geliehen haben?« Sie lachte bei der Erinnerung.

»Und das im September. Wie muss es da erst im Winter für Sie sein?«, fragte der junge Mann Anteil nehmend.

Die Contessa ging auf seine Freundlichkeit ein. »Paola hat vor ein paar Jahren das Skifahren aufgegeben, Gott sei Dank, und da hat sie ihre ganze Ausrüstung und die Kleidung bei uns eingelagert.« Trocken fügte sie hinzu: »Wahrscheinlich wartet sie, dass Chiara da hineinwächst.« Sie schüttelte den Kopf, als hausten sie und der Conte in Bahnhofsnähe in einer Einzimmerwohnung.

»Was machen Sie bis dahin mit den Sachen?«, fragte der junge Mann.

»Ich gebrauche sie. Im Winter trage ich mindestens zwei

von ihren Pullovern übereinander. Im Haus.« Sie lächelte bei dem Gedanken. »Die Socken sind ein Traum.«

Brunetti kannte die Contessa seit Jahrzehnten, aber dass ihr Kälte so verhasst war und was sie alles dagegen unternahm, hatte er nicht gewusst.

Der junge Mann sagte lächelnd: »Nonna ist im kleinen Salon.« Leise fügte er hinzu: »Mit Nonno.« Und dann, vielleicht, weil die Contessa eine alte Freundin der Familie war: »Er ist seit einigen Tagen wieder ganz ruhig, Gott sei Dank, und wirkt fast wieder wie der Alte.«

Die Contessa nahm sich die Freiheit langjähriger Freundschaft und fragte: »Ist etwas passiert?«

Der junge Mann senkte den Blick, als würde er am liebsten zurücknehmen, was er gesagt hatte, dann aber sah er der Contessa in die Augen und antwortete: »Vorige Woche war ein alter Freund von der Marine zu Besuch, Capitano Pederiva. Die beiden haben in den Neunzigern lange zusammen gedient. Nonno hat den Capitano sofort erkannt und ein paar Worte mit ihm gewechselt. Da dachte ich, es gehe ihm gut, und ließ sie ein paar Minuten allein, um Nonna zu holen.«

Sichtlich angespannt, erzählte der junge Mann weiter: »Ich war keine drei Minuten fort, da hörte ich es krachen und lautes Geschrei. Nonnos Stimme.«

»Was war passiert?«, fragte die Contessa und rang die Hände.

»Ich weiß es nicht. Als ich zurückkam, stand Nonno vor dem Capitano, fuchtelte mit ein paar Fetzen Papier herum und stieß seltsame Laute aus, als versuchte er zu sprechen, wüsste aber nicht mehr, wie das geht.«

Girolamo verstummte. Die Contessa und Brunetti schwiegen. Brunetti kannte diese Laute. Er hatte sie im Haus seiner Mutter gehört und dann jahrelang in der Klinik: unartikuliertes, rohes Wutgeheul.

»Fetzen Papier?«, fragte die Contessa.

»Ja«, sagte Girolamo fahrig. »Nonno warf sie auf den Boden. Ich dachte, die hätten ihn so aufgeregt, darum ließ ich sie in meiner Hosentasche verschwinden.«

Vor einer Tür blieben sie stehen. Girolamo drehte sich zu Brunetti um, sah kurz weg und ihn dann an. »Verzeihen Sie, Signor Brunetti«, sagte er, »aber könnten wir zwei noch etwas hier draußen warten? Meine Großmutter würde die Contessa gerne kurz unter vier Augen sprechen.« Er glaubte, das erklären zu müssen. »Sie sind alte Freundinnen.«

Brunetti nickte lächelnd und trat ein paar Schritte zurück, damit er vom Zimmer aus nicht zu sehen wäre. Girolamo öffnete die Tür, ließ die Contessa ein und schloss die Tür leise hinter ihr.

Im Flur standen Holzstühle an der Wand. Girolamo zog einen heran, bedeutete Brunetti, Platz zu nehmen, und setzte sich ihm gegenüber.

Mit der Ungezwungenheit seiner Klasse bemerkte er: »Ich danke dem Himmel täglich für Ihre Schwiegermutter. Ohne ihre treue Freundschaft würde meine Großmutter das alles nicht durchstehen.«

»Tut mir leid, dass sie es so schwer hat«, sagte Brunetti ernst.

Schweigen senkte sich über sie. Dann erklärte Girolamo plötzlich: »Wie merkwürdig das ist.«

»Was denn?«, fragte Brunetti, der an seine Mutter dachte und nur zu gut wusste, wie merkwürdig das war.

»Manchmal ist er fast so wie früher.« Brunetti nickte, und Girolamo fuhr fort: »Nonno hat mir viel erzählt – das ist lange her – von seinem Leben auf See, und was mich immer beeindruckt hat, war die Einsamkeit.« Als er sah, wie aufmerksam Brunetti ihm zuhörte, erklärte er: »Bevor er in den Ruhestand ging, war er einige Jahre lang Vizeadmiral, da ist man bei der Marine so etwas wie ein Gott oder ein Halbgott. Niemand spricht mit einem, es sei denn, man wird dazu aufgefordert. Niemand würde es wagen, von Persönlichem zu reden. Manchmal war er monatelang auf See.« Er beugte sich vor und stützte den Kopf in die Hände. »Nicht auszudenken: Monate, in denen er keinen zum Reden hatte.«

»Wie hat er das überstanden?«

Girolamo setzte sich kerzengerade auf, mit Abstand von der Stuhllehne. »Er hat gelesen.«

»Ach ja?«

»Bücher, die auf See spielen, hauptsächlich Romane. Auf Italienisch, aber die meisten waren Übersetzungen aus dem Englischen.«

»Was denn genau?«

»Alle Autoren, die über das Meer geschrieben haben: Conrad, Dana, Melville, Forester: Die Hornblower-Bücher hat er geliebt. Aber der Schriftsteller, den er am meisten verehrt hat, war der, den er immer Padreek Obreen genannt hat«, erzählte der junge Mann lachend. »Wie er Padreek Obreen mochte!«

»Wer soll das sein?«, fragte Brunetti verwirrt.

»Patrick O'Brian. Nonnos absoluter Lieblingsautor. Seine Bücher handeln von der Flotte des Admiral Nelson und den Kriegen gegen Frankreich. Als er anfing, sie zu lesen, waren erst sieben davon übersetzt, aber die hat er alle mehrmals verschlungen, und dann las er auch die neuen, sobald sie auf Italienisch zu haben waren. Er hat immer gesagt, Signor Obreen habe etwas vom Leben auf See verstanden, dem Meer, dem Wind und den Matrosen, und was es heißt, Offizier zu sein und seine Pflicht zu tun. Und was Loyalität und Zuverlässigkeit bedeuten.«

»Ich kenne seine Bücher nicht«, gestand Brunetti, »aber ich habe von ihm gehört.«

Girolamo fuhr lächelnd fort: »Vor ungefähr fünfzehn Jahren kam ein Film heraus, da ging es um nichts als das Meer, Seeschlachten und Kanonen und Männer, die mit Schwertern kämpfen. Wir haben die DVD, und die schaut Nonno sich mindestens einmal im Monat an.« Brunetti spürte, wie froh der junge Mann darüber war, geradezu euphorisch.

»Und er bittet mich, ihm die Bücher immer und immer wieder vorzulesen.«

»Und tun Sie das?«

»Aber natürlich«, sagte Girolamo, als sei die Frage abwegig. »Weil es ihm Vergnügen macht.«

»Versteht er es denn auch?«, wagte Brunetti sich vor.

»Ich glaube schon«, erwiderte der Jüngere nach längerem Nachdenken. »Sie holen ihn wie mit einem Zauberstab aus der Dunkelheit, in die er verschwunden ist.« Er neigte sich zurück, schloss die Augen und lehnte den Kopf an. »Ich denke, ein Teil von ihm ist noch bei uns.« Er schlug die Augen auf und sah zu Brunetti. »Halten Sie es für möglich, dass er mal hier und mal weit weg ist?«

»Dass Signor Obreens Zauberkräfte ihn zurückholen?«, fragte Brunetti.

»Ja.«

»Warum nicht?«, sagte Brunetti mit Nachdruck. »Zauber ist Zauber.«

Die Tür hinten im Flur ging auf. Die Contessa erschien und sagte: »Ihr könnt jetzt hereinkommen. Ich denke, wir haben genug getratscht.«

Girolamo und Brunetti, jetzt besser miteinander bekannt, erhoben sich und gingen zu ihr hinüber.

»Darf ich Ihnen Tee bringen lassen, Contessa?«, fragte der junge Mann.

»Oh, wie aufmerksam von Ihnen. Vielleicht, wenn wir hier fertig sind.« Und obwohl sie Brunettis Abneigung gegen Tee kannte: »Du würdest doch einen mittrinken, nicht wahr?«

»Natürlich.« Seit den ersten Tagen mit Paola, als er noch ein Straßenköter war, der hechelnd an ihren Fersen hing, hatte Brunetti die Eleganz im Verhalten ihrer Familie bewundert, sowohl bei dem, was sie taten, als auch dabei, wie sie sprachen.

Bevor er sie kennengelernt hatte, kannte er niemanden, der so häufig den Konjunktiv benutzte. »Ich dächte, es wäre besser, wenn …« – »Würde es dir mehr Vergnügen bereiten, wenn wir …« Zum Glück hatte Brunetti sich seit seiner Kindheit für die Schönheit des Italienischen und die fantastische grammatikalische Klarheit seiner Muttersprache begeistert. Er studierte sie, er lernte sie, aber zu

Hause sprach er sie nie, denn dort wurde Veneziano gesprochen.

Zeit mit Paola oder ihrer Familie zu verbringen, das war für ihn am Anfang wie prickelnder Champagner. Bis dahin hatte Brunetti ausschließlich Leute aus dem Süden das *passato remoto* verwenden hören. Und bei den Brunettis war es auch nicht üblich, dass Männer jedes Mal aufstanden, wenn eine Frau den Raum betrat.

Girolamo schob die Tür weit auf, ließ die Contessa und Brunetti ein und schloss sie ohne ein weiteres Wort hinter ihnen.

12

Signora Fullin war schmaler, als Brunetti sie in Erinnerung hatte, und sah aus, als habe sie seitdem nicht viel geschlafen. Sie nickte ihm kurz zu und widmete ihre Aufmerksamkeit sofort wieder ihrem Gatten, der ebenso starr und abwesend wirkte wie damals bei dem Dinner. Er hätte genauso gut an Deck seines Schiffs sein können – und Brunetti vermutete, dort wäre er lieber gewesen –, so wenig beachtete er die Anwesenden.

Mit seinem dichten weißen Haarschopf saß er stramm und kerzengerade da. Seine Miene aber war vollkommen leer, er starrte so ausdruckslos vor sich hin, als habe er alle Hoffnung aufgegeben, jemals aus seinem inneren Gefängnis befreit zu werden. Als sie eintraten, hob er den Kopf, ohne sie anzusehen.

Die Contessa ging zu ihrer Freundin, tätschelte ihr die Schulter, obwohl sie doch nur kurz aus dem Zimmer gegangen war, und raunte ihr leise etwas zu. Der Vizeadmiral schoss in die Höhe, als beträte die Contessa das Zimmer soeben zum ersten Mal. Kaum war sie mit ihrer Freundin fertig, nahm er ihre Hand und hauchte einen Kuss darüber.

»Wie schön, dich wiederzusehen, Matteo. Wie gut du aussiehst!« Er nickte stumm. Die Contessa wandte sich gelassen dem Sessel zu, der ihrer Freundin Antonia gegenüberstand.

Brunetti wartete, bis Donatella Platz genommen hatte. Dann verbeugte er sich, erst in Richtung Antonia, danach in die Richtung ihres Mannes, was dieser mit einem Nicken und einem zögernden Lächeln erwiderte, während er unverwandt Brunettis Knie anstarrte. Brunetti fiel nichts ein, was er zu diesem Steingötzen sagen könnte, dessen Augen, als er sich gesetzt hatte, seine Brust fixierten.

Rechts auf einer dunklen Walnusskredenz sah er eine Reihe Schwarz-Weiß-Fotos in Silberrahmen. Während die Frauen sich leise unterhielten, studierte er sie. Alle zeigten Männer in weißer Uniform, einer sogar mit Reiherfedern an seinem weißen Helm. Abessinien?, überlegte Brunetti. Der Barttracht nach zu urteilen, stammten einige der Aufnahmen aus dem Ersten Weltkrieg, andere vermutlich aus dem Krieg, in dem sein Vater gekämpft hatte, einem Krieg, in dem kaum mehr jemand Reiherfedern trug. Auf einem Foto war ein mit vielen Orden geschmückter Mann zu sehen: Brunetti dachte sich den Bart weg, polsterte Mund und Nase auf, und schon hatte er das Gesicht von Matteo Fullin in jüngeren Jahren.

In diesem Moment hörte er die Contessa sagen: »Ich bin dir sehr dankbar, Antonia, dass du dir Zeit für uns genommen hast.« Sie sprach mit jener Wärme, die sie im Familien- und Freundeskreis an den Tag legte.

Die andere tätschelte ihr freundlich die Hand. »Ich weiß nicht, ob ich alles verstanden habe, was du mir erzählt hast, Donatella, aber wenn ich dir helfen kann, will ich es gerne tun.« In einer spontanen Aufwallung der Sympathie, die stärker war als die Angst vor Ansteckung, fasste sie die Hand ihrer Freundin mit beiden Händen, schloss kurz die Augen und sah dann eilig zu ihrem Mann hinüber, der die Contessa mit einem wohlwollenden Lächeln anstarrte. Von

der Unterhaltung der beiden Frauen schien er nichts mit-
zubekommen, auch wenn er ständig zwischen ihnen hin
und her sah.

»Mir geht es auch nicht viel anders, Antonia«, erwiderte
die Contessa. »Vielleicht kann mein Schwiegersohn dir besser erklären, worum es geht.«

Signora Fullin wandte sich an Brunetti. »Donatella sagt,
es geht um meinen Mann.« Wie Brunetti bemerkte, zeigte
der Vizeadmiral keinerlei Reaktion.

»Ich danke Ihnen«, erklärte Brunetti, »dass Sie sich bereit erklärt haben, mit uns zu sprechen, Signora. Das ist
sehr freundlich von Ihnen, und ich werde versuchen, mich
kurzzufassen.«

In diesem Moment beugte der Vizeadmiral sich plötzlich mit ausgestrecktem Finger auf seinem Sessel vor und
zielte auf den Orden an Brunettis Brust, ein blaues Band,
an dem ein einfaches griechisches Kreuz aus Kupfer hing.
Auch Brunetti hatte sich vorbeugen wollen, damit der alte
Mann den Orden besser sehen konnte, doch der Finger des
Vizeadmirals stach so lange auf ihn ein, bis Brunetti gegen
die Rückenlehne seines Sessels stieß.

Die Miene des alten Mannes entspannte sich, und er sah
lächelnd erst auf das Kreuz, dann mit seinem früheren Gesicht zu Brunetti. »Der hat meinem Vater gehört«, sagte
Brunetti. »Er hat ihn mir geschenkt.«

Fullin nahm den Finger vom Orden und wies auf seine
eigene schwellende Brust. Er platzierte den Finger dort, wo
ein Orden geprangt hätte, wäre er in Uniform. »Marine«,
sagte er laut und deutlich. Dann, als habe ein Wort ihn zum
anderen geführt: »Auszeichnung.«

Brunettis Augen folgten dem Finger des Vizeadmirals von der Brust zurück in den Schoß. Doch als er wieder den Kopf hob und sein Gegenüber ansah, war der Seemann von Bord gegangen, zurück blieb nur ein Wrack.

Als habe sie nichts von alldem mitbekommen, fragte Signora Fullin: »Was möchten Sie denn wissen, Dottor Brunetti?«

Leise begann er zu erklären: »Ihr Mann hat vor einigen Jahren Papiere unterzeichnet, die ihn zum Mitglied des Vorstands einer gemeinnützigen Stiftung machen, die hier in der Stadt gegründet wurde.« Er wartete, ob sie dazu etwas sagen wollte.

Sie sah ihn aufmerksam an, schien aber nicht zu wissen, wovon er redete.

Brunetti fuhr fort: »Die Stiftung sollte ein Krankenhaus in Belize bauen.«

»Belize«, wiederholte die Frau. »Ist das nicht in Afrika?« Brunettis Hoffnung, dieses Zimmer mit irgendeiner nützlichen Information zu verlassen, schwand. Fast schämte er sich, dass ihm das nur recht sein würde. »Nein, Signora. Mittelamerika, zwischen Mexiko und Guatemala.«

Sie schüttelte den Kopf. »Ich kann mich nicht erinnern, dass Matteo mir jemals davon erzählt hätte.« Sie sah zu ihrem Mann, und Brunetti dachte schon, sie wolle die nun wieder starre Statue danach befragen. Stattdessen wandte sie sich wieder an Brunetti: »Wann genau soll das gewesen sein?«

»Vor drei Jahren, hat man mir gesagt, Signora.«

Sie senkte den Blick auf ihre Hände und sah dann die Contessa fragend an. Die nickte. Davon ermutigt, sagte sie:

»Ich werde Girolamo bitten müssen, Matteos Terminkalender durchzusehen.« Bedrückt fügte sie hinzu: »Damals hat er noch versucht, einen zu führen.« Statt, wie Brunetti befürchtete, in Tränen auszubrechen, wandte sie sich ihrem Mann zu: »Jetzt ist es einfacher, nicht wahr, Matteo, wo wir uns nicht mehr zu verstellen brauchen?« Brunetti war sich nicht sicher, ob sie mit ihrem Mann sprach oder mit sich selbst.

Sie lieferte auch gleich eine Erklärung. »Es ist wirklich so, Signore«, sagte sie zu Brunetti. »Man ist besser dran, wenn man loslassen kann und nicht mehr so zu tun braucht, als sei alles normal.« Und dann: »Als ob es das jemals wäre.«

Sie griff nach einer Hand ihres Mannes und hielt sie fest. »Matteo hat lange Zeit vorgegeben, alles sei in Ordnung und ihm fehle nichts. Aber ... ich wusste Bescheid, und unsere Tochter auch. Und Girolamo.« Beim Namen ihres Enkels huschte ein Lächeln über ihr Gesicht, das ihre feinen Züge und ihre glatte Haut zur Geltung brachte.

An die Contessa gewandt, bemerkte sie: »Wir haben so viel Zeit damit vergeudet, den anderen vorzuspielen, alles sei gut.« Mit kummervollem Blick zu ihrem Mann fuhr sie fort: »An manchen Tagen, vielleicht ein- oder zweimal im Monat, ist es, als sei er bei uns auf Besuch. Er beantwortet Fragen, sagt mir, was er zu Abend essen möchte. Oder wir gehen spazieren und begrüßen Bekannte. Und dann ... dann ist es wieder vorbei, manchmal mitten im Satz. Aus heiterem Himmel. Plötzlich ist er wieder weg.«

Sie stand auf. »Ich werde Girolamo bitten, nachsehen zu gehen.« Lächelnd erklärte sie: »Das ist alles im Computer, da finde ich mich nicht zurecht.« Sie gab sich einen kleinen

Ruck und fragte Brunetti: »Was sagten Sie noch mal, welcher Monat?«

»März, Signora.«

»Und wer hat ihn gebeten, der Stiftung beizutreten?«

»Bruno del Balzo«, sagte Brunetti.

In diesem Moment schoss Fullins Fuß wie von einem Krampf geschüttelt nach vorn und erwischte die Contessa am Schienbein. Hastig wich sie aus, um einen weiteren Treffer zu vermeiden, doch Fullin hatte den Fuß schon wieder neben dem anderen abgestellt.

Seine Frau beugte sich über ihn. »Matteo, Matteo, versuche still zu sitzen. Wir haben Gäste.« Sosehr sie sich um einen liebevollen Ton bemühte, vernahm Brunetti doch die unterdrückte Panik darin.

Fullin blinzelte heftig, ließ aber nicht erkennen, dass er sie verstanden hatte. Sie gab ihm einen Kuss auf den Scheitel und sagte: »Ich bin gleich wieder da, Lieber.« Während sie das Zimmer verließ, sah Fullin ihr nach, dann starrte er die Tür an.

Auch Brunetti rührte sich nicht; die Contessa strich nervös über den Brokatbezug ihres Sessels. Fullins Schweigen und die Vorstellung, dass er zwar körperlich, aber nicht geistig anwesend war, schüchterten Brunetti ein.

Wo gingen sie hin? Gingen sie überhaupt irgendwohin? Was hörten sie, was sahen sie? Wie war das bei seiner Mutter gewesen? Gegen Ende – und bis dahin war es ein langer Weg gewesen – hatte sie nur noch laute Beschimpfungen ausgestoßen, wenn sie ihn oder Sergio sah, also blieb er jetzt reglos sitzen, voller Furcht, auch dieser Mann könnte zu schreien anfangen.

Beim Geräusch von Schritten draußen fuhr Brunetti zusammen, und die Contessa sah zur Tür, aber die Schritte entfernten sich, und sie blieben weiter allein mit dem schweigenden Mann und der Aura unterdrückten Zorns, die sein Tritt im Zimmer verbreitet hatte.

Brunetti versuchte, an irgendetwas anderes zu denken, aber der Mann ihm gegenüber ließ ihn nicht los, die Furcht, er könnte sich plötzlich auf ihn oder die Contessa stürzen.

Die Türklinke quietschte, Brunetti sprang auf. Es war Signora Fullin, gefolgt von ihrem Enkel, der ein Blatt Papier in der Hand hielt. Signora Fullin sah schnell und nervös im Zimmer umher, als fürchte sie, während ihrer Abwesenheit könnte etwas passiert sein, das man vor ihr zu verbergen suchte. Ihr Mann erhob sich hastig, nickte ihr lächelnd zu, wartete, bis sie sich gesetzt hatte, und sank dann auf seinen Sessel zurück.

»Girolamo hat sich die Einträge für März angesehen. Am 16. hatte mein Mann eine Verabredung mit einem Freund, mit dem Mann, den Sie erwähnt haben. Er hat einen Ausdruck gemacht.«

Brunetti fragte Girolamo: »Gibt es einen Hinweis darauf, worum es bei diesem Treffen ging?«

Der junge Mann reichte ihm wortlos das Papier.

Brunetti dankte und warf einen Blick darauf; es war eine Seite aus einem Terminkalender. Im Kästchen für den 16. März stand: »Bruno, 13:00. Dokumente unterschreiben. Lunch.«

»Viel ist das nicht, aber es dürfte reichen«, sagte Brunetti zu dem jungen Mann, der ihm bedeutete, er könne das Blatt behalten. Brunetti faltete es zusammen und steckte es ein.

»Soll ich nun den Tee kommen lassen?«, fragte Signora Fullin erschöpft und ganz offenbar nur aus reiner Höflichkeit.

Die Contessa stand auf und ging zu ihrer Freundin. »Das ist sehr freundlich von dir, Antonia, aber ich denke, wir sollten jetzt besser gehen. Matteo möchte bestimmt gerne allein mit dir sein.«

Als Brunetti aufstand, erhob sich auch der Vizeadmiral und hielt ihm die Hand hin. Brunetti – pfeif auf die Regeln – nahm sie und spürte sofort, was der kräftige alte Mann mit seiner Hand hätte anstellen können, doch jener drückte sie beinahe sanft.

»*Piacere*«, sagte der Vizeadmiral klar und deutlich und setzte sich wieder.

»*Grazie, Vice-Ammiraglio*«, erwiderte Brunetti.

Der junge Mann war unbemerkt an seinen Großvater herangetreten. Er zog ihm das Einstecktuch aus der Brusttasche, tupfte ihm die Unterlippe ab und steckte das Tuch sorgfältig zurück. Dann setzte er sich in den Sessel, in dem Brunetti gesessen hatte, und der Großvater legte ihm eine Hand auf das Knie.

Zu seiner Großmutter sagte Girolamo: »Ich bleibe bei Nonno, wenn du unsere Gäste zur Tür begleiten willst, Nonna.« Zählte sein einfühlsamer Umgang zu den Dingen, die in Familien wie dieser von Generation zu Generation vererbt wurden? Oder wurde man so souverän, wenn einem seidenbezogene Sessel wie die hier im kleinen Salon gehörten?

Brunetti ging zur Tür und hielt sie den beiden Frauen auf. Die Contessa hakte sich bei ihrer Freundin unter, sie gingen hinaus, er folgte ihnen, schloss die Tür und sagte: »Signora Fullin, ich habe noch eine schmerzhafte Frage.«

Beide drehten sich zu ihm um. Die Contessa nahm das Wort: »Guido, vielleicht hatten wir genug Fragen für heute.«

Damit hätte er es bewenden, die Sache ruhen lassen können, die Contessa nach Hause bringen, in die Questura gehen, Elisabetta anrufen und ihr sagen, er habe im Umfeld ihres Schwiegersohns nichts Auffälliges gefunden. Stattdessen sagte er: »Nur noch eins, Donatella.«

»Eine schmerzhafte Frage?« Die Contessa rückte demonstrativ näher an ihre Freundin heran.

»Ja, schmerzhaft«, bestätigte er.

Signora Fullin sah zur Contessa. »Danke, Donatella. Aber ich glaube, ich bin schon über den Punkt hinaus, wo Worte mir wehtun können.« Dann zu Brunetti: »Was möchten Sie wissen, Signor Brunetti?«

»Sie haben das Datum auf dem Papier gesehen, das Ihr Enkel mir gegeben hat, Signora?«

Sie nickte.

»War Ihr Mann, als er vor drei Jahren diesen Vertrag unterschrieben hat, in der Lage zu verstehen, was darin stand und was man ihm dazu erklärt hat?«

Ihre Miene blieb vollkommen ausdruckslos. Sie sah auf ihren Arm, in den die Contessa sich eingehängt hatte. Mit ihrer freien Hand zupfte sie an einem weißen Faden, der aus dem Knopfloch am Ärmel ihres Pullovers hing. Mit einem Ruck zog sie daran, der Knopf löste sich und fiel zu Boden.

Brunetti fand ihn mühelos auf dem dunklen Parkett. Er

hob ihn auf und legte ihn ihr in die ausgestreckte Hand. Sie dankte und schloss die Hand um den Knopf.

Dann antwortete sie auf seine Frage: »Möglich, oder auch nicht. Damals haben wir es noch vertuscht, da konnte er die Leute immer noch glauben machen, er verstehe, was sie sagten oder was er tat. Jedenfalls hat es gereicht, dass auch sie sich stellten, als wäre nichts.« Nach einer langen Pause fügte sie hinzu: »Ich weiß es nicht.«

Plötzlich fragte sie lebhaft: »Ist das Ihre einzige Frage?«

Brunetti nickte, er wusste nicht mehr weiter.

»Wie auch immer«, sagte Signora Fullin, »Bruno ist einer der wenigen alten Freunde, die Matteo treu geblieben sind und uns besuchen kommen. Die meisten anderen«, erklärte sie mit gepresster Stimme, »tun das nicht mehr.«

Brunetti und die Contessa warteten schweigend, dass Signora Fullin die Fassung wiedergewann.

Schließlich fuhr sie fort: »Und er spricht mit uns wie immer, wie früher, stellt Matteo Fragen zu seiner Zeit bei der Marine, erkundigt sich nach Girolamo und wie es mit dem Studium des Jungen läuft.« Ihr war anzuhören, welche Freude ihr dieses ehrbare Verhalten bereitete. »Und ich muss sagen, oft zeigt Matteo sich der Lage gewachsen, folgt der Unterhaltung und sagt manchmal sogar selbst etwas.« Halb belustigt erklärte sie: »Er bringt sogar Papiere mit und bittet meinen Mann, diese zu unterschreiben, ganz so wie früher.«

»Papiere?«, fragte Brunetti.

»Ach, das.« Signora Fullin machte eine wegwerfende Geste. »Das sind nur leere Blätter. Aber Matteo hat dann das Gefühl, wieder etwas zu gelten: Dokumente unterzeichnen, Entscheidungen treffen.« Ihr versagte die Stimme, doch sie brach nicht in Tränen aus.

Sie eilte zur Tür, machte auf und gab der Contessa zum Abschied einen Kuss auf die Wange. Brunetti schenkte sie ein Lächeln.

Von sich selbst überrascht, beugte er sich über ihre Hand und deutete zwei Zentimeter darüber einen Kuss an.

Sie schloss die Tür hinter ihnen, und sogar der Aufzug benahm sich anständig und brachte sie störungsfrei nach unten.

Sie verließen den kleinen Campo in Richtung San Silvestro, von wo die Contessa die Nummer Eins nach Hause nehmen und Brunetti bequem zum Rialto und weiter zur Questura gehen konnte. Er passte seinen Schritt dem ihren an, und beide schlugen automatisch an jeder Biegung und Brücke die richtige Richtung ein: Der Orientierungssinn des Venezianers wird nur von dem des Albatros übertroffen.

Am *imbarcadero* sah Brunetti nach der Anzeige: noch vier Minuten. Sie warteten draußen auf der Plattform, außer ihnen war niemand da. »Was wirst du jetzt machen?«, fragte die Contessa.

Die Frage musste ja kommen, aber eine Antwort hatte er selbst noch nicht. »Eigentlich hatte ich gehofft, sie würde sagen, er wisse, was er da unterschrieben habe, und ein ehrenwerter Mann würde niemals etwas unterschreiben, das er nicht versteht.«

»Aber um Ehre geht es hier doch nicht?«, fragte sie.

»Kaum. Eher um geistige Klarheit. Man verliert den Verstand nicht über Nacht: Das geschieht in kleinen Schritten, ein Auf und Ab.«

»Und?«

Er wollte gerade antworten, als das herannahende Vaporetto lärmend den Rückwärtsgang einlegte und den *imbarcadero* ansteuerte.

Die Contessa nahm ihre Netzkarte aus der Manteltasche, hielt sie an den Sensor und ging durch die Sperre, die hinter ihr wieder zufiel. Sie drehte sich um und rief Brunetti etwas zu, doch ihre Stimme ging in dem Rasseln unter, als der Bootsmann das Metalltor aufzog, um Passagiere aussteigen zu lassen.

»Was?«, rief Brunetti, aber schon jaulte der Motor auf und übertönte alles, und er sah nur noch, wie sie die Lippen bewegte.

Er winkte, sie verließ die Reling und winkte zurück. Der Bootsmann schloss das Gitter, und das Vaporetto nahm schwerfällig Fahrt auf. Sie stand draußen, der Wind warf ihr den Schal ins Gesicht. Sie bekam ihn mit einer Hand zu fassen und winkte mit der anderen. Das Boot steuerte auf den Kanal hinaus, und als er die Contessa nicht mehr von den anderen Passagieren unterscheiden konnte, wandte Brunetti sich ab und machte sich auf den Weg zur Brücke.

13

In der Questura suchte Brunetti als Erstes Signorina Elettra auf. Er spähte durch die offene Tür zu ihr hinein und blieb wie angewurzelt stehen. Der Anblick der schimmernden Gestalt, die da am Schreibtisch saß, ließ ihn an Seejungfrauen, Riesenfische und alle möglichen Meereswunder im Märchen denken. Offenbar hatte sie ihn nach Luft schnappen hören, denn plötzlich blickte sie auf und sah lächelnd zu ihm hin. Signorina Elettra – genauer gesagt: ihre Jacke – war von oben bis unten mit unzähligen kleinen Silberschuppen besetzt.

Einen Finger vor den Lippen, zeigte Brunetti unter den Schreibtisch, wo sie die Wanze entdeckt hatte, und hob dann fragend beide Hände.

»Oh, keine Sorge, Commissario. Das hat sich erledigt.«

So dezidiert ihre Aussage auch war, sie bedurfte für Brunetti der Klärung. »Bedeutet das, das Ding ist weg?«, fragte er.

»Wie heißt es so schön in Agentenfilmen, Dottore: ›Es wurde ausgeschaltet.‹«

»Was ist passiert?«, fragte er.

»Es hat sich alles zum Guten gewendet.« Sie stieß sich vom Schreibtisch ab und schlug die Beine übereinander. »Ich hatte mich seit Monaten nicht mehr bei meinem Freund Giorgio gemeldet, und da dachte ich, dies sei eine gute Gelegenheit, unsere …«, sie suchte nach dem richtigen Wort, »… Zusammenarbeit wieder aufzunehmen.«

»Giorgio, der bei der Telecom arbeitet?«, fragte Brunetti. Giorgio, der im Lauf der Jahre schon einigen Meisterstücken an Cyberkriminalität Vorschub geleistet hatte: die Banken, in die sie nach seiner Anleitung einbrach, die Passwörter, die er ihr auf den zartesten Wink hin zu Füßen legte.

»Nein. Nicht mehr.«

»Er hat den Job gewechselt?«

»Er ist jetzt Berater. Für Medien und Kommunikation.«

»Wo?«

»San Marco.«

»Für die Basilica?«

Sie lachte. »Nein, nein, für das *sestiere*. Er hat kürzlich sein eigenes Büro eröffnet.«

»Büro?«

»Ja. Über dem Gucci-Laden. Drei Zimmer und eine Sekretärin.«

Brunetti wagte einen Scherz: »Er hat die Stelle nicht Ihnen angeboten?« Wobei sie wohl besser als Partner eingestiegen wäre denn als Sekretärin.

»O doch, das hat er«, sagte sie, und es klang seltsam wehmütig in Brunettis Ohren.

»Aber?«

»Dieser Teil der Stadt gefällt mir nicht«, antwortete sie mit verächtlich heruntergezogenen Mundwinkeln. »Wenn erst die Touristen wiederkommen, kann man dort keinen Schritt mehr machen.«

Brunetti sah das nicht anders, fragte aber: »Hätten Sie nicht mit ihm vereinbaren können, von zu Hause zu arbeiten?«

Ihre Miene erstarrte. Erst nach einer ganzen Weile sagte sie: »Aber ich *habe* einen Job, Commissario.«

Verlegen meinte Brunetti: »Ja, natürlich.« Dann kam er auf Giorgio zurück, jetzt nicht mehr bei der Telecom. »Was haben Sie ihm erzählt?«

»Ich habe ihn angerufen und ihm das Ding beschrieben. Giorgio hat gelacht – hat mir kaum Zeit gelassen, genauer zu erklären, was ich entdeckt hatte –, nur gesagt, er kümmere sich darum, das sei amateurhaft, geradezu primitiv.«

Bevor Brunetti seine Zufriedenheit bekunden konnte, sagte sie streng: »Das wusste ich alles selbst.« Und mit noch mehr Nachdruck: »Es war offenkundig. Er sollte mir nur sagen, wie ich an das nötige Material komme, das Problem zu lösen.«

»Was für Material?«

»Ein Gerät, das eine Art ›Todesstrahlen‹ sendet. Giorgio sagt, beim Militär sei es sehr beliebt.«

So genau wollte Brunetti das lieber nicht wissen. »Was macht dieses Gerät?«

»Wenn man es neben einer Wanze platziert, sendet es Strahlen aus, die die Wanze erst stören und dann unbrauchbar machen.« Nach einer winzigen Pause fuhr sie fort: »Nicht nachzuweisen. Eine Art Kurzschluss, als sei sie eines natürlichen Todes gestorben.« Sie grinste. »Noch interessanter: Im Todeskampf gibt sie die geografischen Koordinaten der Empfangsstation preis.«

»Hatte Giorgio so einen Todesstrahl vorrätig?«

Sie lachte leise. »Ach, Commissario Brunetti, Sie machen sich über mich lustig.«

»Das würde mir nicht im Traum einfallen, Signorina«,

sagte Brunetti betroffen, schaltete aber gleich auf einen scherzenden Tonfall um. »Ihre Hilfe dringt wie ein Lichtstrahl ins Dunkel.«

Sie strahlte ihn an. »Das hat meine Großmutter auch immer zu mir gesagt.«

»Meine auch«, erwiderte er. »Aber selten zu mir.« Dann fragte er, um endlich den Rest der Geschichte zu erfahren: »Und Giorgio?«

»Noch am selben Nachmittag erschien in der Questura ein junger Mann mit sehr militärischem Gebaren, wies sich mit so imponierenden Papieren aus, dass er auf der Stelle in mein Büro geführt wurde, wo er mir mitteilte, ein Freund habe ihn geschickt, er solle etwas für mich in Ordnung bringen.«

»Die Wanze?«

Sie nickte.

»Hat er das … Material mitgebracht?«

»Ja und nein«, sagte sie irritiert. »Er sagte, er könne mir nichts geben, er werde das Nötige persönlich unternehmen, ich müsse das Büro nur für eine Viertelstunde verlassen.«

»Und das haben Sie getan?«

Sie nickte. »Ich war auf einen Kaffee bei Sergio, und als ich zurückkam, stand der junge Mann, Hände auf dem Rücken, am Fenster und bewunderte die Aussicht. Seine Aktentasche lag auf meinem Schreibtisch. Geschlossen.«

»Auftrag ausgeführt?«

»Ja. Er schien mit dem Ergebnis sehr zufrieden, dankte für mein Vertrauen und sagte, bevor die Wanze ausgeschaltet worden sei, habe er die Koordinaten des Empfängers notiert.«

»Ach?«, flüsterte Brunetti.

Sie schob sich eine Haarsträhne aus der Stirn, wobei ihm auffiel, dass ihre Fingernägel denselben Farbton hatten wie die Schuppen ihrer Jacke.

»Wo saß der Empfänger?«

»Seltsamerweise«, sagte sie plötzlich sehr ernst, »irgendwo hier im Haus.«

Das verschlug Brunetti die Sprache. Die Polizei belauschte die Polizei? Er zog fragend die Augenbrauen hoch.

Sie zuckte so leicht mit den Schultern, dass die Schuppen kaum Wellen schlugen. »Er hat mir auch gesagt, er habe die Leiche an Ort und Stelle gelassen.« Sie zeigte unter ihren Schreibtisch. »So sieht es noch überzeugender nach einem Herzinfarkt aus«, erklärte sie mit dem Anflug eines Lächelns.

»Und Giorgio? Haben Sie sich bei ihm bedankt?«

»Das mache ich gegen Ende der Woche.«

»Und bis dahin?«

»Ich habe ihm zur Eröffnung seines Büros drei Dutzend Rosen geschickt.«

»Das war sehr großzügig von Ihnen«, bemerkte Brunetti.

»Genau genommen sehr großzügig von der Questura.«

»Büromaterial?«

»Sie waren doch für ein Büro bestimmt, oder?«

»Ah«, fiel ihm dazu nur ein. Dann wechselte er schnell zu einem weniger verfänglichen Thema. »Ich habe da ein paar Dinge, um die ich Sie bitten möchte.«

Alles zu erklären brauchte seine Zeit. Brunetti hatte Signorina Elettra zwar schon gebeten, nach Fullins Krankenakten zu sehen, aber noch nicht erklärt, wozu. Das holte er jetzt nach.

Während er zusammenfasste, was Elisabetta ihm erzählt hatte, kam es ihm plötzlich gar nicht mehr so verwunderlich vor. Sollte man nicht seit eh und je das Persönliche und das Geschäftliche trennen? Hatte Fenzo an der Buchhaltung seines Schwiegervaters Anstoß genommen? Oder aber del Balzo einen kühnen Vorschlag zur Steigerung seines Einkommens zurückgewiesen? Oder ganz banal: Hatte del Balzo es einfach satt, sich von dem jungen Mann in seine Geschäfte hineinreden zu lassen?

Brunetti erwähnte die drei Vorstandsmitglieder der Stiftung: del Balzo, Matteo Fullin und Luigino Guidone, verschwieg jedoch seine eigenen dilettantischen Versuche, Guidone zu finden.

Signorina Elettra notierte fleißig, blätterte plötzlich zurück, prüfte etwas nach und schrieb weiter. Als sie aufblickte und auf die Fortsetzung wartete, sagte er: »Versuchen Sie bitte, so viel wie möglich über diese Stiftung herauszufinden.« Und als besonders verlockende Nachspeise fügte er hinzu: »Sie heißt Belize nel Cuore.«

Ein Stöhnen entwich ihren Lippen, sie konnte ihre Überraschung nicht verbergen und wiederholte den Namen wie ein Gebet. Dann fragte sie: »Belize in Mittelamerika?«

»Ja«, sagte Brunetti.

»Was genau interessiert Sie daran?«

»Offenbar treibt diese Stiftung Geld auf für ein dort ansässiges Krankenhaus.«

»Mehr wissen Sie nicht? Haben Sie Informationen über

das Krankenhaus? Wie groß ist es? Wer sind die Betreiber? Wie heißt es?«

Brunetti zuckte hilflos die Schultern.

»Ach, Commissario«, sagte sie lächelnd, »was für eine Freude Sie mir bereiten.«

Er kannte sie gut genug, um zu wissen, dass es ihr ernst damit war.

»Freude?«

»Ja.«

»Weil …«, begann er, beließ es aber dabei aus Furcht, sie auf Gedanken zu bringen.

Da er bei seinem Schweigen blieb, brachte sie, liebenswürdig wie immer, den Satz für ihn zu Ende: »… somit die Jagd eröffnet ist.«

14

Zeit verging, und die Natur erschwerte den Venezianern das Leben, und damit auch der Polizei. Nach zwei Tagen sintflutartigen Regens schrillten eines Morgens um halb drei die Sirenen und kündigten *acqua alta* an. Der Einsatz der MOSE-Flutsperren verzögerte sich aus nicht näher benannten »technischen Gründen«, und als sie sich endlich schlossen, stand die Stadt längst unter Wasser. Beim Öffnen kam es wieder zu einer Verzögerung, weshalb das Wasser stundenlang nicht ablaufen konnte und die Schäden noch größer wurden. In der Nacht darauf dasselbe Spiel. Dazu kam etwas Neues: Kinderbanden, heutzutage jedermann als »Baby-Gangs« bekannt, nutzten das nächtliche Chaos und brachen in Geschäfte, Apotheken und Restaurants ein, die im Gefolge der Pandemie hatten schließen müssen, und stahlen, was die Besitzer zurückgelassen hatten. Von Passanten zur Rede gestellt, behaupteten sie – auf Veneziano –, sie würden ihrem Vater helfen, oder ihrem Onkel, seine letzten Habseligkeiten vor dem Hochwasser zu retten, und fragten, ob sie sie holen sollten.

Zu sehr beschäftigt, aus ihren eigenen Läden zu retten, was zu retten war, hakten die wenigsten nach, und so trieben die kleinen Vandalen ihr Unwesen ungestört weiter.

In der dritten Nacht lief die mittlerweile alarmierte Polizei Streife und nahm mindestens sechs verschiedene Gruppen fest, ausschließlich minderjährige Jungen. Die Polizei konnte nichts tun, nur die Eltern anrufen, erklären, was passiert war, und sie bitten, ihre Kinder abzuholen.

Ein zermürbendes Verfahren: Manche Eltern waren schwer zu erreichen und mussten mehrmals angerufen werden; andere sagten, sie kämen erst, wenn sie ihre Anwälte verständigt hätten; wieder andere versprachen, sofort zu kommen, und ließen sich dann stundenlang nicht blicken oder kamen gar erst am Nachmittag des folgenden Tages. Dass sie mit Bedacht so spät kamen, um ihre Söhne das Fürchten zu lehren, sprachen diese Eltern zwar nicht offen aus, doch ließ ihre Ungerührtheit darauf schließen.

Vorübergehend festgenommen, mussten die Jungen irgendwo untergebracht werden. Die meisten steckte man in die Verhörräume der Questura, andere wurden auf verschiedene Carabinieri-Wachen in der Stadt verteilt und in Ausnüchterungszellen eingesperrt. Einen Zehnjährigen brachten zwei uniformierte Polizisten nach Hause, wo sie vor der Haustür möglichst viel Lärm machten und Sturm klingelten, und als endlich jemand reagierte, brüllten sie in die Gegensprechanlage, hier sei die Polizei, ihr Sohn sei verhaftet worden.

Die meisten dieser Jungen führten sich auf, als seien sie unverwundbar und wüssten, wie wenig sie riskierten. Viele trugen Sportschuhe von Nike oder Adidas, Kapuzenjacken und modisch zerrissene oder zerfetzte Jeans. Sie hielten sich für einzigartig, und doch kopierten sie durch die Bank entweder einander oder irgendwelche Jungen, die sie auf Bildern oder in der Stadt gesehen hatten. Und nicht nur, was ihre Kleidung betraf, liefen sie jeder Mode nach; auch

Verhalten wollte kopiert sein, ganz gleich, wie sehr andere darunter zu leiden hatten.

Zu Brunettis Erleichterung ging die Polizei mit diesen Kindern eher nachsichtig um. Viele Beamte waren nur ein Jahrzehnt älter als die Übeltäter, andere hatten Söhne im selben Alter.

Aber das alles verschlang viel Zeit: eine Unterbringungsmöglichkeit finden, Namen und Adressen ermitteln, die Eltern verständigen, die Vergehen und die Umstände der Festnahme zu Protokoll nehmen – wobei die Polizei von vornherein wusste, dass der ganze Aufwand keine Folgen haben würde.

Nachdem der Wasserpegel sich wieder gesenkt hatte, plünderten andere Jungen die unbewachten Geschäfte, nicht, weil sie eine Vorstellung davon hatten, was sie mit dem Diebesgut machen sollten, sondern weil sie nichts anderes mit ihrer Freizeit anzufangen wussten. Schließlich trieben es einige zu weit: Zu dritt attackierten sie einen Mann auf offener Straße und stahlen sein *telefonino*. Der Überfall wurde von zwei Überwachungskameras aufgezeichnet; das Opfer war ein Tourist. Da ihr Habitat gefährdet war, galten Touristen als bedrohte Spezies, und Vice-Questore Patta hatte sich zu ihrem Beschützer aufgeschwungen.

Vianello bekam Anweisung, Beamte auf Streife zu schicken gegen die Baby-Gangs, sein Arbeitstag wurde zur Arbeitsnacht, und für Nachforschungen zu Signor Fenzo fehlte ihm jetzt die Zeit.

Griffoni wurde nach Mailand beordert, wo sie im Prozess gegen einen Mann aussagen sollte, der seine Frau umgebracht hatte. Der zuständige Richter sagte, sie solle sich auf zwei Tage einstellen. Bevor sie abreiste, versicherte sie Brunetti, dem Patta ihre Fälle übertragen hatte, die könnten alle bis zu ihrer Rückkehr warten; stattdessen möge er einen Stapel ministerieller Verlautbarungen durchsehen und ihr bei ihrer Rückkehr sagen, ob etwas Wichtiges dabei sei.

Obendrein erteilte der Vice-Questore Signorina Elettra einen »sinnlosen, aber zeitraubenden Auftrag«, wie sie es nannte. Das schränkte sie und Brunetti noch weiter ein, doch versprach sie ihm, Ende der Woche werde sie sich wieder auf Vizeadmiral Fullin und Belize nel Cuore konzentrieren können.

Das war die Lage: Signorina Elettra mit »Sinnlosem« beschäftigt und seine zwei engsten Mitarbeiter nicht verfügbar. Brunetti fühlte sich mutterseelenallein in der Questura, ein Zustand, den er seit Jahren nicht erlebt hatte.

Zwei weitere Tage vergingen. Am zweiten Tag rief Elisabetta an und wollte wissen, ob sich etwas ergeben habe; Brunetti vertröstete sie. Am dritten Tag hatte er gerade seit ein paar Minuten angefangen, Griffonis ministerielle Rundschreiben durchzuackern, als sein *telefonino* klingelte. Es war Pucetti.

»Commissario«, begann der junge Kollege. »Wir sind auf …«, dann waren nur noch Störgeräusche zu hören. Brunetti stand auf und ging ans Fenster, wo der Empfang meist besser war.

»Pucetti?«, sagte er. »Pucetti, können Sie mich hören?«

»*Sì*, Signore.« Und dann: »Wir sind in der Tierpraxis. Die Ärztin hat einen Einbruch gemeldet.« Brunetti fiel auf, wie schwer er atmete.

»Was ist los, Pucetti?«, fragte er. »Erzählen Sie.«

»Hier ist Blut, Commissario. Auf dem Fußboden.« Wieder holte Pucetti tief Luft und klang dann plötzlich sehr jung: »Überall.«

»Pucetti, ist jemand bei Ihnen?«, fragte Brunetti.

»Nur Alvise. Aber draußen. Ihm ist schlecht geworden.«

»Sonst noch jemand?«

»Die Dottoressa.«

»Geben Sie ihr das Telefon«, sagte Brunetti im Befehlston.

Pucetti antwortete zögernd: »Sie ist auch draußen, Signore.«

»Pucetti, schließen Sie die Augen, und berichten Sie mir, was passiert ist.«

Lange kam nichts, aber schließlich begann Pucetti mit gequälter Stimme: »Sie hat mir gesagt, sie habe angerufen und den Einbruch gemeldet. Sie sagt, zuerst hatte sie Angst hineinzugehen, weil sie beim Öffnen der Haustür Blut gesehen hat. Aber dann, sagt sie, musste sie doch hinein und nachsehen, was los ist.«

»Wann war das?«

»Vor höchstens einer Stunde. Tenente Scarpa hat den Anruf entgegengenommen und versichert, er werde sofort zwei Mann vorbeischicken. Alvise und ich waren da, also hat er uns mit Foa hierhergeschickt.« Wieder holte er tief Luft. Im Hintergrund war Hundegebell zu hören.

»Wo sind Sie?«, fragte Brunetti.

»Am Campiello Turella. Ganz in der Nähe vom Campo Santo Stefano. Dahinter ist ein Garten.« Brunetti verstand kein Wort: In der Nähe vom Campo Santo Stefano gab es keinen Campiello Turella.

»Pucetti, wo sind Sie? Reißen Sie sich zusammen. Wo sind Sie?«

»Auf Murano, Commissario. Habe ich das nicht gesagt?«

»Sie haben es mir jetzt gesagt, Pucetti. Berichten Sie: Was haben Sie bei Ihrer Ankunft gesehen?«

»Die Tür stand offen, und die Tierärztin wartete vor der Praxis, an die Hausmauer gelehnt, auf dem *campiello*.«

Er stockte. Brunetti ließ ihm Zeit, sich zu fangen. »Sie hielt einen Hund in den Armen, einen von diesen kleinen weißen zappeligen Terriern. Erst dachte ich, er ist tot, weil er sich nicht bewegte, und sein Kopf war voller Blut und die Ohren waren bandagiert. Und dann sah ich das Blut, an ihrer Jacke, vorn und an den Ärmeln.«

»Und was haben Sie unternommen, Pucetti?«, fragte Brunetti, der aus dem konfusen Bericht nicht schlau wurde.

Pucetti schwieg lange. Endlich erklärte er: »Sie sagte, Ohren bluten sehr stark.« Der junge Beamte stöhnte. »Jedenfalls sind wir dann ins Haus gegangen. Die Praxis war verwüstet: der Computer zertrümmert am Boden, Kabel herausgerissen. Ein Glasschrank umgeworfen, alles voller Splitter.«

Brunetti wartete, dann ging es weiter. »Alvise meinte, wir sollten in das andere Zimmer. Von dort war lautes Bellen und Knurren zu hören. Also gingen wir zu der Tür.«

Plötzlich fragte Pucetti treuherzig: »Darf ich Ihnen etwas sagen, Commissario?«

»Natürlich, Pucetti. Was denn?«

»Ich hatte solche Angst, dass ich meine Waffe gezogen

habe. Alvise auch. Und dann betraten wir das andere Zimmer, und da sahen wir, es war nur ein einziger Hund, der den ganzen Lärm machte, ein riesiger Hund, der aussah wie ein Rottweiler und sich wie verrückt an das Gitter seines Käfigs warf. Ein einziger Hund und so ein Krach«, stammelte Pucetti.

»Was haben Sie sonst noch gesehen, Pucetti?«

»Ein paar Kaninchen und eine Katze, die Katze war oben auf dem Aktenschrank und maunzte. Grau. Als Kinder hatten wir so eine.«

Tierquälerei und Vandalismus. Brunetti kam als Erstes der Gedanke, jetzt hätten die Baby-Gangs es endgültig zu weit getrieben.

»Was haben Sie sonst noch gesehen, Pucetti?«

»Nichts. Ich habe Sie sofort angerufen.«

Brunetti nahm das Handy vom Ohr. Hatte vorhin nicht das zweite Polizeiboot vor der Questura gelegen? Schon war er auf der Treppe. »Ich bin in zwanzig Minuten da. Spätestens.«

»Was sollen wir tun, Signore?«

»Bleiben Sie, wo Sie sind. Beantworten Sie keine Fragen. Sagen Sie Foa, er soll mit der Ärztin zum Campo Santo Stefano gehen; dort ist eine Bar. Er soll ihr was Heißes zu trinken bestellen, aber keinen Kaffee.«

»Gut, Signore. Ich sag's ihm.«

»Warten Sie draußen. Gehen Sie nicht wieder rein.«

»Aber die Tiere, Signore?«

»Denen passiert jetzt nichts mehr. Schließen Sie die Tür, Pucetti. Lassen Sie niemanden ins Haus. Vergessen Sie nicht, das ist ein Tatort.«

»Ja, Signore, ich verstehe. Aber wenn die Leute fragen, was los ist?«

»Wenn jemand fragt, erzählen Sie was von einem Einbruch«, sagte Brunetti und beendete das Gespräch.

An der Anlegestelle der Questura erblickte er Grandesso, einen braun gebrannten Buranello, der erst seit wenigen Jahren bei der Polizei war. Der Mann war damit beschäftigt, das Boot nach dem feuchten Morgen trocken zu reiben. Brunetti fuhr nicht gern mit ihm – ihm missfiel seine arrogante Art, ständig mit jaulender Sirene andere Boote beiseitezuscheuchen und vom höflichen Verhalten anderer Bootsführer keine Notiz zu nehmen.

»Ich muss nach Murano, Grandesso. So schnell es geht.«

Der andere stopfte das Tuch unters Armaturenbrett. »Wohin genau, Signore?«

»Campiello Turella«, sagte Brunetti, ging an Bord und wollte erklären, wo das war.

»Ich weiß, wo das ist, Signore«, unterbrach ihn Grandesso, warf den Motor an und riss das Boot in einer engen Kehrtwende herum. Sie bogen in den Rio Santa Giustina, gelangten in die *laguna* und jagten mit Sirengeheul auf Murano zu. Kurz vor dem Faro wies Brunetti den Bootsführer an, die Sirene auszuschalten.

Grandesso legte mit blinkendem Licht hinter dem anderen Polizeiboot an. Brunetti sah auf die Uhr: Sie hatten keine Viertelstunde gebraucht.

»Sie bleiben hier«, sagte Brunetti, stieg auf die *riva* und wandte sich zum Durchgang auf den *campiello*. Schon erblickte er Pucetti und Alvise, die sich zu beiden Seiten einer Haustür postiert hatten. Selbst eine Blaskapelle hätte weniger Aufsehen erregt. Zwei Fenster gegenüber standen trotz der Kälte weit offen, eins im Parterre und eins im ersten Stock. Aus dem unteren beugte sich eine Frau, die Hände mit durchgedrückten Ellbogen aufs Fensterbrett gestützt. In dem anderen war eine Frau von den Schultern aufwärts zu sehen; sie hatte es sich offenbar auf einem Stuhl bequem gemacht.

Ohne die beiden zu beachten, ging Brunetti zu seinen Kollegen. Alvise salutierte zackig; Pucetti hob eine Hand und sagte: »Guten Morgen, Commissario.«

Brunetti grüßte knapp zurück und fragte Pucetti: »Wo ist die Ärztin?«

»Sie kommt jeden Moment aus der Bar zurück, Signore.« Erleichtert fügte Pucetti hinzu: »Sie hat eine Freundin angerufen, die den Hund abholen wird.« Dann in sachlicherem Ton: »Foa sagt, die Leute hätten sie angestarrt, wegen dem Blut, also hat er ihr eine unserer Jacken vom Boot geholt.«

»Ist das nicht genauso auffällig?«, meinte Brunetti.

»Sie haben das Blut nicht gesehen, Signore. Glauben Sie mir, die Jacke ist besser.«

In dem Augenblick kam Foa aus dem Durchgang zum Kanal; neben ihm ging eine Frau in einer viel zu großen blauen Jacke, in Weiß beschriftet mit POLIZIA. Sie trug immer noch den Hund in den Armen, vermutlich ein Jack Russell, in ein Handtuch gewickelt, mit einem Schutzkragen aus Plastik um den Hals. Klein und weiß lag er reglos da, betäubt oder schlafend. An seinem Kopf sah man Nähte. Die Ohren waren bandagiert und mussten stark geblutet haben, dem blutverschmierten Kopf nach zu schließen.

Brunetti richtete seine Aufmerksamkeit auf die Tierärztin, eine hochgewachsene junge Frau – sahen jetzt auch
schon die Tierärzte wie Teenager aus?, fragte er sich – mit
kurzen dunklen Haaren, vorspringender Nase und geröte-
ten Augen. Sie war größer als Foa und sehr schlank, wodurch sie noch größer wirkte.

Der Hund in ihren Armen regte sich nervös. Sie beruhigte ihn: »Alles gut, Bruce. Keine Angst. Giulia kommt
dich holen.«

Sie blickte zu Brunetti auf, und der nutzte die Gelegenheit, sich vorzustellen. »Ich bin Guido Brunetti, *Commissario di Polizia*.« Doch dann gewann seine Neugier die
Oberhand: »Bruce? Wie Bruce Springsteen?«

Die Dottoressa spähte lächelnd über den Rand der Hals-
krause. »Nein, wie Bruce Fogle. Mein großes Vorbild.« Da
Brunetti sie verständnislos ansah, erklärte sie: »Ein Tierarzt. Kein Sänger.« Kurze Pause: »*Der* Tierarzt.«

Beim Klang ihrer Stimme begann der Hund, ihr die
Hand zu lecken. Ihre Hände waren sauber, die Blutflecken
am Ärmel und vorne an ihrer Bluse konnte auch die blaue
Jacke nicht verdecken.

»Meine Freundin kommt jeden Moment.« Die Frau
streichelte dem Hund den Rücken. »Sie behält ihn bis heute
Abend. Ich soll ihr ein paar Sachen aus der Praxis mitge-
ben.«

Brunetti war es recht, dass sie ihr Gespräch ungestört
würden fortsetzen können; er begleitete sie zum Eingang
der Praxis. Alvise salutierte, Pucetti nickte.

Kaum betraten sie das stille Wartezimmer, brach nebenan
Gebell aus: tief, ausdauernd, bedrohlich. Die Dottoressa

eilte zu der zweiten Tür und ging hinein, Brunetti blieb, wo er war. Sofort hörte das Bellen auf. »Lass das, Zucca. Platz«, sagte sie. Jetzt war es still, bis auf leise Kratzgeräusche und dann einen dumpfen Knall. Eine Schublade ging auf und zu, dann noch eine. Nach wenigen Minuten kam sie mit einer papiernen Einkaufstasche heraus. »Zucca ist eine Freundin von Bruce. Sie musste über Nacht hierbleiben, und weil sie nicht gern allein ist, habe ich ihr Bruce als Gesellschaft dagelassen.« Sie spähte wieder in den Kragen: »Du bist mir ja der rechte Babysitter, was?«

Sie wies mit dem Kopf nach dem Nebenzimmer. »Zucca ist sehr groß und sehr gutmütig. Und sehr dumm.«

»Was ist passiert?«, fragte Brunetti.

»Einbrecher haben den Hunden was zum Naschen mitgebracht, damit sie keinen Alarm schlagen.« Sie sah zu Bruce. »Die zwei würden einen Heidenlärm machen, wenn jemand hereinkäme.«

»Und?«

»Ihnen wurden Leckereien in den Käfig geworfen. Um sie ruhigzustellen.«

»Und?«

»Sie haben sich darum gestritten.« Brunetti sah die Ärztin fragend an, und sie erklärte: »Freunde sind Freunde, aber Fressen ist Fressen.« Nachdenklich fügte sie hinzu: »Sie sind auch nicht anders als wir.«

»Flora? Flora?«, rief eine Frau vom Eingang her. Brunetti winkte die Frau hinein. Sie war etwa gleich alt wie Dottoressa del Balzo, aber kleiner und korpulenter. Bruce jaulte bei ihrem Anblick freudig auf; Hund und Einkaufstasche wurden ausgehändigt, einige Anweisungen erteilt, die Brunetti nicht mitbekam, und schon verschwand Giulia mit Bruce in Richtung Durchgang. Einmal blieb sie kurz stehen und drehte sich um; Bruce bellte laut, und dann waren sie weg.

»Wer macht so etwas? Und warum?«, fragte Dottoressa del Balzo unvermittelt, als ob die Polizei spezielle Einblicke in die Köpfe von Kriminellen hätte.

Dieselbe Frage hatte Brunetti sich auch schon gestellt, als er mit Pucetti sprach, doch nun kam er zu dem Schluss, die Baby-Gangs kämen als Täter wohl eher nicht infrage. Flora del Balzo. Deren Tierpraxis auf Murano.

»Um das zu beantworten, Dottoressa, muss ich mehr wissen«, sagte er.

»Da gibt es nichts zu wissen«, sagte sie langsam, das letzte Wort betonend. Als sei Brunetti hoffnungslos schwer von Begriff, fügte sie hinzu: »Das ist verrückt. So etwas tun nur Verrückte.«

Jetzt wird sie in Tränen ausbrechen, dachte er, aber sie schüttelte nur den Kopf und fragte: »Sie sind doch Polizist. Haben Sie je dergleichen gesehen?«

Sie hatte recht: Brunetti war Polizist und hatte schon viel gesehen. Aber da waren die Opfer Menschen, nicht Tiere.

An Pucetti gewandt, fragte er: »Haben Sie die Spurensicherung verständigt?«

Pucetti nickte. »Gleich nachdem ich Sie angerufen habe.«

»Gut.« Brunetti wandte sich wieder Dottoressa del Balzo zu. »Schließt die Tür automatisch, wenn Sie gehen?«

Die profane Frage schien sie zu verwirren, aber schließlich bejahte sie.

»Haben Sie die Schlüssel, Dottoressa?«

Sie tastete nach den Taschen der Jacke, doch die Aufschläge verwirrten sie, und sie sah auf ihre rechte Hand, als habe die sie irgendwie verraten. Dann aber gewann sie die Kontrolle wieder, griff in die Hosentasche und zog einen Schlüsselbund hervor. Sie wählte einen aus und gab den Bund Brunetti.

Er dankte ihr und bat Foa, der hinter ihr stand, sie zum Boot zu bringen und dort zu warten; er käme in wenigen Minuten nach.

Aber die Dottoressa war noch nicht so weit: »Kann ich noch mal kurz rein?«

Brunetti überlegte: Erstens war sie schon drin gewesen, und zweitens kam bald die Spurensicherung. »Es wäre besser, Sie würden nicht noch einmal da reingehen, Dottoressa«, sagte er.

»Es geht um eine Katze«, sagte sie in einem Ton, der keinen Widerspruch duldete.

»Dottoressa«, schaltete Pucetti sich ein, »meinen Sie den grauen Kater auf dem Aktenschrank?«

Pucetti wollte die Entscheidung seinem Vorgesetzten überlassen, aber der schwieg, und so sagte er: »Keine Sorge, Signora. Wir kümmern uns um ihn.« Sie sah ihn verständnislos an. »Ich habe Katzen seit meiner Kindheit«, erklärte Pucetti. »Sie haben doch sicher Transportboxen?«

»Ja, in dem Schrank im Wartezimmer«, antwortete sie.

»Wie heißt er?«

»Tigre. Er sollte heute wieder nach Hause.«

»Wird erledigt, Dottoressa«, sagte Pucetti. »Wir bringen ihn heim. Versprochen.«

Sie dachte über das Angebot nach, und ihre Haltung entspannte sich.

»Geben Sie mir die Adresse«, bat Pucetti. »Wir bringen ihn hin.«

Sie überlegte noch kurz und sagte dann entschlossen: »Die Leute wohnen in der *calle*, die am Palazzo Boldù anfängt, rechts davon. Der Name steht an der Klingel. Zimmermann.« Zur Sicherheit fragte sie noch: »Soll ich anrufen und sagen, dass er heute nach Hause kommt?«

Pucetti wechselte einen Blick mit Foa, der die Ärztin freundlich ansah: »Nicht nur das. Sagen Sie auch, dass er von einem Polizeiboot chauffiert wird.«

15

Dottoressa del Balzo leistete keinen nennenswerten Widerstand mehr, als Brunetti darauf beharrte, sie solle mit Foa zum Boot gehen und dort auf ihn warten. Sobald sie in dem Durchgang verschwunden waren, schärfte Brunetti Pucetti ein, niemand Fremden hineinzulassen, schloss die Tür auf, ging hinein, und sofort begann im hinteren Zimmer der Hund zu bellen. Brunetti blickte sich um. Als Erstes sah er den umgeworfenen Glasschrank und daneben am Boden den toten Computer mit dem zerschlagenen Gesicht.

Vorsichtig stieg er über Glasscherben, Papiere und Blutspritzer, ging zu der Tür hinter dem Schreibtisch und stieß sie mit dem Ellbogen auf. Das Gebell schwoll wütend an. In diesem Zimmer war weitaus mehr Blut auf dem Boden. Kein Wunder, dass Pucetti so verstört reagiert hatte.

Der riesige Hund verstummte plötzlich und sah Brunetti aufmerksam an. So wie er früher zu seinen Kindern gesprochen hatte, säuselte Brunetti: »Alles in Ordnung, Zucca. Ich will nur sehen, wie es dir geht. Alles wird gut.«

Beim nächsten Schritt nach vorn trat er auf etwas Weiches. Erst hielt er es für eine Bananenschale, aber Bananen sind nicht grau und haben auch kein Fell.

»*Oh, Gesù*«, entfuhr es ihm, worauf der Hund sofort wieder wütend zu bellen anfing. Brunetti ignorierte ihn, er musste wissen, worauf er da getreten war. Er sah noch einmal hin und erblickte ein Ohr, ein Ohr am Kopf eines Kaninchens mit Plastikaugen und dunkler Plastiknase. Offenbar hatte ein Hund, der hier behandelt wurde, sein Spielzeug mitgebracht. Um seine Angst zu bekämpfen.

Als er die Sirene näher kommen hörte, verließ Brunetti die Praxis. Wenig später trafen Bocchese, der Chef der Spurensicherung, und zwei seiner Techniker mit ihrer Ausrüstung auf dem *campiello* ein. Brunetti begrüßte die Ankömmlinge mit Namen.

Bocchese hob zum Gruß nur lässig die Hand.

»Können wir uns hier irgendwo umziehen?«, fragte er.

»Das dürfte nicht nötig sein. Hier wurde ein Hund verletzt. Keine Personenschäden.«

Bocchese, der irgendwie kleiner aussah, als Brunetti ihn in Erinnerung hatte, wandte sich an seine Leute und sagte: »Ihr habt den Commissario gehört.«

Einer der beiden öffnete eine große Kiste, ignorierte die weißen Papieroveralls, nahm vier Paar Schuhüberzieher und Latexhandschuhe heraus, verteilte sie an Brunetti, Bocchese und seinen Kollegen und behielt je ein Paar für sich selbst.

Brunetti schoss durch den Kopf, wie sehr man sich durch die Medien an den Anblick von Ganzkörperschutzanzügen gewöhnt hatte, wenn auch nicht an allen Tatorten, so doch bei Tötungsdelikten.

»Erzähl«, unterbrach Bocchese seine Gedanken.

»Das ist die Praxis einer Tierärztin. Letzte Nacht wurde hier eingebrochen«, antwortete Brunetti. »Vandalismus. Möglicherweise Diebstahl.«

»Wie bitte?«, fragte Bocchese. »Und dafür rücken wir zu dritt an?«

»Es könnte mehr dahinterstecken«, sagte der Commissario.

»Das ist doch verrückt«, brummte der Größere von Boccheses Leuten.

Brunetti hielt Bocchese die zwei Plastikpäckchen hin. »Ich war schon drin. Muss ich die noch nehmen?«

»Du kennst die Vorschriften, Guido. Also tu es einfach, bitte.«

Brunetti fügte sich, hüllte seine Schuhe ein und streifte die Handschuhe über. Bocchese und seine Leute waren schon an der Tür. Pucetti sagte etwas zu dem Großen, blieb dann aber draußen und ließ die Männer ins Haus. Brunetti folgte ihnen.

»Macht Fotos«, wies Bocchese seine Leute an. Als er die Blutspuren sah, holte er tief Luft und sagte ganz leise, als tadle er ein Kind: »War das jetzt wirklich nötig?«

Die Techniker sprühten alles ein, was der Täter berührt haben musste: den Computer, die Schreibtischoberfläche, die Aktenordner. Als sie ins Nebenzimmer gingen, begann der Hund wieder, panisch zu bellen.

Brunetti blieb im Wartezimmer; schon bereute er, dass er vorhin nach nebenan gegangen war und zusätzliche Spuren hinterlassen hatte.

Nachdem sie im zweiten Zimmer alles fotografiert und Fingerabdrücke genommen hatten, kamen die zwei Techniker in das erste zurück. Das Gebell legte sich, nur noch die gedämpften Stimmen der Männer waren zu hören, das Zischen der Sprühdose, Schritte.

Brunetti stand am Fenster und sah auf den *campo* hinaus. Pucetti und Alvise beantworteten die Fragen der Nachbarn, die sich vor dem Haus eingefunden hatten. Brunetti beobachtete erfreut, wie entspannt die beiden wirkten und wie freundlich die Leute nickten.

Hinter ihm wurden die Stimmen lauter. Etwas scharrte über den Boden. Ein Mann gab leise kurze Anweisungen, als fordere er seinen Kollegen auf, ihm zur Hand zu gehen. Da schwere Schritte ertönten, drehte Brunetti sich um und sah einen der Männer mit einer Katze in seinen behandschuhten Händen. Die Katze stupfte immer wieder mit dem Kopf den Ärmel des Mannes. Erst als sie den Kopf hineingesteckt hatte, beruhigte sie sich.

Brunetti ging zu dem Schrank auf der anderen Seite des Schreibtischs. Darin fand er drei Metallboxen, nahm die oberste heraus und nestelte den Verschluss auf. Er stellte die Box auf den Schreibtisch, und der Techniker steckte beide Hände in den Käfig, ließ seinen Ärmel hochrutschen und stellte den Kater erst auf zwei und dann auf vier Beine. Der rollte sich zusammen und bedeckte sich das Gesicht mit den Pfoten.

Bocchese sagte: »Ich denke, wir sind fertig.«

»Das ging schnell«, sagte Brunetti nur, es war höchstens eine Viertelstunde vergangen.

Der andere Techniker meinte kalt: »Sind doch nur Tiere, Signore.«

»Auch die sind hilfsbedürftig und wehrlos«, sagte Brunetti und dachte, er rede schon wie seine Tochter.

Bocchese räusperte sich und schien etwas sagen zu wollen.

Dazu kam er nicht, denn der Techniker mit der Box fragte Brunetti: »Ihr Mann hat gesagt, er bringt den Kleinen nach Hause. Soll ich ihm die Box geben?«

»Ja, und sagen Sie ihm, Grandesso soll ihn hinbringen. Ich fahre mit Foa und der Ärztin zurück. Und er soll auch«, fiel ihm nachträglich ein, »Alvise mitnehmen.«

»Ja, Signore«, sagte der Techniker. Er nickte Bocchese zu und ging mit der Box nach draußen.

Jetzt waren Bocchese und Brunetti allein. »Was hältst du von der Sache?«, fragte Bocchese.

»Ich würde sagen, es war nur einer«, antwortete Brunetti. »Mehrere hätten mehr Schaden angerichtet.«

Bocchese ließ den Blick über das Chaos am Boden schweifen, die Glasscherben, die zu Boden geworfenen Aktenordner, das Blut. »Mag sein«, sagte er nur. »Ich fahre mit meinen Leuten zurück. Es wird als Vandalismus und Sachbeschädigung zu den Akten gelegt werden.«

Sie wandten sich zum Gehen. »Trotzdem«, fügte Bocchese hinzu, »so etwas habe ich noch nie erlebt.« Plötzlich blieb er stehen und drehte sich zu Brunetti um. Er machte ein Gesicht, als käme ihm ein seltsamer Gedanke. »Vielleicht, weil wir nicht erwarten, dass Tieren dergleichen geschieht.« Er sann darüber nach. »Mein Gott, das heißt, es wundert uns nicht, wenn das Menschen angetan wird.« Er senkte betroffen den Blick, verabschiedete sich von Brunetti und ging auf den *campiello* hinaus, um mit seinen Männern zur Questura zurückzufahren.

Als alle weg waren, zog Brunetti die Tür hinter sich ins Schloss. Während er sich vergewisserte, dass sie richtig zu war, rief jemand vom Haus gegenüber: »Signore? Signore?«

Brunetti steckte den Schlüsselbund ein und lehnte sich an die Hausmauer. Er legte den Kopf zurück, bis er die Mauer berührte. Das Fenster im Parterre war geschlossen, dort war niemand zu sehen.

Aber die ältere Frau im ersten Stock war noch da. »Signore«, rief sie zum dritten Mal. »Können Sie mir sagen, was da passiert ist?«, fragte sie höflich, eher besorgt als neugierig.

»Es hat einen Einbruch gegeben, Signora«, antwortete er. Sie würde sowieso bald alles erfahren. In Wohnvierteln wie diesem haben die Wände Ohren.

»Und die Tiere? Geht es ihnen gut?«, fragte sie aufgeregt.

»Warten wir's ab«, wich er aus. Er wollte nicht lügen, ihr aber auch keine Einzelheiten verraten.

»Sind Sie von der Polizei?«, fragte sie.

»Ja.«

»Könnten wir uns unterhalten?«

»Selbstverständlich«, sagte Brunetti. »Aber nicht jetzt. Ich muss mit der Dottoressa reden.« Die Frau nickte. »Kann ich später mit Ihnen sprechen, Signora?«

»Wann?«

Brunetti wies auf die Praxis, als sei dort die Antwort zu finden. »Heute Nachmittag«, schlug er vor. »Wenn ich's schaffe.«

»Ich werde hier sein«, sagte die Signora. »Galvani. Der Name steht unter der Klingel.« Damit zog sie das Fenster zu und war verschwunden.

Als Brunetti sich dem Polizeiboot näherte, legte Foa das

Tuch weg, mit dem er seine Armaturen poliert hatte, und wollte ihm an Bord helfen. Aber da mittlerweile die Flut eingesetzt hatte, war das nicht nötig.

Brunetti ging die Stufen zur Kabine hinunter. Dottoressa del Balzo saß mit abgewandtem Kopf ganz hinten rechts. Um sie nicht zu erschrecken, klopfte er an das Fenster der Kabine, wartete, bis sie sich umdrehte und ihn erkannte, und schob dann erst die Tür auf. Drinnen war es erfreulich warm.

Von oben hörte er Schritte, ein schleifendes Geräusch, dann die Motoren, während sie von der *riva* ablegten. Er setzte sich in die Mitte der Sitzreihe ihr gegenüber.

Ob sie die Polizeijacke nachher in seinem Büro ablegen würde? Und was dann?

»Dottoressa«, begann er und beobachtete sie dabei. »Wenn es Ihnen recht ist, fahren wir zur Questura und reden, solange die Erinnerung noch frisch ist.« Wie schon vor der Praxis sprach er venezisch, nicht italienisch. Er wusste aus langjähriger Erfahrung, das hatte eine beruhigende Wirkung, besonders auf Frauen.

»Von mir aus können wir reden, aber was soll das nützen? Sie haben es ja gesehen. Jemand ist eingebrochen und hat die Einrichtung zertrümmert. Ein Tier wurde verletzt.« Ihm fiel auf, wie sehr ihre Stimme der von Elisabetta glich, dieselbe Klangfarbe und Tonlage oder wie auch immer Musiker das nannten, derselbe ausgeprägte Veneto-Singsang wie bei ihrer Mutter. Und dann mit zitternder Stimme: »Mein Hund.« Ihre Hand fuhr an ihr Herz, man sah den roten Fleck an ihrem Ärmel.

Brunetti nickte und ließ wie nachdenklich den Kopf sinken. Dann sah er zu ihr auf. »Ich würde gerne herausfinden, wie das geschehen konnte.«

Sie waren jetzt in der *laguna*, doch Foa behielt das mäßige Tempo bei, sodass sie sich ungestört unterhalten konnten.

Sie wandte den Blick ab und sah zur Friedhofsinsel, die links vor ihnen auftauchte. Brunetti forschte in ihrem Gesicht nach weiteren Ähnlichkeiten mit Elisabetta, entdeckte aber keine.

»Sie meinen, warum jemand so etwas tut?«, fragte sie und lieferte die Antwort gleich mit: »Weil er verrückt ist.«

»Und wenn er das nicht ist?«, fragte Brunetti und machte damit klar, dass auch er von einem männlichen Täter ausging.

»Nicht verrückt?«, fragte sie fassungslos.

Brunetti sagte nichts.

Als sie endlich begriff, wie er das meinte und was sich daraus ergab, sah sie ihn mit offenem Mund und großen Augen an. Sie schüttelte langsam den Kopf, eher ungläubig als verneinend. »Das ist nicht mög…«, vergaß aber, ihren Satz zu beenden.

Sie wandte sich von ihm ab – oder von dem, was er gesagt hatte – und sah durch die Heckfenster nach den Bergen in der Ferne. »Wenn es das nicht war, was war es dann?«

Diesmal schüttelte Brunetti den Kopf. »Ich weiß nur, was ich in Ihrer Praxis gesehen habe, Dottoressa. Ich habe keine Erklärung dafür, ich kann mir nicht vorstellen, warum jemand Sie überfallen sollte.«

Sie unterbrach ihn. »Ich wurde nicht überfallen.«

Brunetti lehnte sich in die Polster zurück. »Dann verraten Sie mir, wem die Praxis gehört und wer die Tiere behandelt.«

»Ich natürlich«, rief sie entrüstet. Da Brunetti schwieg, drängte sie: »Sagen Sie doch was!«

»Wer das getan hat, wollte nicht die Tiere oder deren Besitzer erschrecken, Dottoressa«, gab Brunetti zu bedenken.

»Etwa mich?«, versuchte sie, die Unerschrockene zu spielen, doch schwang Angst in ihrer Stimme mit. Wie um sich Mut zu machen, fragte sie: »Wie können Sie so etwas sagen?«

»Ich habe das nicht gesagt. Sondern Sie.«

Flora del Balzo versuchte es noch einmal mit Entrüstung, vielleicht bekam sie es diesmal besser hin: »Warum sollte jemand das tun?«

»Genau das will ich von Ihnen wissen, Signora«, sagte Brunetti. Und als sei er es allmählich leid, fuhr er fort: »Es würde uns viel Zeit ersparen. Lassen Sie uns gemeinsam einen Blick auf Ihr Leben werfen, um herauszufinden, was das zu bedeuten hat.«

»Ich kann Ihnen nicht folgen.«

Brunetti dachte an ihre Mutter. Elisabetta mochte ein Snob sein, aber sie war das Kind guter, großherziger Leute, und so war sie vielleicht auch eine gute, großherzige Mutter gewesen.

Er sah zu Flora. »Ich kenne Ihre Mutter«, sagte er und wartete auf ihre Reaktion.

Flora war überrascht. Sonst nichts.

»Sie hat mir neulich erzählt, sie mache sich Sorgen wegen Ihnen und Ihrem Mann. Ihr Mann habe gemeint, Ihnen beiden drohe Gefahr, könne etwas Schlimmes zustoßen.«

Floras Miene verzerrte sich immer mehr, sie wurde rot, entweder vor Zorn auf ihre Mutter oder vor Furcht, dass die Warnung ihres Mannes wahr geworden war.

»Sie hatte kein Recht, Ihnen das zu erzählen«, fuhr Dottoressa del Balzo auf, doch ihr Zorn klang nicht sehr überzeugend.

»Ich bin mir nicht sicher, ob Mütter sich mit Rechtsfragen abgeben«, erwiderte Brunetti.

Bevor sie dazu etwas sagen konnte, drang plötzlich lautes Dröhnen in die Kabine. Das Boot machte eine scharfe Kurve nach rechts, beschleunigte abrupt, dann eine plötzliche Kehre nach links. Brunetti hatte es fast umgeworfen, während es Dottoressa del Balzo irgendwie gelungen war, sitzen zu bleiben.

Die Sirene brüllte, Brunetti sprang auf und stürmte an Deck. Wenige Meter vor ihnen raste ein imposantes weißes Boot davon.

»Mach Fotos!«, schrie Foa. Brunetti zückte sein Handy, nahm das Boot ins Visier und erwischte die roten Lettern am Heck: »Gigolo«.

»Was war?«, fragte er Foa.

»Ich hörte ihn kommen, und als ich mich umdrehte, sah ich, wie nah er war, und musste ihm ausweichen. Zweimal.« Und dann: »So ein Mistkerl.« Er griff nach dem Bordtelefon und wählte. Jemand meldete sich, und er sagte: »*Ciao, Lucio.* Hier ist Sebastiano. Ich bin Höhe Fondamenta Nuove; hier rast ein Irrer mit einer weißen Riva Bravo herum. Hat mich um ein Haar am Heck erwischt. Ich konnte gerade noch ausweichen. Keine Ahnung, ob er mich rammen oder nur vollspritzen wollte.« Der andere hatte offenbar eine Frage, und Foa antwortete: »Zwölf Meter. Name des Boots ist ›Gigolo‹.«

Der andere sagte etwas, das Brunetti nicht mitbekam. Dann Foa: »Ich vermute, er wollte mich erschrecken. Aber ich habe Fotos. Er fährt in Richtung Arsenale. Kannst du ein paar Boote hinschicken?«

Der andere sprach eine Weile, dann wieder Foa: »Könnte sein, dass er zur Insel Certosa will, falls er dort seinen Liegeplatz hat. Oder San Giorgio. Aber ich glaube, für beide ist das Boot zu groß.« Wieder sagte der andere etwas, und Foa antwortete: »Nein, ausgeschlossen. Ist ein Riesenteil, mit Doppelantrieb.«

Foa drehte sich zu Brunetti um und bekam nicht mit, was der Mann am Telefon sagte. »Wiederholen, bitte«, sagte der Bootsführer, dann: »Natürlich, danke«, und legte auf.

»Er sagt, er schickt drei Boote. Und er braucht Ihre Fotos.« Wieder ruhig, fügte er hinzu: »Es dürfte nicht viele Boote geben, die ›Gigolo‹ heißen.« Er schüttelte den Kopf. »Sie haben die Nummer der Capitaneria?«

Brunetti nickte, suchte die Nummer heraus und verschickte die Fotos.

Foa drosselte den Motor. »Fahren wir immer noch zur Questura, Signore?«

»Ja, das wird das Beste sein«, sagte Brunetti. Ihm fiel Dottoressa del Balzo ein. »Hoffentlich hat sie das nicht zu sehr beunruhigt.«

»Wohnt sie auf Murano?«

»Nein. In der Stadt. Aber sie arbeitet auf Murano.«

»Dann dürfte es sie nicht beunruhigt haben, Signore«, sagte Foa, während sie in den Rio Santa Giustina einbogen.

»Warum?«

»An der Insel führt die Verbindung zum Flughafen vorbei, da wird sie schon jede Menge zu schnell fahrende Boote gesehen haben.«

Brunetti nickte bestätigend. Dann ging er wieder in die Kabine hinunter.

16

Vor der Questura angekommen, wartete Brunetti, bis Foa das Boot vertäut hatte. Dann hielt er der Dottoressa die Kabinentür auf, ließ ihr den Vortritt an Deck und half ihr auf die *riva*.

»Wir müssen in den zweiten Stock«, sagte er und wies auf die Treppe. »Ich komme gleich nach.« Und leise, an den Wachhabenden gewandt: »Munaro, könnten Sie in Erfahrung bringen, ob eine Kollegin eine Extrabluse und -jacke dabeihat – Zivilkleidung, keine Uniform –, die sie Dottoressa del Balzo für ein, zwei Tage leihen könnte?«

»Und wenn ja, Signore?«

»Schicken Sie sie in mein Büro.«

Munaro salutierte, Brunetti schloss zur Dottoressa auf. Als sie sein Büro betraten, sah er es mit ihren Augen: Schreibtisch, Papiere, Computer, Ein- und Ausgangskörbe mit Akten und Dokumenten. Ein Schrank. Zwei Stühle vor dem Schreibtisch.

Er hielt es für ratsam, ihr die Polizeijacke noch nicht abzunehmen, und fragte stattdessen: »Möchten Sie etwas trinken?«

Sie saß vor dem Schreibtisch, schüttelte nachdenklich den Kopf und sagte lächelnd: »Ich war noch nie in einer Questura, aber nichts, was ich jemals im Fernsehen gesehen habe, hat mich auf einen Commissario vorbereitet, der mir etwas zu trinken anbietet.« Die Atmosphäre entspannte sich.

Statt sich hinter den Schreibtisch zu setzen, zog Brunetti den anderen Stuhl einen Meter weit von ihr weg und setzte sich ihr gegenüber. »Die brutalen Methoden sparen wir uns für später auf«, sagte er und hoffte, die absurde Bemerkung lasse sie die Situation noch lockerer nehmen.

Sie nahm die Hände von den Armlehnen und legte sie in den Schoß. »Da bin ich aber erleichtert«, meinte sie.

»Ich brauche zunächst einmal Ihre Telefonnummer«, erklärte Brunetti. »Und, wenn möglich, auch die Ihres Mannes.«

Sie nickte zögernd. Er schrieb die Nummern in sein Notizbuch, klappte es zu und legte es beiseite. Auch zeichnete er das Gespräch nicht auf in der Hoffnung, so würde sie freier sprechen. Er bat sie einzig um eine Erklärung, was genau sie am Morgen in der Praxis vorgefunden hatte und warum ihre Mutter sich wegen ihres Mannes Sorgen machte.

Sie setzte zu sprechen an, da klopfte es an die Tür. Ob das die Kleider zum Wechseln waren?

Tatsächlich erschien in der Tür Campi, eine junge Frau, die frisch von der Polizeischule kam, voller Gottvertrauen und beseelt von dem Wunsch, die Welt zu verbessern. Selbst nicht gläubig, hoffte Brunetti, sie möge sich ihren Enthusiasmus möglichst lange bewahren.

»Ah, Agente Campi«, sagte er und erhob sich. Sie trug eine schwarze Lederjacke über dem rechten Arm und hielt einen grauen Pullover in der Linken. Von ihrer Rechten baumelte eine große Papiertasche der eingegangenen Kaufhauskette COIN.

»Munaro hat mich gebeten, Ihnen dies zu bringen, Commissario«, sagte sie. »Hoffentlich ist es das Richtige.«

»Das muss Dottoressa del Balzo beurteilen.« Er wies auf die Tierärztin, die verwirrt dreinsah.

»Sind das Ihre Sachen?«, fragte Brunetti die Polizistin.

Die junge Frau bestätigte es lächelnd: »Ich habe immer Ersatzkleidung im Spind.«

»Ich dachte«, erklärte Brunetti, bereits zur Tür gewandt, »Sie möchten sich vielleicht umziehen, Dottoressa. Ich bin gleich wieder da, dann können wir weitermachen.«

Fünf Minuten später kam Agente Campi zu ihm in den Flur, die Bürotür ließ sie offen. Sie hielt die Tüte in die Höhe: »Was soll ich damit machen, Signore?«

»Am besten alles vernichten, denke ich.«

»Auch die Uniformjacke?«

»Ja. Wenn sich herumspricht, was damit war, wird niemand sie mehr tragen wollen.« Er schloss aus ihrer verständnislosen Miene, dass die Dottoressa ihr nichts erzählt hatte. »Geben Sie das Munaro, und sagen Sie ihm, er soll es entsorgen.«

»Ja, Signore«, sagte sie. Während sie sich entfernte, hielt sie die Tüte ein wenig weiter von sich weg.

Brunetti ging ins Büro zurück. Del Balzo hatte die Lederjacke über die Stuhllehne gehängt, den grauen Pullover hatte sie angezogen.

Er setzte sich. »Vielleicht können wir jetzt in Ruhe reden, Dottoressa.«

Statt zu antworten, hielt sie ihm ihr *telefonino* hin. »Lesen Sie.«

»Er ist zuverlässig. Vertrau ihm«, stand auf dem Display. Ohne Namen darunter. Er gab ihr das Handy zurück.

»Während Ihre Kollegin die Sachen ausgepackt hat«, erklärte Flora, »habe ich mich bei meiner Mutter nach Ihnen erkundigt. Das war ihre Antwort.«

»Das ehrt mich«, sagte Brunetti. »Wir haben uns seit geraumer Weile aus den Augen verloren. Aber in der Stadt laufe ich ihr immer mal wieder über den Weg.«

»Ich wüsste nicht, dass sie jemals von Ihnen gesprochen hat.«

»Wir kennen uns von vor Ewigkeiten, ich war noch ein Kind. Wir waren Nachbarn.« Doch dann fügte er hinzu: »Ihre Mutter kannte ich besser.«

»Meine Großmutter?«

»Ja.«

»Sie ist vor ein paar Jahren gestorben.«

»Das hat mir Ihre Mutter erzählt. Mein Beileid. Sie war«, sagte er mit Nachdruck, »ein guter, großherziger Mensch.« Sie redeten beide um den heißen Brei herum, und um dem ein Ende zu machen, wies er auf das *telefonino* und fragte: »Glauben Sie dieser Nachricht?«

»Sie sind Polizist.«

Brunetti lachte verblüfft auf. »Wie soll ich das verstehen? Dass Sie Polizisten trauen, oder das Gegenteil?«

Sie wandte sich kurz um, als vergewisserte sie sich, dass die Jacke noch über der Lehne hing. Dann erklärte sie: »Ich denke, das kommt auf den Polizisten an.« Und mit einem Blick auf ihr Handy: »Ich habe meiner Mutter erzählt, was passiert ist. Jetzt macht sie sich Sorgen. Aber sie übertreibt gern.«

Meinte sie, was sie ihrer Mutter über ihren Mann erzählt hatte, oder den Einbruch in der Praxis? Um das klarzustellen, fragte er: »Sprechen Sie von den … Problemen mit Ihrem Mann?«

»Da gibt's keine Probleme«, fuhr sie auf. »Ich hatte mir Sorgen gemacht, weil er in letzter Zeit so unruhig war. Und wenn ich ihn fragte, was los sei, ist er ausgewichen. Nur einmal hat er gesagt, es habe mit seiner Arbeit zu tun, aber vielleicht nur, damit ich nicht weiterbohrte.« Sie schüttelte den Kopf. »Ich weiß es nicht.« Unfähig, ihre Nervosität noch länger zu verbergen, richtete sie sich stocksteif auf. »Was hat meine Mutter Ihnen erzählt?«

»Ziemlich dasselbe, was Sie mir eben erzählt haben.«

»Ziemlich dasselbe?« Ihre Stimme war ruhig, doch ihr Blick verriet Misstrauen.

»Nach ihrer Schilderung hat er heftiger reagiert: Er habe gesagt, es sei für Sie beide gefährlich, wenn jemand erführe, was vor sich gehe.« Schon während er es aussprach, erkannte Brunetti, wie vage das war. Er musste sie irgendwie aus der Reserve locken. »Sie fürchtet«, sagte er, »er tut etwas Schlechtes.« Die Dottoressa sah ihn mit offenem Mund an, blieb aber stumm. Ohne auf ihre Reaktion einzugehen, fügte Brunetti hinzu: »Sie hatte keine Ahnung, was das sein könnte.«

Die Dottoressa schwieg weiterhin. Also fuhr er fort: »Dann hat sie nur noch gesagt, sie halte Ihren Mann für einen sehr guten Menschen, der sich niemals für etwas Unrechtes hergeben würde.«

»Sie glaubt also, er tue etwas Schlechtes, sei aber gleichzeitig ein guter, zu nichts Unrechtem fähiger Mensch?«, fragte sie sarkastisch mit kaum verhohlenem Ärger.

»So scheint es«, erwiderte Brunetti.

»Sehen Sie da keinen Widerspruch, Commissario?«

»Doch, natürlich. Aber die Menschen haben nicht selten widersprüchliche Meinungen über andere. Besonders, wenn sie sie lieben.«

Er hoffte vergeblich, das werde sie zum Sprechen bewegen. Also fragte er: »Haben Sie Ihren Mann angerufen?«

Sie blickte verwirrt auf.

»Wegen des Einbruchs in der Praxis.«

Sie sah auf ihr Handy, tastete nach der Jackentasche und schob es hinein. Dann legte sie die jetzt freien Hände auf die Knie, senkte den Blick und verneinte. »Dazu hatte ich noch keine Zeit. Ich habe nur meine Mutter kontaktiert.«

»Warum nicht ihn, Flora?«, fragte er. »Sie hätten Gelegenheit gehabt, während Sie auf mich gewartet haben.«

Immer noch seinem Blick ausweichend, hob sie die Schultern, ballte die Hände mehrmals zu Fäusten, ließ sie wieder auf die Knie sinken und sah schließlich zu ihm auf. »Weil ich Angst habe.« Sie hob sofort beschwichtigend eine Hand. »Nein, das ist das falsche Wort. Ich bin beunruhigt, ich mache mir Sorgen. Das ist etwas anderes.«

»Als Angst?«

»Ja.«

Brunetti ließ ihre Antwort eine ganze Weile zwischen ihnen in der Luft schweben, bevor er fragte: »Was beunruhigt Sie?«

»Dass er recht haben könnte. Und es womöglich einen Zusammenhang gibt zwischen dem, was ihm Sorgen macht, und dem, was letzte Nacht passiert ist.«

»Was für einen Zusammenhang?«

Sie schüttelte den Kopf. Zeit verging. Plötzlich blickte sie auf und fragte: »Kennen Sie ›Stille Post‹?«

»Verzeihung?«

»Das Spiel. Das haben wir als Kinder immer gespielt. Man sitzt im Kreis, die erste Person flüstert der neben ihr etwas ins Ohr, und die der nächsten, und die der nächsten. Bis es wieder zur ersten gelangt, ist es etwas ganz anderes.«

»Bei uns hieß das ›Buschtelefon‹«, sagte Brunetti. »Was ist damit?«

»Dasselbe passiert, wenn man den Leuten etwas erzählt. Sie erzählen es weiter, und nach wenigen Stationen ist etwas ganz anderes daraus geworden. Genau so ist es hier. Enrico hat mir erzählt, er habe Probleme, und ich nahm an, es gehe um seine Arbeit, und das habe ich dann wohl meiner Mutter erzählt«, sagte sie hastig, und dann platzte sie heraus: »Oder ich habe es ihr tatsächlich so erzählt, und sie hat es ernster genommen als ich.« Sie hörte zu sprechen auf und schloss die Augen.

Schließlich öffnete sie die Augen wieder. »Und als Enrico sagte, er habe schon länger Probleme, nahm ich erst recht an, es gehe um seine Arbeit: Worum denn sonst?«

Brunetti hütete sich, auf diese Frage einzugehen. »Dass Ihr Mann Probleme bei der Arbeit hat, scheint mir keine sehr gefährliche Information zu sein«, sagte er.

»Kommt auf die Art des Problems an.«

»Sie wissen, worum es geht?«

Sie schüttelte langsam den Kopf. Das konnte »Nein« bedeuten, Brunetti aber interpretierte es als Ausdruck ihrer Verzweiflung, bei der Polizei zu sitzen und über ihren Mann zu reden.

»Probleme hatte er nur ein einziges Mal, vor drei Jahren, und die wurden gelöst.«

»Erzählen Sie.«

»Damals hat Enrico für meinen Vater eine Stiftung auf die Beine gestellt. Als die Stiftung ihre Arbeit aufgenommen hatte, sagte er meinem Vater, er habe seinen Job erledigt, er werde sich jetzt wieder ganz um seine eigenen Klienten kümmern.«

Brunetti sah sie aufmunternd an, und sie fuhr fort: »Die Sache war kompliziert und dauerte viel länger, als die beiden geplant hatten. Der Aufwand wuchs, und mein Vater musste sogar eine Sekretärin einstellen.« Sie sprach immer schneller, ihre Stimme überschlug sich fast. »Die Sekretärin wurde bezahlt, doch Enrico wollte von meinem Vater kein Geld annehmen, nicht einmal, als ich ihm dazu riet. Während er für meinen Vater arbeitete, musste er ständig neue Klienten abweisen und hatte kaum Zeit für die, die er schon hatte. Zwei haben ihm sogar gekündigt.« Zornig fügte sie hinzu: »Nicht dass mein Vater jemals auf die Idee gekommen wäre …« Sie stoppte kurz vor dem Abgrund.

Wäre Brunetti ein Hund, hätte er jetzt schnüffelnd den Kopf gehoben und vielleicht sogar gebellt. Seine Fantasie schnappte nach dem Groll in ihrer Stimme wie nach einem Stück Fleisch, und das machte ihn zu einem wilden Tier, bedrohlicher als ein Hund. Ein Schakal? Ein finsterer Aasfresser.

»Warum konnte er Ihrem Vater nicht einfach sagen, dass er auf das Geld angewiesen ist?«, fragte Brunetti.

Sie schnaubte resigniert. »Weil er ein Mann ist«, sagte sie so bitter, dass Brunetti es förmlich auf der Zunge schmeckte. »Weil er niemandem eingestehen konnte, erst recht nicht seinem Schwiegervater, dass er außerstande war, seine Frau zu versorgen.« Verschämt, dass sie so laut geworden war, fügte sie hinzu: »Oder er wollte nicht, dass mein Vater ihm etwas schuldete.«

Sie blickte auf und erklärte, sichtlich um Fassung bemüht: »Enrico hatte nicht geahnt, dass es so lange dauern würde, sonst hätte er wohl nicht angeboten, ohne Bezahlung zu arbeiten.« Und dann: »Ich hatte gerade die Praxis eröffnet, wir brauchten wirklich beide Arbeit. Und das Geld.«

Sie streckte die Finger aus, und Brunetti sagte möglichst glaubhaft: »Ich verstehe.«

Sie legte die Hände in den Schoß zurück.

»Wissen Sie, wie Ihr Vater reagiert hat, als Ihr Mann ihm die Zusammenarbeit aufkündigte?«

Sie sah zum Fenster, dann wieder zu Brunetti: »Enrico hat mir nie davon erzählt. – Und ich wollte nicht fragen«, sagte sie bekümmert.

Brunetti machte ein mitfühlendes Gesicht und wechselte das Thema: »Hat er je Probleme mit einem seiner jetzigen Klienten gehabt?«

»Nicht dass ich wüsste.«

»Mit anderen Leuten, die für Ihren Vater arbeiteten?«

Sie faltete die Hände, legte sie aber sofort wieder nebeneinander. »Keine Ahnung«, sagte sie frostig.

Brunetti merkte, dass sie in eine Sackgasse steuerten, und bog in die nächste Seitenstraße ab. »Der Vorfall in der Praxis beunruhigt mich.«

Sie sah ihn reglos an.

»Könnte das einer Ihrer Kunden getan haben? Vielleicht, weil eine Behandlung erfolglos war, oder weil ein Tier in Ihrer Obhut gestorben ist?«

Ihre verwirrte Miene schien zu sagen: Ausgeschlossen! Dann aber klappte ihr der Kiefer herunter. »Daran hatte ich gar nicht mehr gedacht«, sagte sie. »Es war so unwirklich, dass ich es ganz vergessen hatte.«

Unaufgefordert begann sie zu erzählen. »Vor ein paar Monaten brachte eine Frau aus Burano mir eine Hündin, die sie angeblich auf der Straße gefunden hatte. Das sollte wohl erklären, warum sie weder Chip noch Impfpass hatte. Sie war in jämmerlichem Zustand: unterernährt, schmutzig, apathisch.« Sie hielt die Hände ungefähr zwanzig Zentimeter auseinander. »So klein war sie und wog … ich weiß nicht mehr genau, nicht einmal fünf Kilo.« Sie verstummte. Offenbar erschütterte sie die Erinnerung an den Hund noch immer. Schließlich fügte sie gedankenverloren hinzu: »Aber ein süßes Wesen.«

»Was wollte die Frau?«

Die Dottoressa hatte wohl nicht richtig zugehört. »Welche Frau?«, fragte sie.

»Die den Hund gebracht hat.«

»Ah, natürlich. Sie hat gefragt, ob da noch was zu machen sei oder ob man sie einschläfern sollte.«

Brunetti wartete.

»Ich habe versprochen zu tun, was ich kann. In zwei Tagen könne ich ihr mehr sagen.« Sie verzog den Mund zu einem schmerzlichen Grinsen.

»Und?«

»Ich habe die Frau nie wiedergesehen.« Und nach einer

Pause: »Die Telefonnummer, die sie mir gegeben hatte, gab es nicht, und von der Hündin wusste ich nur den Namen: ›Giorgia‹.«

»Was war mit ihr?«

»Ich habe sie untersucht. Der Bluttest ergab Hinweise auf Herzwurm in fortgeschrittenem Stadium. Symptome: geschwollener Bauch, Lethargie, Appetitlosigkeit, erhöhte Temperatur.« Und als habe Brunetti sie nach seinem eigenen Hund gefragt, fügte sie hinzu: »Wird von Stechmücken übertragen.«

Sie hatte auf Expertenmodus umgeschaltet, und Brunetti konnte nur noch zuhören.

»Sicherheitshalber habe ich einen Herzwurmtest gemacht; der war positiv, also gab ich ihr eine Salzinfusion und Antibiotika.« Und als hätte er gefragt, für wie lange Zeit, antwortete sie: »Die Würmer waren erst nach gut einem Monat besiegt, aber sie war zäh – typisch für Jack Russells –, und nach sechs Wochen war sie gesund.« Vielleicht, weil Brunetti sie interessiert ansah, fügte sie hinzu: »Bei Herzwürmern muss man langsam vorgehen: Wenn man sie anfangs zu schnell abtötet, belasten die abgestorbenen den Organismus so sehr, dass das Tier daran sterben kann.«

»Wo war der Hund die ganze Zeit?«, fragte Brunetti nun wirklich interessiert.

»Ich habe sie in der Praxis behalten, und als es ihr besser ging, hat meine Mitarbeiterin sie zweimal täglich ausgeführt, manchmal auch ich.«

Brunetti versuchte, die Sache abzukürzen. »Hat diese Geschichte ein Happy End?«

»Mag sein«, antwortete sie. »Nach sechs Wochen war sie genesen. Zudem erstaunlich sanftmütig und anhänglich, wenn man bedenkt, wie schwer sie misshandelt worden war.« Sie spürte seine zunehmende Ungeduld und kam zum Schluss: »Ich traf zufällig eine Klientin in der Stadt, die erzählte, ihr Hund sei zwei Wochen zuvor gestorben, und sie hätte so gern einen neuen. Da habe ich sie gefragt, ob sie Giorgia nehmen würde.

Sie wollte. Gechippt und geimpft kam Giorgia in ihr neues Heim.«

»Warum erzählen Sie mir das alles, Signora?«

»Weil vor zwei Wochen eine andere Frau aus Burano bei mir auftauchte, zusammen mit ihrem Sohn, der äußerst suspekt auf mich wirkte. Die beiden verlangten ihren Hund zurück. Ich sagte, ich wisse nicht, wovon sie redeten. Der Sohn behauptete, ich hätte ihren Hund, sie wollten ihn zurück. Sie wüssten, dass ihre Nachbarin ihn gestohlen habe.«

Sie schüttelte ungläubig den Kopf. »Der Sohn blieb stur, sie wüssten, dass ihre Nachbarin mir den Hund gebracht habe. Also führte ich sie in den Nebenraum und zeigte ihnen die Hunde im Zwinger. Ihr Hund war natürlich nicht dabei, aber sie glaubten mir nicht und beharrten darauf, der Hund sei bei mir gewesen, ich solle ihn herausrücken.« Wütend fügte sie hinzu: »Als ob der Hund bei Crufts eine Medaille nach der anderen gewinnen würde.«

»Was haben Sie getan?«

»Ich habe mit der Polizei gedroht, wenn sie nicht verschwinden.«

»Und?«

»Schließlich sind sie gegangen.« Und dann, unbehaglich: »Aber sie haben gesagt, sie kämen wieder.«

»Haben Sie ihnen geglaubt?«

»Dass es ihr Hund war oder dass sie wiederkommen?« Sie senkte verlegen wirkend den Kopf, bevor sie zugab: »Beides.«

Nach einer Weile fragte Brunetti: »Warum haben Sie mir das nicht gleich erzählt?«

Sie hob hilflos die Hände. »Die beiden kamen mir so unfähig vor. Ich fand, solche Leute hatten kein Anrecht auf einen Hund. Wirklich nicht.« Sie schwieg. Brunetti bezähmte seine Ungeduld.

»Jedes Mal, wenn einer der beiden etwas sagte, hat der andere es wiederholt. Und nie haben sie mich offen angesehen. Immer nur herumgeschaut. Komisch, es war, als würden sie alles nach seinem Preis taxieren: den Tisch, die Schränke, die Instrumente.«

»Haben die beiden Sie bedroht?«, fragte Brunetti.

»Das sagte ich doch schon«, zischte sie gereizt.

»Ich denke wie ein Anwalt, Dottoressa«, erklärte Brunetti ruhig und wartete, bis sie bereit schien, ihm zuzuhören. »Haben die beiden direkt ausgesprochen, sie würden Ihnen Schaden zufügen, wenn Sie nicht tun, was sie verlangen?« Er sah, wie ihre Miene sich veränderte, und fügte hinzu: »Oder haben die beiden Sie physisch bedrängt?«

»Na schön, Sie haben gewonnen«, sagte sie und ließ sich erleichtert zurücksinken. »Direkt Angst haben sie mir keine eingejagt, sie kamen mir einfach vor wie von einem anderen Stern. Ich bin den Umgang mit solchen Leuten nicht gewohnt.« Anscheinend glaubte sie, das genauer erklären zu müssen. »Tierhalter sind normalerweise ruhige Zeitgenossen. Besonders die Hundefreunde.« Und nach kurzem Überlegen: »Katzenfreunde – die können eigen sein.«

Das war ja alles sehr interessant, doch Brunetti wollte zum ursprünglichen Thema zurück, kam aber nicht dazu, weil Dottoressa del Balzo fragte: »Sie trauen diesen beiden doch nicht so einen … Überfall zu?«

Ohne auf ihre Frage einzugehen, bat er: »Können Sie die zwei beschreiben?«

Sie schaute zum Fenster hinaus, und Brunetti folgte ihrem Blick. Beide sahen sie eine Wolke so groß wie ein Kreuzfahrtschiff auf San Marco zusegeln. »Die Frau war in den Siebzigern: ungewaschene graue Haare, etwa schulterlang; eine Brille, die ihre Augen vergrößerte; künstliches Gebiss und ein starker Burano-Akzent.« Brunetti wartete, ob ihr noch mehr zu der Frau einfiel. Offenbar nicht, denn sie setzte von Neuem an: »Der Sohn war um die fünfzig, vielleicht etwas jünger. Unauffällige Erscheinung: ungefähr so groß wie Sie, nur viel schlanker. Auch er sprach mit Burano-Akzent. Schütteres Haar, dunkelbraun mit viel Weiß darin, sehr kurz geschnitten.«

»War einer der beiden … auffälliger?«

»Die Mutter«, antwortete sie, ohne zu zögern. »Der Sohn hat ihr immer nur zugestimmt. Bei jedem Wort. Sie hatte das Sagen, sie hat ständig von ›meinem Hund‹ geredet.«

Brunetti ließ das unkommentiert.

Sie hob die Hände und ließ sie ratlos wieder sinken. »Ich habe keine Ahnung, wer das getan haben könnte. Ich habe nachgesehen: Medikamente wurden nicht gestohlen.« Sie glaubte, das erklären zu müssen. »Süchtige brechen auch bei Tierärzten ein. Die Medikamente ähneln sich, besonders Ketamin und Buprenorphin, und die Diebe wissen ganz genau, welche die beste Wirkung haben.« Brunetti lauschte gespannt. »Die wissen sogar, wie sie die Dosis auf ihr Körpergewicht abstimmen müssen.«

Was sollte Brunetti dazu sagen? Also bohrte er weiter: »Können Sie sich sonst noch ein Tatmotiv vorstellen?«

Sie dachte sehr lange nach, oder jedenfalls täuschte sie das vor. Er wandte den Blick ab und sah erst wieder zu ihr hin, als sie zu sprechen anfing.

»Vielleicht, was Enrico gesagt hat: dass sich irgendwer an seiner Arbeit stört.« Sie ließ Brunetti nicht zu Wort kommen. »Aber das ist doch verrückt. Er führt anderen doch nur die Bücher.« Ratlos fügte sie hinzu: »Warum sollte jemand etwas dagegen haben, dass er über seine Arbeit redet?« Sie ließ das einwirken und fragte: »Und warum dann *mir* Schaden zufügen, und nicht ihm?«

Brunetti nutzte die Chance. »Es könnte durchaus ein ehemaliger Kunde gewesen sein. Wenn nicht von Ihnen, dann von ihm.«

Sie schüttelte den Kopf, kurz vor dem Punkt angelangt, wo Ratlosigkeit erst in Verzweiflung und dann in Verweigerung umschlägt.

»Noch eine letzte Frage«, sagte er, bemüht, sich den eigenen Frust nicht anmerken zu lassen. »Hat Ihr Mann in den vergangenen Wochen auf irgendetwas merkwürdig reagiert?«

Sie zog die Lippen zusammen, plötzlich wirkten ihre

Wangen nicht mehr so voll, und ihre Augen verengten sich, als versuchte sie, etwas im Dunkeln zu entziffern. Dann schüttelte sie den Kopf, als habe sie etwas Dummes gesagt. »Nein. Eigentlich nicht.«

In dem aufmunternden Ton, den er früher seinen Kindern gegenüber angeschlagen hatte, wenn sie eine Frage nicht beantworten wollten, sagte er: »Raus mit der Sprache.« Zum ersten Mal sah er drei Fältchen auf ihrer Stirn. Er dachte schon, sie werde nicht antworten, aber dann sagte sie kaum hörbar: »Eine dumme Geschichte. Nicht der Rede wert.«

»Erzählen Sie, Flora.«

Der Klang ihres Namens löste ihr die Zunge. »Vor ein paar Wochen machten wir nach dem Abendessen noch einen Spaziergang. Der Mond stand am Himmel, es war eine schöne Nacht.« Entweder mit Wehmut oder mit jener Ironie, mit der Venezianer die Schönheit ihrer Stadt anzuerkennen pflegen, fügte sie gequält lächelnd hinzu: »Venedig bei Nacht.«

»Es muss gegen Mitternacht gewesen sein. Wir gingen über den Campo Manin und kamen an der Reiseagentur neben der Brücke vorbei.« Sie blickte auf und korrigierte sich: »Ehemalige Reiseagentur«, das übliche Adjektiv für alles, was der Pandemie zum Opfer gefallen war.

»Die kennst du doch?«, fiel sie, ihn plötzlich duzend und auf Veneziano, für einen Moment aus der Rolle.

»Ja«, antwortete er und dachte an die verstaubten Schaufenster und verdorrten Pflanzen, die ausgebleichten Plakate und all das nackte Elend, das ihn im Vorbeigehen dort jedes Mal ansprang.

»Wir blieben stehen und sahen uns die Reiseprospekte an, die noch immer hinter dem Fenster liegen.« Neugierig, nicht, um Zeit zu schinden, fragte sie: »Sind die Ihnen auch aufgefallen?«

Brunetti nickte. »Auf dem Boden zurückgelassen«, sagte er. »Das Gras um die Swimmingpools wächst nicht: Es bleicht nur jeden Monat weiter aus. Und die Palmen sind mittlerweile fast weiß.«

Sie lächelte, lachte aber nicht. »Wir fragten uns, warum wir früher immer an diese Orte fliegen wollten«, meinte sie und schüttelte sich theatralisch.

»Und plötzlich sagte Enrico nichts mehr und starrte nur noch in das Schaufenster.« Sie schwieg eine Weile. »Es war sehr seltsam. Er sagte kein Wort, stand nur da und starrte hinein. Ich beobachtete ihn. Man konnte meinen, ein Film laufe in ihm ab oder er höre Stimmen.

Schließlich fasste ich ihn am Arm und schüttelte ihn, und er drehte sich zu mir um, als sei er überrascht, mich zu sehen. Ich fragte, ob alles in Ordnung sei, aber er schien mich nicht zu hören oder nicht zu verstehen. Er wandte sich wieder dem Schaufenster zu, und plötzlich entfuhr ihm ein Stöhnen, als habe ihn jemand geschlagen. Ich dachte, er hat einen Herzinfarkt oder Schlaganfall, aber ich bekam vor Angst kein Wort heraus. Dann drehte er sich wieder zu mir um und starrte mich mit einer Miene an, die mir noch mehr Angst machte. Er sah aus wie ein Toter.

Ich schrie vor Schreck auf, wich unwillkürlich einen Schritt vor ihm zurück und hob abwehrend die Hände, und das muss irgendwie den Bann gebrochen haben.

Er stützte sich gegen das Schaufenster, drückte die Stirn

daran und stöhnte leise vor sich hin. Nach einer Weile wandte er sich mit gequältem Lächeln um und sagte, wir sollten nach Hause gehen«, schloss sie mit einer fahrigen Handbewegung.

»Haben Sie mit ihm darüber gesprochen?«

»Ich habe ihn auf dem Heimweg und dann am nächsten Morgen gefragt, und beide Male tat er so, als wisse er nicht, wovon ich rede. Ihm sei nur kurz schlecht geworden, das sei alles.«

Um ihre Hände still zu halten, faltete sie sie im Schoß. »Sie kennen ihn nicht. Wenn Enrico sich etwas in den Kopf gesetzt hat, ist er nicht aufzuhalten. Und er hatte es sich in den Kopf gesetzt, nicht darüber zu reden. Was auch immer es war, es hat ihn zutiefst beunruhigt.«

»Und es hat ihn selbst überrascht?«

»Eher schockiert«, meinte sie nach längerem Nachdenken.

»Das, was er gesehen hat?«

»Es kann nichts anderes gewesen sein.«

Brunetti kannte aus langjähriger Erfahrung die Zeichen, wann ein Zeuge nicht länger auskunftswillig war: Ihm blieb nur noch Zeit für eine einzige Frage. »Glauben Sie, es hatte mit seiner Arbeit zu tun?«

Ihre erschöpfte Miene machte deutlich, sie konnte nicht mehr – oder war es Panik?

Unvermittelt stand sie auf. Wortlos erhob auch er sich, ging zur Tür, öffnete und ließ sie an sich vorbei in den Flur. Sie hob eine Hand und sagte: »Ich finde allein hinaus.«

Er dankte ihr für ihr Kommen und sagte, sie werde über die Ermittlungen wegen des Einbruchs auf dem Laufenden gehalten. Lächelnd bemerkte er noch: »Ich bin nur froh, dass Giorgia nicht mehr da war, als sie kamen.«

Sie hatte sich schon zur Treppe gewandt, aber jetzt blieb sie stehen, drehte sich zu ihm um und sagte ruhig: »Danke. Ich auch.« Und im selben Ton beantwortete sie dann doch noch seine Frage: »Es kann nur mit seiner Arbeit zu tun haben.«

17

Nachdem Dottoressa del Balzo gegangen war, versuchte Brunetti, sich auf die Frage zu konzentrieren, was ihrem Mann Angst gemacht haben könnte. Der Einbruch in die Praxis bewies, dass Fenzo und seine Frau in Gefahr waren. Konnte eine Warnung deutlicher sein? Erst die Tiere; dann du.

Doch das Eintreffen von Pucetti riss ihn aus seinen Gedanken. Brunetti winkte ihn herein und fragte: »Wie ist es gelaufen?«

»Sie waren nicht zu Hause. Ich habe den Kater im Buchladen um die Ecke abgegeben. Der Inhaber sagt ihnen Bescheid.«

Brunetti bot Pucetti einen Stuhl an und fragte: »Haben Sie die anderen beiden gefunden?«

Pucetti nickte zufrieden. »Sie steht im Telefonbuch, also habe ich mit den Carabinieri am Campo dei Gesuiti gesprochen, aber die hatten noch nie von ihnen gehört. Das Restaurant am *campo* ist immer noch geschlossen, aber die Bar gegenüber gehört demselben Mann und hat geöffnet. Er sagt, Fenzo habe ihm in den letzten Jahren viel Geld sparen helfen, Unkosten und Abzüge geltend gemacht, von denen er noch nie gehört hatte; außerdem habe er ihn auf die Liste von Geschäften gesetzt, die Covid-Ausgleichszahlungen beanspruchen dürfen.«

Dann fiel ihm ein: »Schon merkwürdig, Signore. Das Restaurant und die Bar sind die letzten beiden Geschäfte

auf dem *campo,* und Sie wissen selbst, wie groß der ist.«
Pucetti setzte zu einer Frage an: »Gab es ...«

»Gab es *was*?«, fragte Brunetti.

»Gab es früher in der Stadt wirklich Läden, wo man alles
Mögliche kaufen konnte?«

»So was wie Knöpfe und Bratpfannen?«, fragte Brunetti.
»Ja.«

»Es gab sogar Unterwäsche und frische Pasta und Blumen«, erklärte Brunetti.

»Das sagt meine Mutter auch immer«, meinte Pucetti.
»Klingt wie ein Märchen.« Da Brunetti die Brauen hoch-
zog, fügte er hastig hinzu: »Natürlich nur in meinen Ohren, Signore.«

»Ja, früher war es anders«, erwiderte Brunetti, der das
Thema nicht weiter vertiefen wollte. »Danke, dass Sie die
Katze zurückgebracht haben, Pucetti.«

Pucetti, nicht schwer von Begriff, stand sofort auf. »Gern
geschehen, Signore. Wann immer ich mich nützlich machen
kann ...« Er verstummte, salutierte und ließ den Commissario mit seinen Gedanken allein.

Eine Katze mit einem Polizeiboot nach Hause bringen? Hatte er das wirklich angeordnet? Er spürte seit Monaten die um sich greifende Lethargie, ein Symptom, das
sich bei fast allen zeigte, unabhängig davon, ob sie auch an
den schlimmeren Krankheitssymptomen litten. Entscheidungen dauerten länger, und länger dauerte es, sie zu be-
reuen. Die Kommunikation hatte sich verlangsamt, man
brauchte eine Woche, um eine Mail mit einem schlichten
»Ja« oder »Nein« zu beantworten. Sich an Gespräche erinnern, selbst vom Tag zuvor, kostete Mühe. Aber ein

Polizeiboot benutzen, um eine Katze zu ihrem Besitzer zu bringen: Das war mehr als nur normale Lethargie. Der Gedanke brachte ihn auf die Mutter und ihren Sohn, die von Dottoressa del Balzo den Hund zurückhaben wollten, den man ihnen angeblich weggenommen hatte. Und die eine alte Frau rief ihm die andere in Erinnerung: Signora Galvani.

Sie war alt genug, dass Brunetti hoffen durfte, sie im Telefonbuch zu finden. Und tatsächlich: Vittoria Galvani, die einzige Galvani auf Murano.

Sie meldete sich, Brunetti nannte seinen Namen, stellte sich als der Polizist vor, mit dem sie gesprochen hatte, und erklärte, er habe zwar viel zu tun, werde aber wohl am Nachmittag vorbeikommen und mit ihr reden können, wann genau, wisse er aber nicht.

Das schien sie nicht weiter zu stören, als sei Zeit alten Menschen nicht so wichtig. Sie sei den ganzen Nachmittag zu Hause, sagte sie, er könne kommen, wann immer es ihm passte.

Dann sah er nach seinen Mails. Signorina Elettra teilte mit, Griffoni und Vianello seien wieder in der Questura. Sofort bat er alle drei zu einer Lagebesprechung zu sich. Ihr zunehmendes Interesse an dem Fall setzte er voraus.

Als Erste erschien Griffoni, in braunem Rock und Pullover und schwarzen Sportschuhen; gleich danach traf Vianello ein, in Uniform. Während sie noch ihre Stühle zurechtrückten, kam Signorina Elettra herein und bat Vianello, ihr den dritten Stuhl neben dem Fenster zu holen. Alle drei hatten etwas in der Hand, lose Papiere oder eine Aktenmappe.

Er versuchte möglichst entspannt zu lächeln, und bat ohne lange Einleitung: »Claudia, möchtest du anfangen?«

Sie nickte und zog ein paar Blätter hervor. »Ich habe del Balzos Bankunterlagen. Nichts Ungewöhnliches bis vor drei Jahren, als er die Stiftung gründete und 2000 Euro von seinem eigenen Konto auf das von Belize nel Cuore überwies – offenbar die erste Spende, die dort einging.« Sie blätterte um. »Er hat keine Außenstände, keine Hypothek auf sein Haus. Seine Kreditkarte benutzt er selten, im Ausland nie. Seit er im Ruhestand ist, beschäftigt er Leute, die seine Firmen leiten, und einen Finanzberater, der ihm bei seinen Investitionen hilft. Keine Auffälligkeiten.« Sie blickte auf, aber die anderen hatten keine Fragen.

Griffoni fuhr fort: »Seine Einkünfte in den fünf Jahren, bevor er in den Ruhestand ging, waren mehr als ausreichend, aber nicht ungewöhnlich hoch. Aufgrund der Vielfalt seiner Unternehmen schwankten die Einnahmen allerdings beträchtlich, besonders in den letzten Jahren.«

Sie blickte in die Runde. »Das ist fürs Erste alles.«

»Lorenzo, was hast du herausgefunden?«

Auch Vianello hatte eine Mappe auf den Knien, schlug sie aber nicht auf. »Ich habe mich umgehört. Zufällig spiele ich Wasserball mit jemandem, der für ihn gearbeitet hat. Als Geschäftsführer eines seiner Supermärkte.«

»Wasserball?«, fragte Griffoni.

»Drüben bei Sant Alvise«, sagte Vianello. Als suche er noch Mitstreiter, erklärte er: »Jeden Dienstag, von acht bis halb zehn.«

»Und?«, fragte Brunetti, da die zwei Frauen schwiegen.

»Er sagt, del Balzo sei ein angesehener und allem Anschein nach ehrlicher Geschäftsmann. Er habe seine Angestellten immer gut behandelt und den Eltern, die ihre Kinder auf eine private Vorschule schickten, die Hälfte der Gebühren bezahlt. Viele haben von dem Angebot Gebrauch gemacht.«

Vianello war noch nicht fertig. »Als ich ihm von der Stiftung und dem Geld erzählte, das del Balzo nach Mittelamerika schickt, lächelte er anerkennend, das passe zu ihm.«

Vianello nahm seine Lesebrille aus der Jackentasche und setzte sie auf. »Ich habe noch mehr«, sagte er und suchte ein paar Papiere aus dem ansehnlichen Stapel in seiner Mappe heraus.

»Jetzt im Ruhestand reist er viel.« Er warf einen Blick auf die Papiere. »Seit er für das Krankenhaus in Belize Spenden sammelt, war er fünfmal dort. Jedes Mal länger als einen Monat.«

»Woher wissen Sie das?«, fragte Signorina Elettra.

»Ich habe seine Flugdaten, aber keine Spur von ihm zwischen seiner Ankunft in Belize – oder wohin auch immer er von dort gegangen sein mag – und seinem Rückflug.«

»Aber er muss doch Spuren hinterlassen haben«, meinte sie. »Die gibt es immer.«

Vianello verzog den Mund zu einem breiten Lächeln, ließ die Papiere sinken und hielt ihr die leeren Hände hin. »Ich habe keine Spur von ihm finden können.«

Angesichts ihrer skeptischen Mienen begann er aufzuzählen, was er alles nicht gefunden hatte. »Keine Hotelreservationen, keine Kreditkartenquittungen, keine Anschlussflüge.« Dann setzte er noch einen drauf: »Und anscheinend hat er auf keiner dieser Reisen sein *telefonino* mitgenommen. Jedenfalls war das Handy während dieser fünf Reisen ausgeschaltet.« Sein Publikum schwieg betroffen: Wie war das möglich?

Vianello ließ sie nicht zu Wort kommen. »Keine Restaurantrechnungen, keine Mietwagen, keine Anschaffungen, nichts. Keine Kleidung, kein Einkauf in einem Duty-free-Shop.«

Der Ispettore wiederholte kopfschüttelnd: »Nichts. Als hätte er nicht nur sein *telefonino*, sondern auch sich selbst ausgeschaltet.«

Griffoni hob zögernd die Hand. »Könnte er bei Freunden gewohnt haben?«

»Möglich«, antwortete Vianello so leise, dass Brunetti der Verdacht kam, sein Freund habe noch etwas in der Hinterhand und lasse sie zappeln. »Sein Handy hat er außerhalb Italiens nicht benutzt, aber er hat seiner Frau Mails geschickt.« Vianello wartete, ob sie dazu etwas zu sagen hatten, aber es kam nichts.

»Einen Tag vor der letzten Reise nach Belize hat er seine Kreditkarte nur noch benutzt, um sich in diesem Laden am Ponte dell'Ovo eine Sonnenbrille zu kaufen; danach bis zu seiner Rückkehr nicht mehr.« Er las aus seinen Papieren vor: »67 Euro.«

Er blickte auf und vergewisserte sich, dass sie ihm zuhörten. Dann zog er mit der Geste eines Zauberers weitere Papiere aus seiner Mappe.

»Das sind die Passagierlisten seiner Flüge nach und von Belize.«

»Alle zehn Flüge?«, fragte Signorina Elettra voller Bewunderung für dieses Kunststück.

»Ja.«

»Großartig, Lorenzo«, gurrte sie.

Ein winziges Lächeln huschte über Vianellos Gesicht. »Seltsamerweise saß auf allen diesen Flügen – bis auf den ersten – immer dieselbe Person neben ihm in der ersten Klasse.«

Den anderen stockte schier der Atem. Schließlich fragte Griffoni so ehrfürchtig, als werde sie Zeuge des Blutwunders von San Gennaro: »Wer?«

»Dottoressa Innocenza Bagnoli«, verkündete Vianello den Namen wie den eines Lotteriegewinners und stellte die Dottoressa dem Publikum vor. »Ehemals Finanzberaterin der Bank in Venedig, die eine Zeit lang wegen verschiedener Verstöße gegen Bankgesetze im Fokus von Ermittlungen stand. Sie lebt ausgerechnet in Mestre und hat sich als Vermögensberaterin selbstständig gemacht.« Er blickte in die Runde und fragte verwundert: »Ist es nicht interessant, dass diese Leute nie das Wort ›Geld‹ in den Mund nehmen?«

»Weil es ein vulgäres Wort ist, Lorenzo«, wies Griffoni ihn zurecht. »Anlagen, Vermögen, Investitionen, Kapital, Fonds … und wie sie alle heißen. Wären wir in Amerika, würden wir es das M-Wort nennen: Man darf es nicht aussprechen, nur denken.«

Brunetti hatte genug von dem Geplänkel. »Gehört Signor del Balzo zu ihren Klienten?«, fragte er.

»Ja.«

»Seit wann?«

»Zweieinhalb Jahre.«

»Also nachdem er Belize nel Cuore gegründet hat?«

»Ja.«

Brunetti war nicht entgangen, dass Vianello ihnen noch längst nicht alle Papiere gezeigt hatte, beschloss aber, ihn seinen Triumph auskosten zu lassen.

»Was gibt es sonst noch über Dottoressa Bagnoli?«, fragte Griffoni und stieß ihre Faust ein paarmal Richtung Decke – eine Geste, die Vianello ignorierte.

»Sie kommt ursprünglich aus Brescia. Hat dort die Universität besucht und vor achtzehn Jahren, mit siebenundzwanzig, ihren Abschluss gemacht. Und zwar in ...« Der Ispettore nahm sehr langsam das nächste Blatt zur Hand und verkündete: »Geld- und Finanzwirtschaft und Risikomanagement.«

Schweigen senkte sich über die versammelte Gemeinde in Erwartung des Wunders. »Risikomanagement«, stöhnte Signorina Elettra. »Wie friedlich und unschuldig sich das anhört, so ganz losgelöst von Geld und Finanzen.« Erschaudernd wiederholte sie: »Risikomanagement.«

Griffoni beugte sich zu ihr und sagte: »Halt durch, Elettra. Da kommt bestimmt noch mehr.«

Vianello nickte, nahm die letzten Blätter heraus und rückte umständlich seine Brille zurecht.

»Im Gegensatz zu ihm«, begann Vianello und konnte seinen Triumph kaum unterdrücken, »benutzt sie eine Kreditkarte.« Er ließ die Papiere sinken, sodass sie alle seine Augen sehen konnten, blickte über die Brille hinweg in sein Publikum und fuhr fort: »Die ihr als Mitarbeiterin an dem Krankenhaus in Belize City zur Verfügung gestellt wird.«

Signorina Elettra, kurz davor, die Selbstbeherrschung zu verlieren, unterbrach ihn respektvoll flüsternd: »Und abgerechnet werden die Spesen über ein Konto in ...?«

Vianello lieferte lächelnd die Antwort: »Liechtenstein.«

Laute Begeisterung – Beifall klatschen, zum Beispiel – kam für Signorina Elettra nicht infrage, also beugte sie sich nur ein wenig vor und tätschelte Vianellos Arm: »Ach, Lorenzo, was für ein wunderbarer Fund.« Und als beschwöre sie den Geist des heiligen Antonius von Padua, den Schutzpatron verlorener Dinge, fügte sie hinzu: »Die Passagierlisten sind ein fantastischer Fund. Das ist außerordentlich schwierig.«

Vianello sonnte sich ein wenig in ihrem Lob, sagte dann aber: »Es kommt noch mehr.«

Sie lauschten, aufmerksam wie Kinder, denen man zum ersten Mal die Geschichte vom Jesulein in der Krippe erzählt.

»Auf ihren letzten zwei Reisen nach Belize …«, begann Vianello – blickte auf und erklärte zu seiner Entschuldigung: »Ich hatte noch keine Zeit, die anderen Reisen zu überprüfen« –, um dann den begonnenen Satz zu Ende zu bringen: »… hatte sie einen Begleiter und buchte Doppelzimmer in Fünfsternehotels. Dazu kamen beträchtliche Ausgaben in Restaurants, für Mietwagen – mindestens ein SUV oder Mercedes – und Mietboote sowie für Schmuck und Kleidung, unter anderem drei Paar Herrenschuhe von Berluti.« Mit einer leichten Verbeugung zu Signorina Elettra, seiner Herrin und Meisterin, fügte er hinzu: »Größe 44«, und blätterte um.

»Während dieser letzten Reise bewohnte sie mit ihrem Gast eine Suite im Four Seasons am Golf von Papagayo.« Er sah auf und erklärte: »Das ist in Costa Rica. Dort übernahm sie nicht nur die Hotelrechnung und kaufte weitere

Kleidung und Schmuck, sondern bezahlte auch tägliche Yogastunden, die immer zur selben Zeit stattfanden, während der jener Unbekannte – dessen Name auf keinem einzigen Meldeformular erscheint – Tauchunterricht nahm, dessen Kosten ebenfalls mit ihrer Kreditkarte beglichen wurden.« Er reichte Brunetti ein paar Blätter und behielt nur noch zwei in der Hand.

Brunetti bedankte sich lächelnd, sah zu Signorina Elettra und sagte: »Lorenzo, du machst deiner Lehrmeisterin alle Ehre.« Er ließ das eine Zeit lang wirken, dann wies er auf die verbliebenen Blätter und fragte: »Und das?«

Vianello schüttelte den Kopf. »Die Hotelanmeldung. Ich habe alles Mögliche versucht, um sie zu knacken, aber ohne Erfolg.« Er versuchte, sein Versagen zu rechtfertigen: »Ich hatte keine Zeit. Ich musste mir die Nächte mit Drogenhändlern und Kindern um die Ohren schlagen, und tagsüber habe ich geschlafen.«

Signorina Elettra fragte leise: »Könnte ich mir das mal ansehen?«

»Das hatte ich gehofft«, sagte Vianello dankbar und reichte ihr die zwei Blätter. »Für die Passagierlisten habe ich eine halbe Nacht gebraucht, aber die Hoteldaten habe ich nicht rausgebracht.«

»Ja, da kommt man schwer ran«, stimmte sie zu.

Vianello senkte den Kopf angesichts dieser Niederlage.

»Keine Sorge«, versicherte sie. »Ein Freund von mir arbeitet in Lausanne, im Hotelgewerbe. Ihm dürfte es ein Leichtes sein, den Namen der zweiten Person in diesem Doppelzimmer zu ermitteln.« Leise fügte sie hinzu: »Die

Kontrolle an der Grenze mag nachlässig sein, im Four Seasons ist sie es nicht.«

Und woher weiß sie das?, wunderte sich Brunetti, fragte sie aber stattdessen: »Was haben Sie über Signor Guidone herausgefunden?«

Die Frage erlaubte Signorina Elettra, ihr Scherflein beizutragen, und so berichtete sie, die einzige Spur von ihm, die sie gefunden habe, sei ein Nachruf im *Giornale di Vicenza* anlässlich seines Todes vor zwei Jahren, *dopo una lunga malattia*, dem üblichen Euphemismus für Krebs. Den Rest las sie ihnen vor: »Sein Küchenbedarfsgeschäft an der Piazza delle Biade war jahrzehntelang erste Adresse für Profiköche und Hobbyköche zugleich. Um ihn trauert sein Neffe, Avvocato Luca Guidone, ebenfalls aus Vicenza.« Sie legte eine andächtige Pause ein, dann fügte sie hinzu: »Ich habe mir erlaubt, Avvocato Guidone anzurufen, und von ihm habe ich erfahren, sein Onkel war ein alter Freund von Signor del Balzo, für den er offenbar ein Jahr vor seinem Tod ein nicht näher bekanntes Dokument unterschrieben hat.«

Schweigen senkte sich über den Raum, bis Brunetti in die Rolle des Advocatus Diaboli schlüpfte. »Wir haben immer noch keinen Beweis, dass del Balzo irgendetwas anderes ist als das, was er zu sein scheint: ein Mann, der seinen Mitmenschen helfen will.« Bevor ihm jemand widersprechen konnte, wiederholte er: »Keinen Beweis.«

»Warten wir ab«, sagte Griffoni, »bis wir wissen, ob das Geld auch wirklich bei dem Krankenhaus ankommt, Guido.«

»Ich denke, das können wir ausschließen«, meinte Signorina Elettra.

»Aber können wir es beweisen?«, fragte Vianello.

»Sie haben uns auf die Spur für einen Beweis gebracht, Lorenzo«, entgegnete Signorina Elettra. »Die Yogastunden.«

»Dem würde kein Richter zustimmen«, gab Vianello zu bedenken.

»Und auch kein Gericht«, sagte Brunetti.

Griffoni, stets aufs Praktische bedacht, beendete die Spekulationen mit der Frage: »Und nun?«

Brunetti sah in die Runde. »Bis jetzt haben wir Hinweise auf einen möglichen Fall von Betrug. Über die Ausmaße werden wir erst etwas sagen können«, begann er und sah zu Signorina Elettra, »wenn Sie sich die Finanzen von Belize nel Cuore angesehen haben: Wer sind die Spender, wie hoch sind die Beträge? Wer in Belize erhält und verteilt das gespendete Geld? Und wohin fließt es?«

Er bemerkte, dass Signorina Elettra angefangen hatte, sich Notizen zu machen, wartete, bis sie aufhörte zu schreiben, und fragte: »Denken Sie, das kriegen Sie hin?«

»Es könnte ein, zwei Tage dauern«, antwortete Signorina Elettra und klopfte mit dem Radiergummi ihres Bleistifts auf das Papier. »Wenn es sich um ein kleines Projekt handelt, dürften ihre Schutzmaßnahmen nicht ausreichend sein.«

»Wogegen?«, fragte Brunetti.

»Gegen mich.«

18

M ich.« Wie von oben herab das klang. Plötzlich befielen Brunetti Zweifel, ob ihr Tun nicht zu sehr von Ruhmsucht bestimmt war. Schwere Kriminalität war in Venedig eine Seltenheit. Sie bekamen es höchstens mit einer Handvoll gelangweilter Jugendlicher zu tun, die im Schutz der Dunkelheit in ruinierte Geschäfte einbrachen, dort randalierten oder Waren klauten, die sie im Grunde gar nicht interessierten. In Apotheken konnten sie Medikamente stehlen, aber was wollten sie mit Küchengeräten oder Schuhen? Die Jugend bedurfte nicht der Güter der reifen Jahre. Sie würden ihnen noch früh genug zuteilwerden.

Die anderen begannen, sich flüsternd zu unterhalten, und ließen ihn mit seinen Gedanken allein. Alles, was sie bisher unternommen hatten, war seinem Mitgefühl für eine frühere Bekannte geschuldet. Bei all ihren Ermittlungen hatten sie lediglich herausgefunden, dass ihr Mann ein Ehebrecher und Leiter einer Stiftung war, deren Gelder an einen berühmt-berüchtigten Ort flossen. Seit fast zwei Wochen beschäftigten sie sich mit etwas, das eindeutig Sache der Guardia di Finanza war.

Er hatte sie alle in eine Sackgasse manövriert, aus der nur noch schwer herauszukommen war – was sollten sie mit Informationen, für die sie nicht zuständig waren: mutmaßliche Finanzdelikte und Steuerflucht. Natürlich mussten sie als Beamte der Polizia di Stato den Einbruch in Dottoressa del Balzos Praxis näher untersuchen, auch wenn die Täter keine Medikamente hatten mitgehen lassen, doch die anderen möglichen Straftaten gingen sie nichts an, da war die Guardia di Finanza gefragt.

Wie sagte Paola immer so schön, wenn sie sich verschätzt hatte oder über ihr Ziel hinausgeschossen war – gen Norden gegangen war, um nach Rom zu gelangen, oder statt eines Teelöffels eine ganze Tasse Zucker in die Tomatensauce getan hatte –: Ab einem gewissen Punkt sei es genauso schwer umzukehren wie weiterzumachen. Brunetti befand sich in einem ähnlichen Dilemma. Wie sollte er die Ermittlungen der Guardia di Finanza zuspielen? Wie konnte er seinen Kollegen den eigenen Fehler eingestehen, ohne sich bis auf die Knochen zu blamieren?

Er riss sich von diesen Gedanken los und blickte auf. Die anderen unterbrachen ihr Gespräch.

»Müssen wir sonst noch etwas wissen?«, fragte er.

Signorina Elettra streckte einen Finger in die Höhe.

»Ja, Signorina?«

Sie nahm zwei Blätter aus ihrer Mappe und sagte, ohne einen Blick darauf zu werfen: »Ich sollte mich für Sie nach Vizeadmiral Fullins Krankenakte umsehen.« Brunetti nickte, und sie fuhr fort: »Das war vor einiger Zeit.« Sie rutschte auf ihrem Stuhl hin und her. »Die Suche wurde dadurch erschwert, dass ich mir Zugang zu Datenbanken des Militärs verschaffen musste. Die hatte ich noch nie zuvor … besucht, weshalb ich eine Weile brauchte, das System zu verstehen und wie man am besten … damit umgeht.«

Sie warf einen kurzen Blick auf ihre Papiere. »Vor sechs Jahren wurden bei ihm die ersten Symptome einer Demenz festgestellt, zwei Jahre später, als die Symptome sich deutlicher zeigten, folgte die präzisere Diagnose ›Alzheimer‹. Diese zweite Diagnose wurde von einem Militärkrankenhaus in Rom bestätigt, wo man ihn auch aufgenommen hätte. Seine Familie wollte ihn jedoch zu Hause behalten, wo er sich wohler fühlen würde. Heute, sechs Jahre nach Ausbruch der Krankheit, ist keine Besserung zu verzeichnen, allerdings auch nur eine graduelle Verschlechterung.

Graduell insofern, als Fullin, wie seinen Angehörigen aufgefallen ist, gelegentlich zwar mit Verzögerung auf die Unterhaltungen in seiner Gegenwart reagiert, aber doch in der einen oder anderen Art geistig anwesend ist. ›*Un giorno sì, un giorno no*‹, schreibt der Arzt in seiner Beurteilung, was sich mit den Auskünften von Fullins Familie deckt. Er hat gute Tage, und er hat schlechte Tage.«

Griffoni seufzte so tief auf, dass alle zu ihr hinsahen. Dann sagte sie ein einziges Wort: »Nun?«, und es klang, als sei das Fragezeichen nur angedeutet, weil sie selbst nicht wusste, ob es dort hingehörte oder nicht.

Brunetti hatte verstanden; die anderen mit Sicherheit auch. Ihre unausgesprochene Frage verstärkte nur seinen Wunsch, sich die ganze Angelegenheit vom Hals zu schaffen und alles der Guardia di Finanza zu überlassen.

Es war zu kompliziert geworden; zu viele Leute waren verwickelt. Was mit einer möglicherweise manipulierten Buchführung begonnen hatte, hatte sich zu einem Fall ausgeweitet, der bis an die Strände Costa Ricas führte, mit einem Abschluss in Risikomanagement zu tun hatte und einem dementen Vizeadmiral, der am liebsten Orden und Kriegs-DVDs anschaute und sich von seinem Enkel Geschichten über Heldentaten zur See vorlesen ließ.

Noch bevor Griffoni etwas sagen konnte, erhob sich Brunetti: »Ich möchte ein paar Tage abwarten und noch einmal mit meiner Freundin sprechen, bevor wir die Sache an die Guardia di Finanza weiterleiten. Elisabetta wollte nicht, dass ihre Familie ins Gerede kommt, aber das wird sich wohl kaum mehr vermeiden lassen. Sie hat mich aufgesucht, weil sie dachte, es sei eine private Angelegenheit. Darum wollte sie die Polizei nicht offiziell einschalten.«

Er schob die Papiere auf seinem Schreibtisch zur Seite, plötzlich entsetzt darüber, wie eine Handvoll vertrauliche Informationen ein derart wirres Knäuel aus Verpflichtungen und Spekulationen hatten hervorbringen können.

Die anderen standen schweigend auf. Er hatte nicht gesagt, was er von Vianello und Griffoni erwartete, überließ es ihnen, ob sie ihrer Neugier folgten und weitermachten oder aufhören wollten, ihre Zeit damit zu verschwenden, der Freundin ihres Freundes einen Gefallen zu tun.

Sie verließen den Raum. Brunetti konnte sich an keine Besprechung erinnern, die jemals so ernst geendet hatte. Allein in seinem Büro, nahm er sein Handy und wählte Elisabettas Nummer. Schließlich wartete sie darauf, von ihm zu hören, was er herausgefunden hatte.

»Flora hat mir erzählt, was passiert ist«, kam Elisabetta ihm zuvor und wartete vergeblich, dass er etwas dazu bemerkte. »Sie möchte, dass ich heute Nachmittag mit ihr in die Praxis gehe.«

»Der Tatort ist freigegeben«, sagte Brunetti nur. »Könnten wir uns vorher noch kurz treffen?«

»Wo?«

»Wie wär's mit Rosa Salva?«, machte er es ihr so leicht wie

möglich, denn das Café lag am selben *campo,* wo sie wohnte. »Es dürfte noch warm genug sein, draußen zu sitzen.«

»Ja, gut«, sagte sie nach kurzem Zögern. »Wann?«

»Ich kann in fünfzehn Minuten dort sein.«

»Perfekt«, sagte Elisabetta und legte auf.

Als er auf den *campo* kam, saß Elisabetta bereits an einem Tisch in der Mitte. Vermutlich aus alter Gewohnheit, da man früher an den äußeren Tischen dem unablässigen Strom von Touristen ausgesetzt war.

Die wenigen Passanten, die heute noch vorbeikamen, sahen aus wie Venezianer, die ihren alltäglichen Besorgungen nachgingen. Die großen Schirme zwischen den Tischen waren nicht aufgespannt, man wartete auf mehr Sonne und höhere Temperaturen.

Brunetti näherte sich zwischen den Stühlen hindurch und rief ihren Namen. Elisabetta blickte lächelnd auf, die hinter ihr stehende Sonne tauchte sie in ein wohlwollendes Licht. Sie trug eine marineblaue Jacke, eine weiße Bluse mit einem Halstuch von Hermès, Jeans und weiße Tennisschuhe. Für einen unaufmerksamen Beobachter wäre dies »Freizeitkleidung«, während ein erfahrener auf den ersten Blick an Summen dachte, von denen ein Dorf in Uttar Pradesh einen Monat lang satt geworden wäre.

Brunetti sah sich nach einem Kellner um und nahm Platz. »Danke, dass du gekommen bist«, sagte er.

»Ich habe zu danken, Guido«, gab sie lächelnd zurück. »Tut mir leid, wenn ich am Telefon so zugeknöpft war, aber dieser Überfall auf Floras Praxis …« Sie sah zu dem Kellner hoch, der geräuschlos neben Brunetti aufgetaucht war.

Beide bestellten Kaffee.

»Es ist verrückt. Das war ein Verrückter, hat Flora gesagt, und ich denke das auch. Sie sagt, es sah aus wie …« Ohne den Satz zu beenden, bewegte sie den Kopf so heftig hin und her, als versuche sie, die Geschehnisse von sich abzuschütteln.

Brunetti berichtete ihr vom Stand der Ermittlungen, ließ aber Belize nel Cuore aus dem Spiel, sodass nicht allzu viel zu erzählen war; stattdessen deutete er an, die Probleme zwischen Flora und ihrem Mann gingen nicht über den üblichen Knatsch hinaus. Elisabetta werde sicherlich Verständnis für die Gefühlsdinge ihrer Tochter haben, fügte er schmeichelnd hinzu.

»Ich habe alles Mögliche überprüft«, sagte er, mit Bedacht im Singular sprechend, »aber nichts gefunden, was deinem Schwiegersohn Grund zur Sorge geben könnte.« Noch während er sprach, legte er sich bereits einen Plan zurecht, wie er ihren Mann der Guardia di Finanza übergeben würde. Besser, sie erfuhr nie, dass sie mit der Sorge um ihre Tochter die Büchse der Pandora geöffnet hatte und dadurch alles ans Licht gekommen war.

Der Kellner brachte den Kaffee. Brunetti tat Zucker hinein, sie nicht. Beide nahmen einen Schluck. Brunetti stellte seine Tasse ab, fügte noch etwas Zucker hinzu und trank den Rest. Elisabetta ließ den Kaffee in ihrer Tasse kreisen, trank rasch aus und starrte in die Tasse.

»Man sollte nur aus Teeblättern lesen, nicht aus Kaffeesatz«, versuchte Brunetti zu scherzen, um die Situation zu entspannen. Doch ihre Tasse ging mit Wucht auf die Untertasse hernieder, und ihn traf ein zorniger Blick.

Elisabetta lehnte sich ein wenig zurück, um der Sonne

zu entgehen, die langsam über den *campo* wanderte, dann schob sie den Ärmel ihrer Jacke hoch und sah auf die Uhr. Brunetti nutzte die Gelegenheit und rief nach der Rechnung. Er zahlte, ließ einen Euro auf dem Tisch, stand auf und schob den Plastikstuhl – er konnte Plastikstühle nicht ausstehen – so schroff unter den Tisch zurück, dass er aufjaulte.

Auch sie war aufgestanden und hatte schon zum Abschied die Hand gehoben, ließ sie dann aber in der Luft schweben und sagte zaghaft: »Könntest du dir nicht noch einmal seine Tätigkeit für Bruno ansehen, Guido?« Wie wehleidig sie klang, so anders als die Elisabetta, die er von früher kannte.

»Du meinst die Stiftung?«

»Ja«, antwortete sie mit fester Stimme. Dann fügte sie mit einem verächtlichen Schnauben hinzu: »Ich würde das auch selbst tun, wenn ich nur wüsste, wie.«

Manche Gehwege sind uneben oder schlecht gepflastert, man landet mit dem Fuß ein paar Zentimeter tiefer als beim Schritt zuvor. Man strauchelt nicht, aber ist ein bisschen wacklig auf den Beinen, bis man sich an die neue Höhe gewöhnt hat.

So erging es Brunetti jetzt bei diesem kläglichen, Beistand einfordernden Ton. Sie hatte ihn aus Sorge um ihre Tochter aufgesucht, doch jetzt hetzte sie ihn ihrem Schwiegersohn auf den Hals, oder gar ihrem eigenen Mann. Sollte er sich darauf einlassen?

Er rang sich ein Lächeln ab und fragte, als sei ihm die Idee soeben erst gekommen: »Vielleicht sollte ich mal mit deinem Mann reden?«

»Wozu?«, schoss sie zurück, doch Brunetti hatte sich schon zu Colleonis Statue umgedreht, als sei ihm seine Frage gar nicht so wichtig.

Sie fing sich schnell wieder. »Ich meine, was für einen Grund könntest du ihm nennen?«

»Oh, ich weiß nicht«, sagte Brunetti. »Ich könnte behaupten, mein Schwiegervater interessiere sich für die Stiftung und ich solle mehr darüber in Erfahrung bringen.« Da sie nicht reagierte, sah er wieder zu der Statue. Und als nehme er ihr Schweigen als Nein zu seinem Vorschlag, endete er: »Für mich war das immer der schönste *campo* der Stadt.«

Er wandte sich zum Gehen. »Es war schön, dich wiederzusehen.« Im Wissen, wie gern die Menschen so etwas hören, fügte er aufrichtig hinzu: »Deine Tochter ist eine beeindruckende Frau.«

Im Weggehen drehte sie sich noch einmal um und sagte, ohne auf das Kompliment einzugehen: »Ja, vielleicht solltest du ihn anrufen.«

Er winkte ihr lächelnd nach und schritt über den *campo* Richtung Rialto. Ihm war nicht entgangen, dass sie offengelassen hatte, wen er anrufen und was er sagen sollte.

19

Brunetti fuhr mit der Nummer 4.1 von den Fondamenta Nuove nach Murano, stieg an der Haltestelle Colonna aus, spazierte zum Campiello Turella und dem der Praxis gegenüberliegenden Haus.

Er hatte kaum bei Galvani geklingelt, da erklang auch schon der Summer. In der Wohnungstür im ersten Stock erwartete ihn eine zierliche Frau mit weißem Haar. »Signor Brunetti?«, fragte sie. Beim Anblick ihres dunkelgrünen, sehr dicken Wollpullovers musste Brunetti an die Contessa denken.

»*Sì*, Signora Galvani«, sagte er, während er auf dem Treppenabsatz anlangte. »Danke, dass Sie eingewilligt haben, mit mir zu reden.«

Sie musterte ihn mit klugen Augen. »Wenn ich nicht irre, ging der Wunsch von mir aus«, sagte sie, nicht auf Veneziano, sondern in einem so reinen und schönen Italienisch, wie er es lange nicht mehr gehört hatte, jede Silbe, jeden Vokal und jeden Doppelkonsonanten klar artikulierend. Er sah sie voller Bewunderung an, so wie ein anderer die Schönheit einer Frau oder die Kraft eines Mannes bestaunt hätte.

»Sie haben recht. Danke, dass Sie mich daran erinnern«, sagte er.

»Ich mag eine alte Frau sein, halte mich aber immer noch für eine gute Staatsbürgerin«, erwiderte sie und bat ihn einzutreten. Er bemerkte, dass sie mit dem rechten Bein ein wenig hinkte.

Sie kamen in ein hohes Zimmer mit vier großen Fenstern, die auf den *campo* hinausgingen. Das Zimmer erstreckte sich offenbar über die gesamte Breite des Hauses; ursprünglich waren es wohl zwei Zimmer gewesen, die man in einem früheren Jahrhundert zu einem einzigen verbunden hatte. Links stand ein Klavier – nein, ein Konzertflügel. Notenblätter sah er keine. Auf dem geschlossenen Deckel wuchs ein ähnliches Wäldchen silbern gerahmter Fotos wie auf der Kredenz bei den Fullins. Ganz vorn ein mindestens fünfzig Jahre altes Foto von Signora Galvani, neben ihr ein stattlicher Mann, dessen ganze Aufmerksamkeit ihr galt.

Sie ging an dem Flügel vorbei zum ersten Fenster links und winkte Brunetti zu sich. Von dort hatte er einen guten Blick auf Flora del Balzos Eingangstür und die angrenzende *calle*.

Ohne sich mit einer Einleitung aufzuhalten, erklärte sie: »Das ist eine Sackgasse. Dort ist nur der Nebeneingang zur Praxis und weiter hinten eine Treppe zu der Wohnung im Obergeschoss.« Nun wählte sie das äußerste rechte Fenster, Brunetti blieb an dem Fenster daneben stehen. »Von hier aus sieht man – treten Sie näher – in den Empfangsbereich, wo die Ärztin mit den Besitzern der Tiere redet. Schreibtisch und Besucherstühle. Zum Behandlungszimmer geht es durch die Tür rechts von dem Tisch. Aber das kennen Sie vermutlich alles schon von innen.«

»Ja, Signora, aber es ist interessant, es von hier oben zu sehen.« Aus reiner Neugier, und weil sie womöglich die seltsamen Leute gesehen hatte, die sich bei der Dottoressa wegen ihres angeblich gestohlenen Hundes beschwert hatten, fragte er: »Sitzen Sie hier oft und schauen den Tieren und ihren Besitzern zu?« Das war gewiss höflicher, als sie direkt zu fragen, ob sie ihren Nachbarn nachspioniere.

Sie antwortete knapp: »Mit so etwas gebe ich mich nicht ab, Signore.« Da er sie fragend ansah, fügte sie hinzu: »Ich lese lieber, am liebsten bei Tageslicht.« Und dann lächelnd: »Das erklärt, warum ich oft am Fenster sitze. Von Neugier kann keine Rede sein.«

Sie legte eine Hand auf den großen blauen Polstersessel, der parallel zum Fenster stand. Die rechte Außenseite und das Innenpolster der linken Armlehne waren von der Sonne ausgebleicht. Auf einem Tisch daneben stützten sich zwei Reihen Bücher gegenseitig, in den meisten steckten Papierstreifen, oft mehr als nur ein paar.

»Aber nehmen Sie doch Platz«, sagte sie, indem sie sich setzte und auf einen weniger einladenden Stuhl neben dem Flügel wies. Brunetti trug ihn herbei und stellte ihn einen Meter vor ihr hin. Als sie jetzt die Hände im Schoß faltete, bemerkte er, dass sie schwer an Arthritis litt. Die Knöchel waren groß wie Kirschen, die Finger hingegen dünn und krumm wie Zweige. Verlegen wandte er den Blick ab und fragte: »Was wollten Sie mir erzählen, Signora?«

»Ich leide an Schlaflosigkeit, Signore«, erklärte sie so klar und deutlich wie eine Schauspielerin. »Ich bin selten ohne Schmerzen«, fügte sie nüchtern hinzu. Ihre Hände blieben ruhig. »Nachts ist es besonders schlimm, und darum versuche ich zu lesen. Um mich abzulenken.« Da er keine Fragen hatte, fuhr sie fort: »Vor ein paar Jahren hat die Stadt viel zu viele Laternen aufgestellt. Überall.«

Brunetti nickte zustimmend. Sie war Venezianerin, er

brauchte ihr nicht zu erklären, dass man das für die Touristen tat.

»Auf diesem *campo* hier ist es so hell, dass ich beim Schein der Laternen lesen kann.«

Er nickte ihr aufmunternd zu.

»In der Nacht, als Dottoressa del Balzos Praxis …«, sie suchte nach dem richtigen Wort, und Brunetti wartete geduldig, »… verwüstet wurde, saß ich in diesem Sessel und las.«

Leser interessieren sich immer für die Bücher der anderen, und so fragte Brunetti: »Was haben Sie gelesen, Signora?«

Die Frage erfreute sie sichtlich, vielleicht umso mehr, als sie von einem Polizisten kam.

»Alda Merini. Kennen Sie ihre Bücher?«

Brunetti, der den Esprit und Scharfsinn dieser Dichterin seit seinen Studententagen schätzte, zitierte aus dem Gedächtnis: »›Ich werde den Nobelpreis niemals annehmen, in Norwegen ist es mir zu kalt.‹«

»Ah«, sagte die alte Frau und betrachtete ihr Gegenüber mit neu erwachtem Interesse. »Nicht jeder mag ihre Gedichte.«

»Ich bin mir sicher, das würde sie als großes Kompliment auffassen«, sagte Brunetti. »Aber wollten Sie mir nicht erzählen, was Sie in jener Nacht beobachtet haben?«

»Ich habe mich verzettelt, stimmt's?«, fragte sie zurück, und Brunetti nickte nachsichtig lächelnd wie ein Priester, der eine lässliche Sünde vergibt.

Sie richtete sich ein wenig auf und sagte: »Es war kurz nach drei, und ich begann einzunicken – immer ein Zeichen, dass ich nun bald schlafen kann –, als ich unten auf dem *campo* Schritte hörte.«

Brunetti horchte auf, und sie fügte hinzu: »Glauben Sie mir, Signore, das hier ist keine Gegend, wo die Leute um drei Uhr morgens nach Hause kommen.«

»Wohl kaum.«

»Ich hatte leichte Schuldgefühle wegen meiner Neugier – als sei ich die typische Alte, die ihren Nachbarn nachspioniert –, also drehte ich nur den Kopf zum Fenster, stand aber nicht auf, um in die *calle* hinunterzuspähen, denn das hätte eine Linie überschritten.« Sie sah ihn verständnisheischend an.

»Selbstverständlich.«

»Aber ich habe gemogelt.«

»Gut.«

»Ich habe mich an der Sessellehne hochgestützt und nach unten gespäht.«

»Was haben Sie gesehen?«

»Eine Frau. Sie stand vor der Praxis.«

»Was hat sie gemacht?«

»Sie stand nur da, minutenlang. Nach einer Weile taten mir die Hände weh, ich konnte mich nicht mehr halten.«

Brunetti nickte.

»Also änderte ich die Regeln noch einmal und stand auf. Sie hatte mir den Rücken zugewandt und konnte mich folglich nicht sehen.« Signora Galvani schwieg eine Weile, dann fuhr sie fort: »Auf einmal ging sie nach links. Mit festen Schritten: Sie wusste genau, wo sie hinwollte.«

Um ihren Schwung nicht zu bremsen, stellte Brunetti

keine Zwischenfrage. Ein kluger Entschluss, denn sie sprach gleich weiter: »Sie bog in die *calle* ein.«

Ohne eigens auf eine weitere Regeländerung hinzuweisen, sagte Signora Galvani: »Ich machte das Fenster auf, um besser zu hören, was sie da tat. Ich dachte schon, vielleicht sei sie da hinein, um sich zu erleichtern: Männer machen das oft, aber sie schien mir keine zu sein, die sich so etwas erlauben würde.«

So interessant es auch sein mochte zu erfahren, wie sie auf diese Einschätzung gekommen war, verkniff sich Brunetti doch die Frage.

»Ich hörte eine Tür aufgehen, und dann sah ich durch das Oberlicht der Eingangstür, wie in dem hinteren Behandlungszimmer das Licht anging. Die Straßenlaternen blendeten mich, und ich schloss kurz die Augen, und als ich sie wieder aufmachte, war es erloschen, und nur noch das Licht von draußen fiel in die Praxis.

Ich ging nach hinten ins Schlafzimmer, um meine andere Brille zu holen, die für größere Entfernungen, konnte sie aber im Dunkeln nicht finden. Gerade, als ich Licht machen wollte, hörte ich ein lautes Geräusch, wie von splitterndem Glas. Dann ein dumpfes Krachen. Wieder am Fenster, hörte ich einen Hund bellen, dann noch einen. Sehr laut und, muss ich zugeben, richtig beängstigend.

Endlich hörte das Bellen auf, dann war es ganz still. Ich blieb am Fenster, und nach wenigen Minuten kam die Frau aus der *calle*. Und dann ... und dann«, begann sie und hob eine geschundene Hand vors Gesicht, »blickte sie auf, und ich glaube, sie hat mich am Fenster gesehen. Ich wich so schnell zurück, dass ich an den Sessel stieß und hineinfiel.

Als ich wieder aufgestanden war, war sie weg«, schloss sie ihren Bericht.

Wie immer, wenn er sich davon abhalten wollte, etwas zu sagen, begann Brunetti, innerlich langsam zu zählen, und wartete einfach darauf, dass sein Gegenüber weitersprach, dass der Bote die Nachricht überbrachte, wer die Schlacht gewonnen hatte.

Aber nichts davon geschah, und so hörte er bei siebenundzwanzig auf zu zählen und fragte so sachlich wie möglich: »Was glauben Sie, wer war die Frau?«

Signora Galvani ließ sich mit der Antwort Zeit. »Sie sah aus wie Dottoressa del Balzos Mutter«, sagte sie schließlich und sank in ihrem Sessel zurück.

Brunetti fragte verblüfft: »Woher kennen Sie die Mutter der Dottoressa?«

»Ich hatte einen Kater, voriges Jahr wurde er krank, und meine Tochter sah sich das an und meinte, es seien wahrscheinlich die Nieren; besser, ich würde ihn zur Dottoressa bringen, die sei ja gleich gegenüber. Das habe ich gemacht, und die Ärztin gab meiner Tochter recht. Überrascht hat mich das nicht, er war ja schon neunzehn, aber trotzdem, wir hatten so lange zusammengelebt …« Signora Galvani blickte auf. »Die Entscheidung fiel mir nicht leicht, aber die Dottoressa meinte, es sei am besten so.« Sie verfiel in Schweigen, und Brunetti verzog die Lippen zu einem schmerzlichen Lächeln.

»Nachdem es getan war, sagte sie, sie habe jemanden, der sich darum kümmere.« Da Brunetti sie fragend ansah, erklärte sie: »Die Leiche. Was damit getan wird.«

Er nickte.

»Ich durfte noch einmal in das Zimmer, wo … wo er war, und nahm Abschied, und als ich zurückkam, war eine Frau bei der Dottoressa, die sie mir als ihre Mutter vorstellte.«

Sie rieb sich die Augen. »Ich weinte noch. Gewiss, das ist töricht, aber neunzehn Jahre …« Sie fuhr sich mit dem Handrücken über die Augen. »Deswegen bin ich mir nicht ganz sicher, dass es ihre Mutter war. Weil ich ihr mit Tränen in den Augen nur einen kurzen Blick zugeworfen habe und dann gleich gegangen bin.«

»Würden Sie die Frau wiedererkennen, die Sie auf dem *campo* gesehen haben?«

»Sie meinen, ob ich ihre Mutter identifizieren könnte?«, fragte sie.

»Ja«, gab Brunetti zu.

»Wie gesagt: Ganz sicher bin ich mir nicht. Davon einmal abgesehen, ergibt es doch gar keinen Sinn. Warum sollte ihre Mutter einbrechen und alles kaputt schlagen?«

»Sie wissen, was passiert ist?«, fragte Brunetti.

»Ja. Es hat sich schnell herumgesprochen. Möbel zertrümmert, ein Tier verletzt.« Sie stützte auf der Lehne den Kopf in die Hand. »Keine Mutter würde so etwas tun. Nicht wahr?«

»Kaum vorstellbar«, meinte Brunetti ausweichend.

»Und wie sollte sie auch hergekommen sein?«, fragte Signora Galvani herausfordernd. »Dazu hätte sie fliegen müssen. Nachts um diese Zeit kommt man nicht auf diese Insel.«

Er stand langsam auf, entschlossen, sich nicht anmerken zu lassen, dass ihre Argumentation ihn nicht überzeugte, denn immerhin gab es den Notturno Murano, der die ganze

Nacht hindurch alle halbe Stunde von den Fondamenta Nuove ablegte.

»Trotzdem danke, dass Sie sich die Zeit genommen haben, Signora«, versuchte er, die Unterhaltung zu beenden. Als sie Anstalten machte, sich aus ihrem Sessel zu erheben, ließ er alle Abstandsregeln fahren und bot ihr spontan seinen Arm an – ihre Hand wollte er nicht nehmen aus Furcht, ihr wehzutun. Sie packte ihn mit beiden Händen am Unterarm und zog sich daran aus dem Sessel.

»Darf ich?«, fragte er und blieb neben den Büchern stehen.

Verwirrt fragte sie zurück: »Was?«

Er zeigte auf die Bücher. »Mir die mal anschauen.«

Sie machte einen Schritt zurück, neigte den Kopf und starrte ihn an, als habe er plötzlich das Kostüm gewechselt. »Ja, natürlich.«

Er bückte sich, um die Titel besser sehen zu können. Es waren hauptsächlich Gedichte, teils in Übersetzung, teils im Original. Wie seltsam, dachte er, dass ich dies für eine geeignete Methode halte, Einblick in die Seele eines Menschen zu gewinnen. Da standen Donne und Bishop auf Italienisch; Bachmann und Rilke auf Deutsch; Dickens und Wharton auf Englisch. Flaubert. Und eine zerlesene Dante-Ausgabe: die Petrocchi-Edition. Völlig verblüfft, konnte Brunetti der Versuchung nicht widerstehen, das Buch in die Hand zu nehmen. Signora Galvani sagte: »Ja, auf ihm baut alles andere auf, nicht wahr?«

Brunetti lächelte überwältigt und richtete sich auf. All diese Bücher hatten nur eins gemeinsam: das Genie ihrer Verfasser.

»Nun?«, fragte sie. »Habe ich den Test bestanden?«

Er rief sich ins Gedächtnis, dass er hier war, weil er es auf sich genommen hatte, der Tochter einer Frau zu helfen, die früher einmal gut zu ihm gewesen war. »Wenn es ein Test war, Signora«, sagte er, »hatten Sie den bereits bestanden, als Sie die Mutter einer Frau in Schutz nahmen, die gut zu Ihnen war. Die Bücher erklären lediglich, warum Sie das getan haben.«

20

Auf der Rückfahrt zu den Fondamenta Nuove über-
prüfte Brunetti im Vaporetto-Fahrplan, dass der
Notturno auf seinem Rundkurs halbstündlich auch alle
Haltestellen auf Murano anfuhr. Elisabetta hätte also tatsächlich dorthin fahren und die Praxis ihrer eigenen Tochter verwüsten können. Aber wie käme sie dazu? Wenn
jemand einen Grund hatte, auf die Dottoressa wütend zu
sein, dann die Frau von Burano, die sich einbildete, Flora
habe ihren Hund gestohlen.

Sein Handy piepte: Nachricht von Bocchese. »Jede
Menge Spuren von Menschen und Tieren. Der Bericht
liegt auf deinem Schreibtisch, aber den kannst du dir sparen: Unmöglich, dem Einbrecher auf die Spur zu kommen,
ohne die Fingerabdrücke von allen Besuchern zu nehmen.
Und von deren Tieren.«

Brunetti ging nach unten in die Kabine, wo der Moto-
renlärm weniger störte, und rief – verärgert, dass er das
nicht schon früher getan hatte – Belize nel Cuore an. Eine
muntere Frauenstimme meldete sich: »Guten Tag. Belize
nel Cuore. Was kann ich für Sie tun?«

Er antwortete auf Veneziano: »Guten Tag, Signora. Mein
Name ist Guido Brunetti. Ich bin ein alter Freund von Signora Foscarini; sie hat mich auf Ihre Stiftung aufmerksam
gemacht.« Gelogen war das jedenfalls nicht.

»Wie erfreulich, Signor Brunetti. Und womit können
wir Ihnen behilflich sein?«

»Mein Schwiegervater – er fragt mich immer um Rat, wenn er vorhat, größere Summen zu spenden – hat mich gebeten, detaillierte Auskünfte über Belize nel Cuore einzuholen.«

»Geht es um eine mögliche Zuwendung, Signore?«

»Ich denke schon«, versicherte er in hoffnungsfrohem Ton.

»Verstehe. Und wie war noch gleich der Name Ihres Schwiegervaters?«

»Den habe ich nicht genannt, Signora«, verwies er sie an ihren Platz. Nicht tadelnd, aber doch mit Nachdruck.

»Ah, verstehe«, gab sie sofort nach.

»Natürlich würde ich den Namen demjenigen nennen, der mir detaillierte Auskünfte über die Stiftung geben kann.«

»Warten Sie bitte einen Moment, Signore?«

»Selbstverständlich«, antwortete er, nun wieder freundlich.

Er hörte es klicken, gleichzeitig legte das Boot geräuschvoll den Rückwärtsgang ein und glitt an die Haltestelle Fondamenta Nuove. Mit dem Handy am Ohr stieg Brunetti die Treppe hoch und folgte den anderen Passagieren von Bord. Bevor er sich Richtung Santi Giovanni e Paolo wandte, blieb er am Rand der *riva* stehen und blickte über die Adria hinüber nach »Ex-Jugoslawien«, wie viele Leute es noch immer nannten, als koste es zu viel Mühe, sich die Namen all der Länder zu merken, die man aus dem alten Block herausgetrennt hatte. Es waren nur Berggipfel zu sehen. Brunetti hatte keine Ahnung, zu welchem Land die Berge gehörten. Albanien? Nein, das war weiter im Süden, gegenüber von Apulien. Blieb entweder Slowenien, das nur ein winziges Stückchen Küste hatte, oder Kroatien, das wesentlich besser ausgestattet war. Also vermutlich Kroatien.

»Signor Brunetti?«

»*Sì*«, sagte er.

»Unser Direktor ist im Haus und möchte Sie sprechen.«

»Oh, sehr freundlich«, sagte Brunetti.

»Einen Moment.« Wieder klickte es, und noch einmal, dann sagte eine Männerstimme: »Guten Tag, Signor Brunetti. Hier spricht Bruno del Balzo. Kann es sein, dass wir uns kennen? Haben wir, meine Frau und ich, Sie nicht vor Jahren mal bei Didovich getroffen?«

»Ja, richtig«, sagte Brunetti. »Wie schmeichelhaft, dass Sie sich daran erinnern.«

»Aber natürlich tue ich das«, sagte del Balzo in herzlichem Ton. »Elisabetta spricht oft von Ihnen. Auch wenn wir beide uns nur dieses eine Mal gesehen haben.«

»Freut mich zu hören«, erwiderte Brunetti, und es klang beinahe aufrichtig.

»Meine Sekretärin sagt, Sie interessieren sich für Belize nel Cuore?«

»Nicht ich selbst, Signor del Balzo«, stellte Brunetti möglichst offenherzig und mit allem Nachdruck klar. »Ich frage für meinen Schwiegervater.« Da er mit einem Venezianer sprach, hielt er es nicht für nötig, den Namen seines Schwiegervaters zu nennen.

»Ach, wirklich?«, sagte del Balzo. »Und woher stammt sein Interesse?«

»Er sprach kürzlich mit Freunden im Circolo dell'Unione, und einer lamentierte wie üblich über den Gang der

Welt.« Brunetti wusste, die älteren Herren vom Circolo lamentierten oft und gern.

»Hmmm«, brummte del Balzo.

»Ein anderer – Orazio meint, ein ehemaliger Offizier – fiel dem Mann ins Wort und sagte, statt immer nur zu jammern, sollten sie lieber etwas *tun*. Und dann kam er auf Ihre Stiftung zu sprechen, erzählte viel Gutes von ihr. Er empfahl Orazio, sich darüber zu informieren.«

»Das hört sich nach Capitano Pederiva an«, sagte del Balzo. »Er ist schon von Anfang an dabei.«

»Orazio hat den Namen nicht erwähnt, nur, dass derjenige Ihre Stiftung gar nicht genug rühmen konnte.«

»Und deswegen rufen Sie an?«, überging del Balzo die Lobeshymne.

»Ja. Orazio bat mich, mit Ihnen zu sprechen und ihm zu sagen, was mein Eindruck ist«, erklärte Brunetti mit dem schlichten Freimut eines ehrlichen Mannes. »Er glaubt offenbar, Polizisten könnten anderen Leuten in die Köpfe sehen.« Bestimmt hatte Elisabetta ihrem Mann schon vor langer Zeit vom erfolgreichen Aufstieg der Brunetti-Brüder erzählt: der eine Chefradiologe am Ospedale Civile und der andere Polizeikommissar. Der versteckte Hinweis auf seinen Beruf war somit ein Extra, zumal er bereits im Mantel der Ehrbarkeit auftrat, in den ihn Conte Faliers Interesse an Belize nel Cuore hüllte.

Del Balzo zögerte einen Moment. »Es ist sehr klug von ihm, Sie darum zu bitten«, begann er schließlich und fuhr in ernstem Tonfall fort: »Ich leite meine bescheidene Stiftung erst seit drei Jahren, doch habe ich in dieser Zeit so manches gehört, das mich vermuten lässt, viele wohltätige

Organisationen, die vorgeblich Menschen in Entwicklungsländern helfen, treiben in Wirklichkeit … womöglich ganz andere Dinge.« Offenbar wollte er seine Kollegen nicht unter Generalverdacht stellen, denn er brummte nur mehrmals leise vor sich hin, als widerstrebe es ihm, Beispiele zu nennen.

Brunetti wartete ein wenig, ehe er bemerkte: »Es hat dem Conte Eindruck gemacht, dass einer seiner venezianischen Mitbürger etwas so Vorbildliches leistet. Deswegen hat er mich gebeten, mit Ihnen über Belize nel Cuore zu sprechen.« Brunetti hatte sich selbst für jedes Mal, das es ihm gelingen würde, »Belize nel Cuore« ohne sarkastische Betonung des letzten Worts auszusprechen, ein Glas Grappa nach dem Abendessen versprochen.

Die Pause war diesmal noch länger, dann aber sagte del Balzo erfreut: »Ich würde sehr gern mit Ihnen sprechen.« Wieder Stille in der Leitung. Dann: »Wir entwickeln gerade einen Plan für den Bau eines neuen Kinderkrankenhauses. Vielleicht könnten wir darüber reden?«

»Das würde mich sehr interessieren«, erklärte Brunetti, und um den Druck ein wenig zu verstärken: »Meinen Schwiegervater bestimmt auch.« Hinter ihm verpatzte ein Vaporetto das Anlegemanöver und krachte mit Getöse an die Haltestelle, so kräftig, dass Brunetti es selbst aus dieser Entfernung in den Füßen spürte.

»Großer Gott, was war denn das?«

»Die Nummer 1. Der Bootsführer ist offenbar neu«, antwortete Brunetti leichthin, und in der Annahme, dass ein schlecht gelenktes Vaporetto sich anhörte wie jedes andere, erklärte er: »Ich bin am Rialto. Ich hatte hier einen Termin und überlege gerade, ob ich nach Hause oder noch einmal in die Questura gehen soll.«

Del Balzo räusperte sich und kam dann entschlossen zur Sache. »Kommen Sie doch jetzt gleich vorbei, dann können wir reden.«

Brunetti zögerte. »Das hängt davon ab, wo Sie sind. Ich habe noch einen Termin«, sagte er und sah auf die Uhr, »um sechs.«

»Campo Santi Giovanni e Paolo«, sagte del Balzo, und als ob Brunetti das nicht selber wüsste, fügte er hinzu: »Sie könnten in zehn Minuten hier sein.«

Brunetti schnalzte mit der Zunge wie jemand, der plötzlich eine Erleuchtung hat. »Das sollte zu schaffen sein. Welches Haus genau?«

Del Balzo erklärte, was Brunetti längst wusste, und sagte, er freue sich auf den Besuch.

Brunetti blieb also noch Zeit für einen Kaffee in einer der Bars am *imbarcadero*. Danach schlenderte er die Fondamenta dei Mendicanti hinunter und gelangte so direkt vor das von del Balzo genannte Haus. »Belize nel Cuore« stand auf einem der Namensschilder. Er klingelte, und schon ertönte der Summer.

In all den Jahren, die er sich schon über die Wohnung in der oberen Etage Gedanken machte, hatte Brunetti noch nicht einmal einen Blick in die Eingangshalle werfen können. Jetzt stieß er die Tür auf, fand den Lichtschalter und sah zur Rechten eine Reihe massiv vergitterter Fenster, die auf den Kanal hinausgingen. Der Boden war im üblichen schwarz-weißen Schachbrettmuster ausgelegt, die Kronleuchter hätten mal geputzt werden können, und die Holz-vertäfelung der Wände wies Spuren von Wasserschäden auf.

Die Treppe war offenbar so alt wie das Gebäude selbst, die Kanten der steinernen Stufen von Stiefeln und Schuhen im Lauf der Jahrhunderte abgewetzt. Auf dem Weg in den ersten Stock empfand er fast so etwas wie Stolz, dass diese Treppe so lange durchgehalten hatte und noch immer von Venezianern benutzt wurde.

Als er sich dem ersten Absatz näherte, fiel plötzlich aus einer Tür Licht. Die Frau im Türrahmen war dunkelhaarig und etwas älter als er selbst. »Signor Brunetti?«, fragte sie.

Brunetti bejahte und kam näher.

Die Frau hatte ein graues wadenlanges Wollkleid, flache schwarze Schuhe und ein freundliches Lächeln angelegt. »*Prego*«, sagte sie und trat zur Seite. Er ging mit einem höf-lichen »*Scusi, Signora*« an ihr vorbei, und sie schloss die Tür.

»Wenn Sie mir bitte folgen wollen, Signore. Ich bringe Sie zum Direktor«, erklärte die Frau und wandte sich mit überraschender Anmut von ihm ab. Erst als er sie von hin-ten sah, fiel Brunetti auf, wie dünn sie war, die Hüften so schmal wie ihre Schultern, die Beine kaum mehr als haut-bedeckte Knochen.

Sie führte ihn einen kurzen Gang hinunter, der, vermu-tete Brunetti, Richtung *campo* ging. Vor der Tür am Ende blieb sie stehen, klopfte zweimal, trat unaufgefordert ein, ließ ihn an sich vorbei, und wieder bat er um Erlaubnis, be-vor er eintrat. Sie schloss die Tür hinter ihm.

Bruno del Balzo saß am Schreibtisch, mit dem Rücken zum Fenster, was dem Gast einen Blick auf die Vorderfront des Ospedale Civile gewährte, die gewöhnliche Sterbliche nur vom Boden aus kannten. Brunetti befand sich nur ein Stockwerk höher, bemerkte aber, wie sehr das den Anblick der Fassade veränderte, ohne deren perfekter Asymmetrie Abbruch zu tun.

Er erkannte del Balzo sofort: Sein dichter weißer Haarschopf war einzigartig – nicht so sehr, weil er weiß war, sondern wegen seiner schier undurchdringlichen Lockenpracht. Del Balzo stand auf, kam um den Tisch herum und bedeutete Brunetti mit entspanntem Lächeln, Platz zu nehmen.

»Guten Tag, Commissario, und danke, dass Sie so kurzfristig kommen konnten«, sagte er und verschanzte sich gleich wieder hinter seinem Schreibtisch. Er wirkte jünger als damals bei ihrer Begegnung: Der Ruhestand tat ihm offensichtlich gut.

»Ich habe zu danken, Signore. Ich tue meinem Schwiegervater den Gefallen gern. Es kommt so selten vor, dass er mir die Freude macht, mich um Hilfe zu bitten, also habe ich die Gelegenheit natürlich gleich genutzt.«

Ein Lächeln erschien auf del Balzos Gesicht. Er wies auf drei Polstersessel links von seinem Schreibtisch. »Machen wir es uns bequem und sehen zu, ob ich Ihnen die gewünschten Informationen für den Conte geben kann.« Er bezog vor einem Sessel so Position, dass seinem Gast nur derjenige mit dem Ausblick blieb. Brunetti setzte sich und bemerkte, dass er, wenn er sich auch nur etwas vorbeugte, nun auch die Fassade der Basilica sehen konnte.

»Eine prachtvollere Aussicht kann sich niemand wünschen«, meinte Brunetti im Brustton der Überzeugung,

wobei er – ungewöhnlich für Vertreter seines Berufs-
stands – freimütig die Wahrheit herausposaunte.

»Und was ist mit der Aussicht auf den Canal Grande?«,
fragte del Balzo und ließ damit durchblicken, dass er Brunettis Schwiegervater kannte und wusste, wo er wohnte.

»Genauso prachtvoll, aber leider zu postkartenmäßig.«

Del Balzo konnte sich ein Lachen nicht verkneifen und
meinte dann: »Ich hoffe, das haben Sie Ihrem Schwiegervater nicht so gesagt.«

»Hätte ich es getan«, gab Brunetti zurück, »hätte er mich
nach Sardinien versetzen lassen, und ich wäre jetzt nicht
hier.«

»Aber Sie sind hier«, nahm del Balzo den Ball wieder
auf, »und ich kann die Gelegenheit nutzen, Ihnen Auskunft
über Belize nel Cuore zu erteilen.«

»Der Conte wird sich freuen.«

Del Balzo erhob sich lächelnd: »Zunächst möchte ich
Ihnen unsere Broschüre überreichen.« Er öffnete eine
Schreibtischschublade und nahm ein Heft heraus, groß wie
eine Zeitschrift, aber wesentlich dünner.

Er reichte es Brunetti und nahm wieder Platz. Das Foto
auf dem Umschlag zeigte die Front eines modernen vierge-
schossigen Gebäudes. Über dem Eingang – zwei Glasschiebetüren, flankiert von weißen dorischen Säulen – prangte
ein Schild mit der Aufschrift »Saint Peter's Hospital« in
roten Buchstaben auf blauem Hintergrund mit schmalen
roten Streifen oben und unten. Brunetti, der ein wenig re-
cherchiert hatte, entging nicht die Ähnlichkeit mit der Lan-
desflagge von Belize.

Vor dem Gebäude eine weite Rasenfläche mit Palmen

und anderen, nicht zu erkennenden Bäumen, links ein betörend buntes Blumenbeet, aus dem eine kleine Zierpalme ragte.

Brunetti schlug das Heft auf und sah die Namen des Medizinischen Direktors, der Chefärzte der einzelnen Abteilungen sowie von über zwanzig Fachärzten. Er blätterte weiter und sah die üblichen Fotos: ein paar Sprechzimmer, ein OP im laufenden Betrieb – drei Weißgekleidete, darunter eine Frau, im Kreis angeordnet um den abgedeckten Patienten –, Einzelzimmer, Zweibettzimmer, ein großes Labor, in dem Mitarbeiter in weißen Kitteln sich geschäftig über Mikroskope beugten, eine blitzblanke Küche und eine Art Gemeinschaftsraum für Patienten, alle gesund und munter.

So etwas hatte er schon oft gesehen, in Prospekten von Krankenhäusern, Pflegeheimen und Privatkliniken. Dazu »höchste Standards«, »Engagement für das Wohl der Patienten«, »staatlich geprüft« und ähnliche Phrasen. Die Hautfarben der Personen auf den Fotos waren nahezu perfekt verteilt: halb schwarz, halb weiß.

Brunetti blickte auf und bemerkte lächelnd: »Ich sehe die Faliers noch heute Abend, dann kann ich dies meinem Schwiegervater aushändigen.«

Er rutschte scheinbar nervös in seinem Sessel herum und fügte hinzu: »Mein Schwiegervater interessiert sich allerdings auch für die steuerlichen Aspekte einer möglichen Spende an Ihre Stiftung.«

»Natürlich, natürlich«, sagte del Balzo. »Die sollte er unbedingt berücksichtigen.« Er lehnte sich zurück und schlug die Beine übereinander, wie Brunetti es oft bei Leuten beobachtet hatte, die Zuversicht ausstrahlen wollen, als wäre lässige Haltung gleichbedeutend mit gutem Gewissen.

Del Balzo begann seinen Vortrag, doch Brunetti hörte nicht zu, sondern beobachtete den Mann nur, ein Verfahren, das er sich in langen Jahren angewöhnt hatte – bei Verhören, bei Zeugenaussagen, oder manchmal auch, wenn seine Kinder ihre Schulnoten zu erklären versuchten. Oft verriet irgendein Körperteil – ein Fuß, ein Finger, bisweilen sogar die Nase – mit einer unbewussten Regung, was wirklich in dem Sprecher vor sich ging; dazu kam, dass ein Zuhörer, der nicht zuhörte, automatisch dagegen gefeit war, sich von Schmeicheleien oder wichtigtuerisch vorgetragenen Zahlen beeindrucken zu lassen. Er sah dem anderen nur zu und forschte nach Hinweisen, ob das, was er sagte, nicht dem entsprach, was er wusste.

Brunetti, nicht abgelenkt von den Worten oder deren Bedeutung, beobachtete den Mann genau, und bald fiel ihm auf, dass del Balzos Daumen seinen Ehering ständig im Kreis um den Finger schob.

Nach einigen Minuten schaltete der Commissario sein Gehör wieder ein. Del Balzo kam gerade zum Schluss: »Er wäre also berechtigt – vielleicht interessiert ihn das ja –, einen Teil des Spendenbetrags von seinen steuerpflichtigen Einkünften abzuziehen.«

Brunetti signalisierte mit breitem Lächeln, wie sehr ihn del Balzos Ausführungen fasziniert hatten. »Ich möchte meinen, das dürfte jeden interessieren, Signore«, sagte er strahlend.

»Allerdings«, antwortete del Balzo grinsend. »Und obendrein unterstützt er damit eine gute Sache. Ich habe die Klinik schon mehrmals besucht und war jedes Mal beeindruckt, wie vorbildlich dort gearbeitet wird.« Zögernd, als könne er nicht umhin, stets die volle Wahrheit zu sagen, fügte er hinzu: »Natürlich sind die Behandlungsmethoden nicht auf demselben Stand wie zum Beispiel drüben in …« Er schwenkte die Hand in Richtung Mestre und das dortige Krankenhaus, und Brunetti fragte sich, warum er nicht über den *campo* auf das Ospedale Civile wies.

»Das darf man nicht erwarten«, erklärte del Balzo, »auch wenn viele ihrer Ärzte in Europa studiert haben.« Er schüttelte sich kaum merklich. »Aber verglichen mit den anderen Krankenhäusern in Belize hat Saint Peter's hervorragende medizinische Dienstleistungen zu bieten. Ich muss gestehen«, fuhr del Balzo fort, »ich bin nicht vom Fach, aber die Klinik genießt unter der Ärzteschaft einen sehr guten Ruf und hat bisher jede amtliche Inspektion mit Bravour bestanden.«

Brunetti nickte, wie es offenbar von ihm erwartet wurde.

»Gut«, sagte er und hielt die Broschüre hoch, »könnten Sie veranlassen, dass meinem Schwiegervater alle wichtigen Unterlagen geschickt werden … unter anderem diese amtlichen Inspektionsberichte?«, fragte er, als glaube er im Ernst, dies seien Dokumente, aus denen die Wahrheit spreche – oder zumindest Dokumente, denen sein Schwiegervater Vertrauen schenken dürfe.

Del Balzo erwiderte lächelnd: »Ich habe ein vollständiges Dossier, dreißig Seiten lang: Da ist alles drin, unter anderem die Bescheinigungen des Gesundheitsministeriums und die Planungsunterlagen für die Kinderklinik. Meine Sekretärin wird es Ihnen morgen schicken.«

»Gut. Schicken Sie es doch gleich meinem Schwiegervater. Ich gebe ihm heute Abend Bescheid, dass es unterwegs
ist.« Er wagte einen Scherz: »Falls man das von irgendetwas
sagen kann, das man der Post anvertraut hat.«

Taub gegen die Ironie, stellte del Balzo eilig klar: »Ich
hatte eigentlich vor, es ihm per Mail zu schicken.«

»Ah, natürlich«, sagte Brunetti und überspielte seine
Blamage mit einem unbeschwerten Lächeln. »Ich fürchte,
in manchen Dingen lebe ich noch in der Vergangenheit.
Wenn ich das Wort ›schicken‹ höre, denke ich immer noch
an die Post.« Del Balzo lächelte nachsichtig, und wie immer
nahm Brunetti zufrieden zur Kenntnis, wie leicht er andere
von seiner Dummheit überzeugen konnte.

Er stand auf, wobei ihm die Frage durch den Kopf ging,
woher del Balzo die Mailadresse des Conte kannte.

Im Bewusstsein, dass ihr Gespräch sich strikt innerhalb
der Grenzen der Höflichkeit bewegt hatte, verabschiedete
er sich förmlich: »Das wäre sehr freundlich von Ihnen, Signor del Balzo.«

Del Balzo begleitete ihn zur Tür. »Ich erwarte dann also
Nachricht von Conte Falier«, ließ del Balzo an seinem Op-
timismus keinen Zweifel.

21

Nach dem Abendessen verzogen sich die Kinder zum Lernen in ihre Zimmer, und Brunetti fragte Paola, ob sie Zeit und Geduld habe, sich anzuhören, was alles geschehen war, seit seine alte Freundin Elisabetta ihm in der Questura von den Eheproblemen ihrer Tochter erzählt hatte.

Er versuchte, sich an die chronologische Reihenfolge zu halten, spürte aber bald, dass der Plot seiner Geschichte – falls es einen gab – eher dem Pfad der Kugel in den Flipperautomaten folgte, die ihm so viele Stunden seiner Jugend gestohlen hatten. Einmal ins Spielfeld geschossen, trat die Kugel den Weg zwischen den überall lauernden Fallen und Hürden nach unten an. Flipper und Bumper verhinderten, dass die Kugel allzu schnell in einem der vielen Löcher verschwand; gewiefte Spieler blieben ruhig und verließen sich auf ihre Geschicklichkeit; dreistere Spieler schlugen an die Seiten des Automaten oder hoben den ganzen Kasten an, um die Kugel wieder nach oben zu befördern. Damals hatte ihn dieses Spiel mit seinen nie absehbaren Niederlagen und Triumphen begeistert. Bis es das eines Tages nicht mehr tat und er damit aufhörte.

Elisabetta hatte mit ihrem Besuch den Plunger betätigt und eine Kugel ins Spielfeld geschossen, eine Kugel, die er schließlich als Belize nel Cuore identifizierte. Auf dem Weg nach unten wurde sie erst von einem Kicker aus der Bahn geworfen – Vizeadmiral Fullin, der wirres Zeug redete –, dann von einem Bumper gestoppt, einem Mann, der ein Dokument unterzeichnete und starb. Und dann kam eine neue Kugel ins Spiel und verwüstete – ungebremst von Flippern, Bumpern und Kickern – Flora del Balzos Praxis. Mit dem Spielfeld stimmte etwas nicht, und Brunetti empfand den starken Wunsch, das ganze Ding hochzuheben und kräftig durchzuschütteln.

Als Nächstes erzählte er von dem blutverschmierten Hund und kam zu dem Schluss, dass Elisabettas Tochter wirklich nicht wusste, was da vor sich ging, sondern nur spürte, ihr Mann war dermaßen gestresst, dass ein simpler Touristenprospekt ihn völlig aus der Fassung bringen konnte. Dies wiederum machte es nötig, Paola von Fenzos Reaktion beim Blick in das Schaufenster des ehemaligen Reisebüros am Campo Manin zu berichten.

»Das war noch nicht alles«, sagte er und nippte an dem Grappa, den er sich an diesem Tag verdient hatte, »aber so ziemlich das Wichtigste.«

Paola, die sich immer für die geheimen Triebfedern einer Geschichte interessierte, schenkte sich ebenfalls einen Hauch Grappa ein und meinte: »Die Frage ist also: *Warum* geschieht das alles?«

Er horchte auf, überlegte kurz und antwortete: »Ich vermute, irgendwie wird damit Geld außer Landes geschafft.«

Sie stellte ihr Glas ab. »Erzähl.«

»Henry James hat jedenfalls nie darüber geschrieben«, begann Brunetti, um die Stimmung aufzuhellen, und stellte sein Glas neben ihres.

»Führe mich nicht in Versuchung«, erklärte sie und ließ die letzten Tropfen Grappa in die beiden Gläser rinnen. »Gott segne Endrizzi.« Sie stellte die leere Flasche auf den Tisch. »Ich bin Akademikerin«, meinte sie schließlich. »Was Geld außer Landes schaffen betrifft, weiß ich nur, dass mein Vater jedes Mal zittert, wenn er mehr als zehntausend Euro an eine Bank im Ausland überweisen muss. Er sagt, damit könne man sich verdächtig machen, und das will er unter keinen Umständen.« Sie legte die Füße aufs Sofa. »Ich glaube, zurzeit ist so viel Geld in Umlauf, dass die meisten Transaktionen unbemerkt bleiben, es sei denn, man überweist sich selbst hunderttausend Euro auf das eigene Konto in der Karibik.«

Statt dazu etwas zu sagen, schob Brunetti den Ärmel hoch und fragte: »Lust auf einen Spaziergang?«

»Es ist nach zehn, Guido.«

»Angst, überfallen zu werden?«

»Sehr witzig. Wo möchtest du hin?«

»Campo Manin.«

Sie sprang auf und war schon vor ihm an der Tür.

Brunetti und Paola brauchten fünfzehn Minuten. Dort angelangt, passierten sie die Cassa di Risparmio, deren Hässlichkeit von der Dunkelheit gedämpft, aber nicht ausgelöscht wurde, und hielten sich links. Brunetti sprach es Paola gegenüber nicht aus, aber er kam sich vor wie bei einer Autopsie, oder genauer, wie in der Leichenhalle des Ospedale. Tote Geschäfte säumten den Campo bis zum Kanal. Ein toter Asia-Imbiss, ein totes Sportartikelgeschäft, ein toter Kleiderladen mit zwei toten Schaufensterpuppen, und schließlich das tote Reisebüro. Zum Glück haben Geschäfte keine Füße, sonst hätte jedes von ihnen ein Schildchen am linken großen Zeh gehabt, mit Name, Alter und mutmaßlicher Todesursache. Die hier am *campo* waren alle an Covid gestorben.

Die Schaufensterpuppen im Reisebüro trugen immer noch Badeanzüge und Sandalen, doch nach Monaten in der Sonne war ihre Haut abgeblättert und lag ihnen in grauen Häufchen zu Füßen. Brunetti hatte eine Taschenlampe mitgenommen und leuchtete damit zum Fenster hinein, auf der Suche nach den Broschüren, die er bei früherer Gelegenheit dort am Boden gesehen hatte. Schließlich entdeckte er sie, dicht aneinandergedrängt, auf halbem Weg in den rettenden Schatten des Verkaufstischs vom Tode ereilt. Da waren sie, hingestreckt, gegeißelt von der Sonne: Griechenland mit fast weiß gebleichtem Meer, drei kuwaitische Albinokamele, Wolkengespenster über einem namenlosen Ort auf dem Umschlag eines Prospekts, der dicht am Fenster gelandet war und folglich mehr Stunden in der Sonne verbracht hatte als die anderen, und dann endlich, hinter einem mit Palmen bestandenen Rasen, ein weißes vierstöckiges Gebäude, über dessen Eingang – zwei Glasschiebetüren, flankiert von weißen dorischen Säulen – ein verblichenes Schild hing: Hotel des Bains.

Er hielt den Lichtstrahl so lange darauf gerichtet, dass Paola schließlich fragte: »Was ist das?«

Er schaltete die Taschenlampe aus und steckte sie ein. »Der Beweis.«

In der Nacht grübelte Brunetti lange darüber nach, wie er überzeugend nachweisen konnte, dass das Foto des für eine Klinik ausgegebenen Hotels – oder genauer des mit Photoshop zur Klinik umgemodelten Hotels – der Beweis für den wahren Zweck von Belize nel Cuore war.

Mit diesem Projekt hatte Enrico Fenzo seine Karriere als *ragioniere* begonnen, als man ihn gebeten hatte, bei der Gründung einer wohltätigen Stiftung zu helfen – und gab es vertrauenswürdigere Klienten als die eigene Familie? Brunetti fragte sich, wann Fenzo zum ersten Mal der Verdacht gekommen war, dass bei den Geschäften seines Schwiegervaters nicht alles mit rechten Dingen zuging. Kein Wunder, dass Fenzo so bald wie möglich aufgehört hatte, für del Balzo zu arbeiten. Seiner Frau konnte er nicht sagen, was ihr Vater im Schilde führte, er konnte nur vorsichtig von del Balzo abrücken und hoffen, dass seine anfängliche Mitarbeit an der Stiftung nach und nach in Vergessenheit geraten würde. Die Kirchturmglocken schlugen Stunde um Stunde, und Brunetti kam von der Frage nicht los, warum Fenzo beim bloßen Anblick des Fotos auf dem Reiseprospekt in Panik geraten war.

Gerade als ihn der Schlaf übermannen wollte, suchte ihn die Erinnerung an Vizeadmiral Fullin heim. Irgendetwas war ihm aufgefallen an diesem Mann, der bald an-, bald abwesend schien, der sich von einer ausdruckslos vor sich hin starrenden Statue in jemanden verwandeln konnte, der – wenngleich quälend langsam im Denken und Handeln – das Geschehen in seiner Umgebung immer noch wahrnahm.

Zum Beispiel hatte Fullin erkannt, dass der Orden an Brunettis Brust ebenso vom Militär stammte wie seine eigenen. Brunetti dachte an das Foto des Vizeadmirals, an die vielen Orden, die an seiner Uniformjacke prangten. Er hatte die Uniformen der Marine immer bewundert: Wie clever, sie aus weißem Tuch zu machen, damit die hübschen Klunker, für die so viele ihr Leben gaben, desto besser leuchteten.

Das weiße Tuch lenkte Brunettis Gedanken auf andere weiße Dinge: Schnee, Tauben, Bräute, Papier, Aspirin. Er schlug die Augen auf und sammelte sich: Papier. Papier. Brief. Girolamo hatte von einem zerfetzten Brief gesprochen, der seinen Großvater gegen seinen Freund und Kameraden Capitano Pederiva aufgebracht hatte. Brunetti wälzte sich herum, sah nach dem Wecker, und natürlich war es genau drei. Hatte er jemals des Nachts zu einer anderen Zeit auf die Uhr gesehen? Kamen beunruhigende Nachrichten und dringende Anrufe je zu einer anderen Zeit? Er hatte einmal gelesen, dass Mandelstam immer einen gepackten Koffer neben der Tür stehen hatte, bereit für das Erscheinen des KGB, der grundsätzlich bei Nacht kam. Und der dann auch gekommen war.

Was für ein dummer Fehler, den jungen Mann nicht gefragt zu haben, ob er den Brief behalten habe. Er drehte sich auf den Bauch und legte einen Arm auf Paolas Rücken; dass sie davon wach würde, brauchte er nicht zu befürchten. Vizeadmiral Fullin könnte mit seinem Zerstörer im Canal Grande am Ende ihrer *calle* vor Anker gehen und zwanzig Schuss Salut abfeuern, ohne Paolas Schlaf der Gerechten zu stören.

Um neun brachte Paola ihm Kaffee und sagte in seinen mühsam erwachenden Verstand hinein: »Ich gehe zum Markt am Piazzale Roma. Möchtest du fürs Essen heute Abend etwas Bestimmtes?«

Zu früh am Tag, jetzt schon ans Abendessen zu denken. »Was immer du willst, Paola«, sagte er.

Paola schlug sich an die Brust und meinte mit erstickter Stimme: »Herrjemine.«

»Was ist?«, fragte Brunetti alarmiert zurück.

Sie ließ die Hand sinken. »In all den Jahren, die ich dich kenne, schlägst du zum ersten Mal die Gelegenheit aus, dir zum Abendessen etwas zu wünschen.« Sie wandte sich ab und ging.

Werden andere Männer auch so schmählich behandelt?, fragte er sich. In den eigenen vier Wänden? Ja, im eigenen Bett? Er lachte laut auf und ging, immer noch lachend, ins Bad und unter die Dusche.

Bevor er sich anzog, warf er einen Blick aus dem Fenster und öffnete sicherheitshalber die Balkontür. Die kühle Luft, die ihn begrüßte, ließ ihn seine erste Wahl überdenken und einen dunkelblauen Anzug wählen, den er vor Jahren in Mailand entdeckt hatte, als er während eines vom amerikanischen Konsulat veranstalteten Symposiums zur Terrorgefahr für die Zivilbevölkerung Italiens einmal kurz an die frische Luft gegangen war.

Er hatte das Geschäft betreten, den Anzug anprobiert und zuversichtlich seine Kreditkarte gezückt, überzeugt, dass der Kaufbetrag locker von den Tagesspesen gedeckt würde, mit denen die Amerikaner italienische Polizeikommissare in ihr Symposium lockten. Für ihn war das sein »amerikanischer Anzug«, weshalb er dazu stets ein weißes Hemd und eine rote Krawatte trug.

Bevor er sich auf den Weg machte, rief er die Contessa

an und bat sie um die Handynummer von Girolamo Fullin. Dann wählte er die Nummer, meldete sich mit Namen und fragte den jungen Mann, ob der zerrissene Brief, den er von Capitano Pederiva bekommen habe, noch in seinem Besitz sei. Selbstverständlich werde er warten, während Girolamo ihn suchen gehe.

Girolamo legte sein Handy geräuschvoll ab, war aber gleich wieder da und sagte, er habe den Brief gefunden, in vier Stücken, ein wenig verknittert, aber noch lesbar.

»Sie haben ihn nicht gelesen?«, fragte Brunetti.

Es entstand eine Pause, deren Anlass – verblüfftes Schweigen – Brunetti erst verstand, als Girolamo antwortete: »Er ist nicht an mich adressiert, Signore.«

»Ich verstehe«, sagte Brunetti leise. »Wenn ich Ihnen versichere, dass ich den Brief sehen möchte, um Ihrem Großvater zu helfen und möglicherweise seine Ehre zu retten – würden Sie mir die vier Teile dann geben?« Junge Leute, wusste Brunetti, glaubten an Dinge wie das Ehrgefühl.

Er konnte sich gut vorstellen, was in dem jungen Mann vorging, wie er sich alles ins Gedächtnis rief, was er über Brunetti gehört oder an ihm beobachtet hatte, und dazu das Vertrauen der Contessa in die Waagschale warf. Und da Girolamo jung war, kam die Antwort bald: »Ja. Soll ich sie Ihnen bringen, Signore?«

Ohne sich näher zu erklären, sagte Brunetti: »Ja, bitte. Das wäre sehr freundlich. In zehn Minuten, im Caffè del Doge?«

»Gut«, sagte Girolamo. »Wir sehen uns dort.«

Dann rief Brunetti noch schnell den Bruder eines Freundes an und fragte, ob der ihm aus den Unterlagen der Marine die Handynummer eines pensionierten Capitano Pederiva, wohnhaft in Venedig, heraussuchen könne.

»Nichts leichter als das«, sagte Timoteo und legte auf.

Da ihm noch Zeit blieb, ging Brunetti langsam die Treppe hinunter und spähte unten in den Briefkasten. Der schien leer zu sein, wie so oft in diesen Tagen. Wessen Briefe werden wir in Zukunft noch lesen?, fragte er sich. Vielleicht werden wir sie gar nicht vermissen. Schrieb Seneca nicht in einem, erst wenn wir uns von Dingen getrennt haben, erkennen wir, wie überflüssig sie waren?

Während der Pandemie waren er und Paola kein einziges Mal im Kino gewesen, und es hatte ihm kein bisschen gefehlt. Wochenlang hatten sie keine gedruckte Zeitung bekommen und stattdessen die Online-Ausgabe gelesen. Die Schulen waren monatelang zu, und die Kinder wurden davon nicht dümmer. Alles, was die Stadt wirklich vermisste, waren die Touristen.

Er betrat die um zehn Uhr morgens fast leere Bar. Girolamo stand an der Theke. Brunetti gesellte sich zu ihm, bat um einen Kaffee und fragte: »Wie geht es Ihrem Großvater?«

Der Jüngere griff nach seiner Tasse, stellte sie aber, ohne zu trinken, wieder hin. »Danke, heute sieht es gut mit ihm aus.«

»Für Ihre Großmutter muss das schrecklich sein«, sagte Brunetti, und als sein Kaffee gekommen war, fügte er hinzu: »Meine Mutter war eine Zeit lang im Ca' di Dio.«

»Ist das jetzt nicht ein Hotel?«, fragte Girolamo und nippte an seinem Kaffee.

Brunetti verkniff sich die Gegenfrage: »Was sonst?«, und nickte nur. »Sie war dort glücklich. Anfangs. Die Schwestern haben sie sehr gut behandelt. Waren immer für sie da. Aber sie hat sich verändert.«

Um von diesen Gedanken loszukommen, wechselte er das Thema. »Ursprünglich war es eine Herberge für Pilger ins Heilige Land.«

»Wann war das?«, fragte Girolamo wissbegierig.

»Im 12. Jahrhundert, glaube ich; oder noch früher.«

Girolamo sah auf und blickte sich um: Tische, Stühle, eine gigantische Kaffeemaschine, zwei Fußballtrikots an der Wand. »Und tausend Jahre später sind wir hier, in derselben Stadt, und trinken Kaffee.« Er schob seine leere Tasse beiseite.

Neben ihm auf der Theke lag der aktuelle *Gazzettino*. Girolamo zog eine dunkelrote Plastikmappe aus der Zeitung hervor und gab sie Brunetti: »Ich wollte nicht, dass der Brief noch mehr beschädigt wird.«

Brunetti nahm die Mappe, ohne sie aufzuschlagen, und dankte dem jungen Mann. »Was soll ich damit machen, nachdem ich ihn gelesen habe?«

»Wenn Sie denken, mein Großvater würde ihn gern wiederhaben, könnten Sie ihn mir zurückgeben.«

»Und wenn nicht?«

»Falls er ihn nicht betrifft, behalten Sie ihn oder geben ihn dem Capitano. Er hat ihn meinem Großvater gezeigt, also war er vermutlich der Empfänger.« Er sah Brunetti in die Augen. »Da ist etwas, das Sie vielleicht wissen sollten.

Als ich den Capitano hinausbrachte, weinte er.« Er unterbrach sich und bat die Frau hinter der Theke um ein Glas Wasser.

Girolamo trank es aus und fuhr fort: »Ich hatte noch nie einen Mann weinen sehen. Es hat auf mich gewirkt, als sei er wütend und beschämt zugleich.«

Brunetti, der schon manchen Mann hatte weinen sehen, nickte.

»Und er hat ständig gejammert: ›Das wusste ich nicht. Das wusste ich nicht‹, wollte aber nicht sagen, was er nicht gewusst hatte, und ich …, ich hatte Angst, ihn danach zu fragen.«

Bevor Brunetti noch irgendetwas dazu einfiel, griff der junge Mann nach der Mappe, legte sie in die Zeitung zurück und schob sie ihm hin. »Die Zeitung ist nur zum Schutz. Ich habe sie schon gelesen.« Lächelnd fügte er hinzu: »Ich war fünf Minuten vor Ihnen hier, und das war Zeit genug.« Er wünschte Brunetti einen guten Tag, ließ ein paar Münzen auf der Theke und ging hinaus.

22

Von innerer Unruhe getrieben, nahm Brunetti die Nummer 2 bis San Zaccaria, obwohl er so auch nicht schneller war. Immerhin vermittelte ihm das Vaporetto ein Gefühl von Vorwärtskommen, und genau das brauchte er. Von der Schönheit des Tages bekam er kaum etwas mit, so sehr glühte er vor Erwartung, endlich einen handfesten Hinweis zu bekommen und nicht wie bislang bloße Andeutungen zu Vorgängen und Motiven.

Natürlich, einen Brief konnte man so oder anders auslegen, aber zumindest handelte es sich um etwas Schriftliches, dessen Wortlaut sich nicht änderte, nur weil der eine sich so und ein anderer sich anders erinnerte. Auch wenn Brunetti seit Jahrzehnten mit einer Frau verheiratet war, für die die meisten Texte mehrdeutig waren und interpretiert werden mussten, hielt er für sein Teil sich an das, was da stand.

Er ging direkt in sein Büro und machte die Tür hinter sich zu. Dort warf er die Zeitung auf den Stuhl und räumte erst einmal seinen Schreibtisch auf, schob alle Dokumente und Aktenordner nach hinten, den Computermonitor und alles andere zur Seite, bis er eine Fläche etwa von der Größe einer aufgeschlagenen Zeitung freigeschaufelt hatte.

Er legte die Mappe in die Mitte der leeren Fläche, die Zeitung auf den Boden und setzte sich. Dann ließ er die Papierstücke auf den Schreibtisch gleiten und warf die Mappe auf die Zeitung. Der Brief war in vier Stücke gerissen, alle fast gleich groß. Auch wenn er wusste, dass es töricht war, auf Fingerabdrücke Rücksicht zu nehmen, nachdem dieser Brief durch so viele Hände gegangen war, berührte er die einzelnen Teile nur am äußersten Rand, als er nachsah, ob auf der Rückseite auch etwas stand. Dies war nicht der Fall, und jetzt legte er sie hin und betrachtete sie genauer. Sie glichen vier Bruchstücken eines riesigen rechteckigen Kartoffelchips, jedes mit zwei glatten und zwei rauen Kanten; alle zerknittert.

Den Brief zusammenzusetzen war ein Kinderspiel: vier Ecken und ein paar Dutzend Zeilen Text.

Der Absender verblüffte ihn: Palazzo Dandolo, Campo Santi Giovanni e Paolo, mit einer sehr hohen Hausnummer in Castello. Wie seine Mutter in Augenblicken großer Überraschung flüsterte er: »Maria Vergine«, denn dies war die Adresse des Büros von Belize nel Cuore und auch die von Signor Bruno del Balzo.

Er sah nach der Stelle, wo normalerweise die Anschrift des Empfängers stehen würde, aber da stand nur die Anrede: »Lieber Giovanni«, vermutlich der Vorname von Capitano Pederiva.

Er las weiter: »Ich hoffe, es geht Dir gut, und Du schreibst fleißig an Deinen Memoiren. Ich möchte Dich in diesem hehren Unterfangen bestärken, denn mir liegt sehr daran, dass der Einsatzwille von Männern Deines Schlags, die sich so selbstlos für das Wohl unseres Landes eingesetzt haben, endlich einmal dokumentiert wird. Du hast Jahrzehnte in diesem Dienst verbracht, von der Pike auf gedient und mit der Ernennung zum Capitano Dein Lebensziel erreicht, leuchtendes Vorbild derer, die unermüdlich für die Sicherheit unserer Bürger tätig sind.

Wie Du weißt, hat auch unser gemeinsamer Freund Matteo Fullin sich in seiner langjährigen Karriere beharrlich für die Sicherheit seiner Mitmenschen eingesetzt. In diesem neuen Abschnitt seines Lebens gilt seine Aufmerksamkeit nun vornehmlich den Bürgern von Belize – einem Land, das ihm sehr am Herzen liegt. Ich habe ihn gestern besucht, und wir haben miteinander gesprochen, denn Matteo sind immer noch manche Stunden vergönnt, in denen er die Weitsicht und Tatkraft aufzubringen vermag, die wir so viele Jahre lang an ihm bewundert haben.

Ich erzählte ihm von meinen Plänen zur Erweiterung der Klinik, der Du so treu verbunden bist, und er machte mir Mut, Dich um Unterstützung dieses Projekts zu bitten. Er rühmte Deine Großherzigkeit mit Worten, die ich Dir lieber vorenthalte, um Dich nicht in Verlegenheit zu bringen. Es gibt wenige Menschen, die Matteo mehr bewundert als Dich, sowohl für Deine Dienste in der Marine als auch für Deine außerordentliche Freigebigkeit.

Er schien mir bei sehr guter Gesundheit zu sein und erfreut sich wie eh und je der Fürsorge und Liebe seiner Frau Antonia. Ich wünsche den beiden aus tiefster Freundschaft und Achtung von ganzem Herzen alles erdenklich Gute.

In der Hoffnung, bald von Dir zu hören, Giovanni, verbleibe ich hochachtungsvoll«, und dann die schlichte Unterschrift: »Bruno«.

Brunetti rief sich die Szene ins Gedächtnis, von der Girolamo erzählt hatte: wie der Vizeadmiral seinem Freund den Brief aus der Hand gerissen und zornbebend wie König Lear wegen eines Verrats getobt hatte, den er nicht benennen konnte, vielleicht nicht einmal klar durchschaute. Was oder wie viel von dem Brief hatte er verstanden? Hatte sein Freund ihn ihm vorgelesen? Oder hatte es gereicht, del Balzos Namen unter einem Brief zu sehen, in dem von ihm die Rede war? Oder überhaupt irgendeinen Brief in Sachen der Stiftung zu sehen, die der Vizeadmiral mitgegründet hatte?

Fullins Ausbruch ließ sich ohne Weiteres als Zeichen der Demenz deuten, die den Geist des Vizeadmirals anfallsweise trübte. Seine Familie sagte, er habe immer noch »gute Tage«, da sei er wieder »der Alte« – aber was hieß das schon? Wann hatte man ihn zuletzt als »den Alten« gesehen? Und was war ein »guter Tag«?

Wie Brunetti jetzt sah, war der Brief vor einem Monat geschrieben worden, also bevor Elisabetta ihn aufgesucht hatte und vor dem Einbruch in Flora del Balzos Praxis. Signorina Elettra hatte sich noch nicht gemeldet, er wusste also noch nichts über Art oder Ausmaß der Spenden an die Stiftung – Spendengelder, die längst für Yogastunden und Tauchunterricht ausgegeben worden waren, ganz zu schweigen von Berluti-Schuhen zu zweitausend Euro das Paar. Konnten neue Schuhe einen Mann wirklich dazu verführen, so viel aufs Spiel zu setzen: seine ältesten Freundschaften, seine Ehe, Ansehen und Ehre?

Der Brief hatte Brunetti nervös gemacht, und jetzt las er ihn noch einmal. Dabei fiel ihm der Widerspruch zwischen der schwerfälligen Förmlichkeit und dem zwanglosen Gebrauch des »Du« auf. »Unmöglich«, flüsterte er, solch ein »Du« zusammen mit dieser steifen, geschraubten Ausdrucksweise und der plumpen Anspielung auf alte Zeiten.

Würde ein Mann, selbst ein Geschäftsmann, einem alten Freund so schreiben?

Sein Telefon klingelte; auf dem Display erschien Signorina Elettras Handynummer. »Ja?«, meldete er sich.

»Guten Morgen, Commissario«, sagte sie. Im Hintergrund hörte Brunetti eine krächzende Lautsprecherdurchsage, etwas mit »Roma« und »eine Stunde und …«, und dann einen schrillen Pfiff.

»Sind Sie am Bahnhof?«

»Ja. Ich hole einen Freund ab, aber der Zug hat Verspätung.«

»Kann ich Ihnen irgendwie helfen?«, fragte er und überlegte, ob er ihr Foa mit dem Boot schicken könnte.

»Nicht nötig, Signore. Es wartet schon ein Boot auf mich.«

»Ah«, sagte er und fragte nicht weiter nach.

»Ich wollte Ihnen nur sagen: Schauen Sie in Ihren Ausgangskorb, unter der Broschüre für neue Pistolen.«

Ihr Wort war ihm Befehl. Er stand auf, langte über den Tisch nach der Broschüre und warf sie beiseite, ohne die dunkelgraue Pistole auf dem Cover eines Blicks zu würdigen. Darunter lagen ein paar lose zusammengeheftete Blätter. Er nahm sie und las ihr den Titel auf dem Deckblatt vor: »›*Fälle von Viehdiebstahl (einschließlich Geflügel) in der Provinz Venezia, 2016–2018.*‹ Meinen Sie das?«

»Ja, Commissario«, sagte sie, »aber Moment mal« – wieder dröhnte die Lautsprecherdurchsage: »Bahnsteig 3, Ankunft Freccia Rossa aus Rom mit einer Verspätung von einer Stunde und dreiundvierzig Minuten.« Dann konnte Signorina Elettra weitersprechen: »Sie wollten das doch sehen, Signore. Ich komme heute nicht mehr ins Haus, also habe ich es Ihnen gut getarnt auf den Tisch gelegt.« Bevor er etwas sagen konnte, war sie weg.

Er schob die Brieffetzen in die Plastikmappe zurück und ließ diese in seiner Schublade verschwinden.

Dann griff er nach dem Bericht über Viehdiebstahl, entfernte Heftklammer und Deckblatt und überflog die erste Seite: drei Spalten, überschrieben mit »Datum«, »Betrag« und »Von«. Es folgten sechs weitere eng bedruckte Seiten, am Ende das Datum des letzten Eintrags: vor zwei Monaten.

Er begann systematisch von vorn: An demselben Tag im März, an dem die Stiftungsdokumente für Belize nel Cuore unterzeichnet wurden, war die erste Spende eingegangen, 2000 Euro von del Balzo. Eine Woche später 350 von einem Mann aus Cannaregio. Zwei Wochen danach 200 von einer Frau aus Castello. Es folgten immer wieder kleine Beträge: fünfzig Euro, fünfundzwanzig, dreißig, einhundert, manchmal mehr, meist aber weniger.

Kein sehr verheißungsvoller Anfang, aber wenn das Geld für ein armes Land bestimmt war, ließ sich auch damit sicher viel Gutes tun.

Gegen Ende des Jahres dann 1000 Euro von Giovanni Pederiva, wohnhaft San Marco, gleich danach 2000 von Innocenza Bagnoli aus Brescia. Brunetti trug das Datum ihres Beitrags in sein Notizbuch ein und las weiter.

Zwei Monate später kamen 3000 Euro von einem Mann aus Caltanissetta, und einen Monat danach 13 000 Euro von einem Notar aus Brescia. Auf demselben Blatt folgten drei weitere Spenden, 22 000, 19 000 und 24 000 Euro, von Männern aus Brescia und Vicenza.

Brunetti las weiter, aber die Namen der Spender sagten ihm alle nichts. Am Ende der letzten Seite angekommen, schaltete er den Taschenrechner seines Handys ein, ging zur ersten Seite zurück und begann, alle Beträge über 500 Euro zu addieren.

Nachdem er den letzten Betrag eingetippt hatte, zögerte er kurz, bevor er auf »=« drückte – er hatte längst den Überblick verloren, was sich da angesammelt haben mochte.

Um sich nicht vorwerfen zu müssen, dass er schummelte, sah er weg, sagte: »Vierhunderttausend. Bingo«, und drückte auf die Taste. Erst dann erlaubte er sich, nach der Summe zu sehen.

Siebenhundertundzweiundsechzigtausend Euro.

Das dürfte in Belize für eine Weile reichen, dachte er, auch wenn er vermutete, dass kaum etwas davon in Belize ankam.

Er nahm eine leere Mappe, legte das Dossier zum Viehdiebstahl im Veneto hinein und verstaute es in der Schublade.

Dann drehte er den Monitor in Position, zog die Tastatur heran, richtete ein stilles Gebet an die Göttin der Technik, bei der es sich durchaus um Signorina Elettra handeln könnte, tippte schließlich »Innocenza Bagnoli, Finanzberaterin« ein.

Und wartete, was der Computer ihm zu sagen hatte.

Plötzlich begann es, auf dem Bildschirm rot zu blinken. »Mail checken. Mail checken. Mail checken.« Gewiss eindeutig genug, aber er versuchte, es zu ignorieren und weiter zu recherchieren, worauf die Botschaft in Schutzwesten-

Orange zu blinken begann: »Mail checken. Mail checken. Mail checken.«

Er gab sich geschlagen und klickte auf den flatternden Vogel – hoffentlich keiner aus der Liste gestohlenen Geflügels. Das Mailprogramm erschien und ließ ihm nur die Möglichkeit, eine einzige Mail zu öffnen, die leuchtend rot im Posteingang blinkte. Dahinter konnte nur eine stecken, und so klickte er darauf, ohne wie sonst bei jeder Tücke der Technik zu befürchten, dass der Computer explodieren könnte.

»Commissario«, schrieb sie, »vergeuden Sie keine Zeit mit der Suche nach Informationen zu Innocenza Bagnoli, ich habe ein wenig vorgearbeitet (diese Mail kann nur auf Ihrem Computer gelesen werden).

Im Anhang finden Sie alles, was ich ermitteln konnte. Hoffentlich können Sie etwas damit anfangen.«

Keine Unterschrift.

Er klickte auf den Anhang.

Das zwei Seiten lange Dokument begann mit Bagnolis erster Stellung als Sekretärin einer Maklerfirma in Brescia, wo sie drei Jahre ohne Beförderung oder Gehaltserhöhung gearbeitet hatte.

Danach wechselte sie zu einer Bank in Venedig, wo sie drei Jahre als Finanzberaterin tätig war. Warum sie dort aufhörte, war nicht ganz klar, doch bekam sie eine Abfindung in unbekannter Höhe.

Kurz darauf flog sie nach Auskunft einer Passagierliste von United Airlines von Venedig über Frankfurt nach Belize City; Brunetti bekam fast Mitleid mit ihr, als er die mörderisch lange Flugzeit sah, die sie auf einem engen Sitz in der Economyklasse verbracht hatte. Einen Monat später kehrte Bagnoli, unterdessen irgendwie zur Dottoressa promoviert, erster Klasse nach Venedig zurück, was Brunettis spontanem Mitgefühl ein Ende machte.

Binnen zwei Monaten hatte sie ihr eigenes Büro als Finanzberaterin am Campo Santa Marina. Einer ihrer ersten Klienten war Bruno del Balzo, der nicht weit von ihrem Büro wohnte. Del Balzo – vor dreieinhalb Jahren in den Ruhestand gegangen – war keine fünf Monate ihr Klient, da beförderte er Dottoressa Bagnoli zur Chefin der PR-Abteilung von Belize nel Cuore, nachdem seine Stiftung bis dahin mit wenig Erfolg um Spenden geworben hatte. Bald darauf aber kamen die ersten größeren Beträge herein, und von da an flog del Balzo zweimal jährlich nach Belize, um das Saint Peter's Hospital zu besuchen.

Auch der Anhang war wie erwartet nicht unterschrieben.

Brunetti scrollte zurück und übertrug die Daten und wichtigsten Details von Dottoressa Bagnolis Karriere in sein Notizbuch.

Als er versuchte, die Mail in seinen Ordner für »Restaurants« zu verschieben, ließ die sich nicht nur nicht bewegen, sondern blinkte, kaum dass er sie markiert hatte, dreimal rot und löste sich in Luft auf. Nun ja, sie hatten Elisabetta versprochen, dass nichts in einen Computer gehen würde, auch wenn er bezweifelte, dass Signorina Elettra Teil dieser Abmachung war.

23

Während ihn Signorina Elettras Botschaft in Beschlag genommen hatte, waren mehrere Nachrichten eingegangen. Die erste enthielt Pederivas Telefonnummer, die er sofort wählte, ohne sich den Rest der Mails anzusehen.

Pederiva meldete sich nach dem vierten Klingeln.

»Capitano Pederiva«, begann Brunetti. »Hier spricht Commissario Guido Brunetti, ich bin ein Bekannter von Vizeadmiral Fullin.« Er wartete, ob der Capitano etwas dazu sagen oder fragen wollte.

»Ja, Girolamo und seine Großmutter haben von Ihnen erzählt.« Pederiva hatte eine tiefe Stimme und den singenden Tonfall eines Venezianers.

Brunetti widerstand der Versuchung, im zwanglosen Dialekt zu antworten, und fuhr auf Italienisch fort. »Ich hoffe, nur Gutes.«

»Ja, beide.«

»Das hört man gern, Capitano. Girolamo hat mir von Ihrer letzten Begegnung mit seinem Großvater erzählt; offenbar hat del Balzos Brief ihn aus der Fassung gebracht.« Brunetti verzichtete auf alle Förmlichkeiten und meinte: »So etwas darf nicht passieren. Nicht bei einem Mann wie ihm. Er ist doch so …«

Der Capitano unterbrach ihn: »Ich habe vier Jahre unter ihm gedient, er hat mich zu dem gemacht, der ich bin. Er hätte von mir …« Seine Stimme erstarb, nur noch sein schwerer Atem war zu hören.

»Könnten Sie mir erzählen, was passiert ist, Signore?«

Brunetti hörte etwas scharren, dann ein erleichtertes Aufseufzen, offenbar hatte der Capitano sich gesetzt. »Der Brief, in dem del Balzo mich um eine Spende bat, kam mir merkwürdig vor; deshalb wollte ich herausbekommen, ob Vizeadmiral Fullin diese Dinge wirklich gesagt hat.«

»Haben Sie ihn gefragt, oder haben Sie ihm den Brief zu lesen gegeben?«

»Spielt das eine Rolle?«, fragte Pederiva.

»Möglicherweise. Also, Capitano?«

Die Antwort ließ sehr lange auf sich warten. »Es kann sein, dass ich ihm Teile daraus vorgelesen habe, Commissario.« Dann, aufgebracht: »Doch bestimmt nicht, was über meine Memoiren darin stand.« Pederiva riss sich zusammen und fuhr etwas ruhiger fort: »Der ganze Brief klang falsch, aufgesetzt: Del Balzo legt Matteo die unmöglichsten Dinge in den Mund. Matteo hätte mir niemals gesagt, was ich zu tun habe oder wem ich Geld geben soll. Er drängte sich nicht auf, so war er einfach nicht.« Dass Pederiva von dem Vizeadmiral in der Vergangenheitsform sprach, fand Brunetti bedrückend, behielt es aber für sich.

»Matteo hätte nie so von mir gesprochen, niemals«, sagte der Capitano, als habe Fullin mit dem Lob seiner Großzügigkeit einen Vertrauensbruch begangen. »Dummerweise habe ich ihm die Stelle vorgelesen, wo del Balzo mich zu überreden versucht, der Stiftung weitere Spenden zukommen zu lassen, und da geriet Matteo in Rage.«

»Was hat er gesagt?«, fragte Brunetti.

»›Er hat mich reingelegt‹, ›Dieb‹ und ›Verräter‹.« Brunetti glaubte, einen Schluchzer zu hören, doch Pederiva fing sich gleich wieder.

»Sind Sie sicher, dass del Balzo gemeint war?«, fragte Brunetti.

»Ja. Er wusste, von wem der Brief war. Dann hat er ihn mir aus den Händen gerissen und ihn zerfetzt.«

»Und weiter?«

»Bevor ich etwas sagen konnte, kam Girolamo herein. Er hatte die Schreie gehört und wollte nachsehen, was los ist. Er nahm den zerrissenen Brief an sich, half seinem Großvater, sich zu setzen, und meinte, es wäre besser, wenn ich gehen würde.« Brunetti hörte den anderen bebend Luft holen, und da er nicht wollte, dass der alte Mann in Tränen ausbrach, oder schlimmer, dass ein anderer Mann ihn weinen hörte, schaltete er auf einen energischen Tonfall um und sagte: »Ich danke Ihnen, Capitano. Sie haben mir sehr geholfen.«

»Er ist mein Freund«, brachte Pederiva mit schwacher Stimme hervor.

»Und Sie sind seiner, Capitano«, erwiderte Brunetti leise. Doch bevor er weitere Trostworte finden konnte, hatte der andere aufgelegt.

Brunetti erhob sich und ging ans Fenster. Wie kam Vizeadmiral Fullin darauf, dass Bruno del Balzo ein Lügner war, ein Dieb, ein Verräter? War del Balzo nicht derselbe, für dessen Integrität sich Fullin mit der Unterzeichnung der Gründungsdokumente verbürgt hatte? Nach dem, was Brunetti bislang gesehen hatte, konnte an Fullins Anschuldigungen, auch wenn er an Demenz litt, durchaus etwas dran sein.

Brunetti war klar, er sollte seine Erkenntnisse einem Richter vorlegen und Klage gegen del Balzo erheben lassen, auch wenn ihm der Fall dann aus den Händen genommen und der Guardia di Finanza übergeben würde. Aber wo waren die Beweise, die eine Klage rechtfertigen konnten? Und hatte er Elisabetta nicht versprochen, die Sache für sich zu behalten?

Ein lärmend vorbeirasendes Taxiboot riss ihn aus seinen Betrachtungen; er wandte sich ab und ging an den Schreibtisch zurück, nahm sein Notizbuch, fand die Nummer und rief an.

Nach dem dritten Klingeln meldete sich eine Männerstimme.

»Signor Fenzo«, sagte Brunetti. »Hier spricht Commissario Guido Brunetti.«

»Der Mann, mit dem Flora gesprochen hat.«

»Ja. Wir haben uns ausführlich unterhalten.«

»Das hat sie mir erzählt«, sagte Fenzo steif, aber nicht direkt unfreundlich.

»Ich rufe an, weil ich auch mit Ihnen reden möchte.«

»Über den Einbruch in Floras Praxis?«, fragte er skeptisch.

Brunetti ließ einen Moment verstreichen. »Wohl kaum. Nein, es geht mir darum, was Sie bei der Gründung der Stiftung Ihres Schwiegervaters getan haben.«

»Belize nel Cuore?«, fragte Fenzo in einem Ton, als höre er den Namen zum ersten Mal und sei nicht besonders angetan.

»Ja«, antwortete Brunetti.

»Weshalb wollen Sie mit mir darüber sprechen?«

Brunetti hatte sich mittlerweile ein Bild von Fenzo gemacht. Einem Mann wie ihm käme man am besten mit der Wahrheit. »Weil ich Ihre Frau aus dem heraushalten möchte, was mit ihrem Vater geschehen wird.«

Brunetti wusste, dies ließ Fenzo keine Wahl.

Und so war es. »Wo soll diese Unterhaltung stattfinden?«

»Wie wäre es mit dem Campo San Vio?«, fragte Brunetti. Dort gab es Bänke, auf denen sie unbelauscht reden konnten, und es war nicht weit von Fenzos Büro.

»Ich wollte heute früher nach Hause, aber um drei könnten wir uns treffen.«

»In Ordnung«, sagte Brunetti und legte auf.

Als er nach dem Mittagessen das Haus verließ, blieben ihm nur noch zwanzig Minuten. Zum Campo San Vio ging es am schnellsten – Topografie, Tageszeit und Fußgängerverkehr eingerechnet – über die Rughetta. Brunetti machte sich eilig auf den Weg.

Drei Minuten vor drei und ganz außer Atem gelangte er über die Brücke auf den Campo San Vio, einen dieser merkwürdigen *campi,* auf dem es fast keine Geschäfte mehr gab, nur einen Muranoglasladen und einen Take-away mit Pizza. Die Kirche zählte für Brunetti nicht als Gewerbebetrieb, denn es war eine anglikanische.

Brunetti sah sich um; auf einer Bank saß ein Mann in einem hellen Tweedmantel und las Zeitung, offenbar *Il Sole 24 Ore.*

Brunetti ging hin und blieb so vor ihm stehen, dass sein Schatten den anderen vor der blendenden Sonne schützte, wenn er aufblickte. »Signor Fenzo?«, fragte er.

Fenzo faltete die Zeitung zusammen und stand schwerfällig auf.

Erst da bemerkte Brunetti den Stock, der an der Bank lehnte. »Bleiben wir gleich hier?«, fragte er, schlug, als Fenzo nickte, seine Mantelschöße zur Seite und setzte sich mit etwas Abstand zu Fenzo auf die Bank.

»Danke, dass Sie eingewilligt haben, mit mir zu reden, Signor Fenzo.« Der andere war ein gut aussehender Mann mit braunen Augen und buschigen Brauen. Seine Nase stand ein wenig schief. Sein Blick war offen und direkt.

»Ich habe eingewilligt, Signor Brunetti, mich mit Ihnen zu treffen, nicht unbedingt, mit Ihnen zu reden«, sagte sein Gegenüber mühsam lächelnd.

»Wohl wahr«, räumte Brunetti ein. Er schlug die Beine übereinander und lehnte sich zurück, stützte sich noch einmal hoch und rückte ein Stück von Fenzo ab. Als er sich endlich eingerichtet hatte, wandte er sich zu Fenzo um und sagte: »Elisabetta hat mich in der Questura besucht – unsere Familien waren ... Nachbarn, als ich noch zur Schule ging – und mir erzählt, sie mache sich Sorgen. Wegen Flora.«

»Was?« Fenzo starrte ihn an. »Sorgen wegen Flora?«, fragte er mit angespannter Miene. »Sorgen? Weswegen?«

»Ihretwegen, wie es aussieht«, antwortete Brunetti. »Dass Sie ihr Schaden zufügen könnten.«

Fenzo schüttelte den Kopf, als habe es ihm die Sprache verschlagen. »Das ist verrückt«, sagte er. »Das muss sie doch wissen.«

»Flora selbst hat ihr erzählt, sie sei Ihretwegen in Sorge«, sagte Brunetti. Fenzos Miene blieb unverändert, doch hob er in ohnmächtigem Schweigen abwehrend die Hand.

»Und Flora habe ihr erzählt, Sie hätten sie beschworen, nicht über Ihren Job zu reden.«

Fenzo senkte den Blick, starrte zu Boden und schüttelte heftig den Kopf, als versuche er, etwas loszuwerden, das sich dort festgesetzt hatte.

»So habe ich das nicht gesagt.«

»Aber Sie haben etwas von Ihrem Job gesagt? Etwas, das Flora beunruhigt haben könnte?«

Fenzo ließ den Kopf noch tiefer sinken und stützte ihn in beide Hände. »Ich habe ihr gesagt, bei einer Sache, an der ich früher gearbeitet habe, sei etwas schiefgelaufen, und das mache mir Sorgen.«

»Elisabetta hat mir auch erzählt, Sie hätten gesagt, es könnte gefährlich für Sie beide sein, wenn Sie darüber redeten.«

Fenzo erstarrte. Den Kopf hielt er immer noch gesenkt, sodass Brunetti sein Gesicht nicht sehen konnte. Dann fuhr er sich durch die Haare, legte seine Hände flach auf die Bank und richtete sich auf. »Ich glaube, ich habe gesagt, wir könnten Schwierigkeiten bekommen, wenn ich da hineingezogen werde. So in etwa. Ich wollte ihr klarmachen, dass ich nicht verstimmt war oder ihr etwas verschweigen wollte, sondern dass es wirklich etwas gab, was mir Sorgen machte.« Er sah zu Brunetti. »Kann sein, dass ich gehofft habe, sie werde dann nachsichtiger mit mir sein.« Er zuckte lächelnd mit den Schultern.

»Wie meinen Sie das: dass Sie da hineingezogen werden?«

»Können Sie mir sagen, wie viel Sie schon wissen?«

»Meine Kollegen und ich stellen seit einiger Zeit Nachforschungen über die Stiftung an, bei deren Gründung Sie mitgeholfen haben.«

»Und was haben Sie herausgefunden?«, fragte Fenzo mit belegter Stimme.

»Da gibt es dieses Krankenhaus, das kein Krankenhaus zu sein scheint.« Brunetti wartete gespannt auf Fenzos Reaktion.

Fenzo nickte bedächtig. »Warum sagen Sie das?«, fragte er.

»Weil ich ein Foto desselben Gebäudes gesehen habe«, erklärte Brunetti, »auf dem es eher wie ein Hotel aussieht.«

Wieder nickte Fenzo. »Ja, das habe ich auch gesehen. Hotel des Bains.« Dann riskierte er die Bemerkung: »Als Krankenhaus wirkt es viel eindrucksvoller.«

Brunetti fragte: »Haben Sie eine Vorstellung davon, wie es denen gelungen ist, es wie ein Krankenhaus aussehen zu lassen? Und was ist mit den Krankenzimmern und Operationssälen und den vielen Apparaten?«

»Die Bilder haben sie vermutlich aus dem Internet.«

»Und das Schild über dem Eingang?«, fragte Brunetti.

»Photoshop, nehme ich an.«

Hellhörig geworden, fragte Brunetti: »Gibt es überhaupt ein Krankenhaus?«

»Ja. Das gibt es.«

»Wo?«

»In Belize City. Das Saint Peter's Hospital.«

»Wie sieht es aus?«

»Wie eine heruntergekommene, an Personalmangel leidende, nicht allzu saubere Klinik, die sich alle Mühe gibt, die Bewohner der Stadt mit dem Nötigsten zu versorgen. Wo manchmal ein Bett frei ist, manchmal nicht.«

Ihr Gespräch wurde von einem jungen Paar unterbrochen, vermutlich Touristen, die schüchtern auf sie zukamen, offenbar, um sich zu ihnen zu setzen. Brunetti zückte seinen Dienstausweis. Der junge Mann, Rucksack in der Hand, kam seltsam zaghaft näher.

Brunetti stellte sich den beiden in den Weg: »*Polizia*«. Der junge Mann wich zurück, fasste die Hand seiner Freundin und zerrte sie in Richtung Accademia-Brücke.

»Sie scheinen das Krankenhaus zu kennen, Signor Fenzo«, nahm Brunetti den Faden wieder auf. »Waren Sie mal da?«

»Nein, nein«, sagte Fenzo. »Ich weiß das alles nur, weil der Direktor mir Fotos geschickt hat, als Bruno sich mit dem Gedanken trug, dort einzusteigen.«

»Fotos von den Zuständen, die Sie geschildert haben?«

Fenzo nickte. »Ich nehme an, die waren auch schon geschönt, aber nicht so wie jetzt«, sagte er mit trockenem Lachen. »Und doch waren die Fotos nicht verkehrt: Sie zeigten uns, wie sehr man dort auf unsere Hilfe angewiesen war.«

»Wissen Sie, warum Ihr Schwiegervater sich gerade für diese Klinik entschieden hat?«

»Sein Gemeindepfarrer hat ihn mit dem dortigen Kaplan in Kontakt gebracht. Padre Filippo, ein italienischer Missionar.«

»Und der Direktor?«

»Der hieß Erian Martínez-Pérez. Wir haben etliche Mails gewechselt und ein paarmal miteinander telefoniert.

Er machte einen tüchtigen Eindruck.« Bitter fügte er hinzu: »Aber egal. Er ist nicht mehr da.«

»Was ist passiert?«

»Er ist zurückgetreten. Offenbar war er mit einigen Praktiken der neuen Krankenhausverwaltung nicht einverstanden.« Fenzo dachte kurz nach. »Er blieb nur noch so lange, bis zwischen Krankenhaus und Stiftung alles gut eingespielt war. Dann stieg er aus.«

»Und wer hat ihn ersetzt?«

»Das weiß ich nicht, Commissario. Da hatte ich mit dem Ganzen schon nichts mehr zu tun.«

»Hatten Sie einen bestimmten Grund aufzuhören?«

»Wenn Sie mit meiner Frau gesprochen haben, wissen Sie, ich war zu der Zeit bereits selbstständig, konnte mich aber nicht richtig um meine eigenen Klienten kümmern, solange ich bei der Einrichtung der Stiftung mithalf.« Fenzo rutschte hin und her, schließlich stemmte er sich mit beiden Händen hoch und ließ sich wieder sinken, als probiere er eine neue Turnübung aus.

»Gab es noch einen Grund, warum Sie nicht mehr für Ihren Schwiegervater arbeiten wollten?«

»Nein«, sagte Fenzo vielleicht etwas zu schnell oder zu bestimmt.

»Sie haben ihn einfach mit der Stiftung alleingelassen und sich wieder um Ihre eigene Kundschaft gekümmert?«

»Mehr oder weniger«, sagte Fenzo, stemmte sich abermals hoch, blieb ein paar Sekunden in der Luft und ließ sich dann wieder auf die Bank zurücksinken.

»Das ist die erste ausweichende Antwort, die Sie mir geben, Signor Fenzo«, sagte Brunetti ruhig.

»Ich weiß. Ausflüchte sind nicht so meine Sache.«

»Dann sagen Sie die Wahrheit.«

»Das ist die Wahrheit. Ich bin gegangen ...«

Er zögerte, und Brunetti fragte aufmunternd: »Sie sind gegangen, weil ...?«

»Ich sollte eher sagen: ›Ich bin gegangen, *aber*‹«, sagte Fenzo.

»Könnten Sie mir das bitte erklären?«

»Ich habe Bruno angeboten, die Bücher für ihn im Auge zu behalten, wenn er das möchte. Mir war da schon klar, das hätte ich mal besser sein lassen sollen. Aber er ist Floras Vater, er brauchte Hilfe, sonst wäre alles den Bach runtergegangen.«

»Und?«

»Ich sah noch eine Weile nach dem Rechten. Nach einem halben Jahr meinte er, er fühle sich jetzt fit genug, das selbst zu tun.«

»Und war er es?«

»Ganz und gar nicht«, zischte Fenzo.

»Haben Sie ihm zur Unterstützung einen anderen *ragioniere* empfohlen?«

Fenzo erklärte nach einigem Nachdenken: »Nein.«

»Warum?«

»Da hatte Bruno schon einen anderen ...« Fenzo stockte, offenbar suchte er nach dem richtigen Wort.

Brunetti versuchte, ihm auf die Sprünge zu helfen: »Schon einen anderen?«

»*Financial Consultant.*« Fenzo sprach den englischen Begriff mit einem Akzent aus, der Brunetti reichlich übertrieben vorkam.

»Wissen Sie, wie er heißt?«, fragte Brunetti.

Fenzo rutschte so weit auf der Bank nach vorn, dass sein Kopf auf der Rückenlehne lag, und lachte aus vollem Hals.

Schließlich fragte Brunetti: »Was amüsiert Sie so an meiner Frage?«

Plötzlich so erschöpft, als habe er bis zum Umfallen gelacht, sah Fenzo zu Brunetti und sagte: »Ich habe die englische Bezeichnung genannt, und Sie fragen mich nach seinem Namen.«

»Richtig«, sagte Brunetti.

»Aber Sie haben mit meiner Frau und meiner Schwiegermutter gesprochen, und eine der beiden wird doch erwähnt haben, dass der ›Consultant‹ eine Frau ist.« Fenzo, den Kopf immer noch auf der Rückenlehne, sah mit so freundlichem Grinsen zu Brunetti hoch, dass der ganz nervös wurde. »Wenn Sie erlauben, Commissario, weise ich darauf hin, dass diesmal Sie ausgewichen sind.«

Brunetti wartete schweigend. Fenzo lag auf der Bank wie Grabschmuck, dann aber hatte er offenbar genug von den Spielchen, richtete sich auf und spie den Namen aus wie einen Fluch: »Innocenza Bagnoli.«

24

Fenzo stand unvermittelt auf und blieb wie angewurzelt stehen. Nach einer Weile bückte er sich, nahm seinen Stock und humpelte an den Kanal; die Linke in der Manteltasche, sah er zum Palazzo Barbaro hinüber.

Von rechts glitt ein Vaporetto heran, schaltete rasselnd in den Rückwärtsgang und schlug mit dumpfem Knall an die Haltestelle Accademia.

Fenzo kam zurück und nahm wieder Platz, den Stock vor sich ausgestreckt. Brunetti fragte: »Können Sie mir erklären, wie das läuft? Und wo das Geld bleibt?«

Fenzo lächelte traurig. »Ich kann Ihnen erklären, welche Wege das Geld zurücklegt.« Jetzt wurde sein Lächeln wärmer, er wirkte erleichtert, endlich mit jemandem darüber reden zu können.

»Zu Beginn haben wir die wenigen kleinen Spenden auf das Konto der Klinik überwiesen, und jedes Mal kamen Dankesschreiben, per Mail – manche ganz reizend, manche sogar mit Fotos –, worin man uns erzählte, was von dem Geld angeschafft wurde: ein neuer Kühlschrank für Blutkonserven; dreihundert Paar OP-Handschuhe; Verbandszeug. Und bis zu meinem Weggang blieb das so.«

Plötzlich stellte Brunetti fest, die Sonne war nicht mehr da; sie saßen im Schatten. Fenzo hatte es auch bemerkt und erzählte schneller weiter: »Vor ein paar Monaten wurden mir – offenbar versehentlich – Belege für Überweisungen geschickt, die in den vergangenen zwei Monaten von Belize nel Cuore an das Krankenhaus gegangen waren. Das Krankenhaus bestätigte den Erhalt von über achtzigtausend Euro und schickte Quittungen für das, was man damit finanziert hatte: einen Krankenwagen – aus zweiter Hand, wie sie betonten –, die ersten zwei Monatsgehälter eines neu eingestellten Kinderarztes – hoffentlich war es auch einer. Auf alle Fälle ein Arzt. Reparaturen medizinischer Geräte und derlei mehr. Diese Quittungen sollten beweisen, wofür das Geld ausgegeben worden war.«

»Beweisen?«, fragte Brunetti.

»Na ja, dokumentieren«, meinte Fenzo. »Spielt aber auch keine Rolle. Die waren alle gefälscht.«

»Wissen Sie, wohin das Geld tatsächlich ging?«, fragte Brunetti und setzte mutig noch einen drauf: »Oder wohin es immer noch geht?«

Fenzo schlug den Mantelkragen hoch und klemmte seine Hände unter die Achseln. »Wenn Sie mich das vor zwei Jahren gefragt hätten, hätte ich gesagt: Nein, keine Ahnung.«

»Und heute?« Brunetti versuchte, sich nicht anmerken zu lassen, dass die Kälte ihm allmählich über den Rücken kroch.

»Ein Freund von mir – verwenden Sie das bitte nicht gegen mich«, sagte Fenzo mit einem offenherzigen Lächeln, »arbeitet bei der Guardia di Finanza. In Novara. Aber das Verfahren ist ja überall dasselbe. Jeder, der will, kann eine Stiftung gründen und versuchen, die Welt zu retten. Die meisten sind seriös, einige sind es nicht. Die Unseriösen machen gewöhnlich gemeinsame Sache mit jemandem, der in der Verwaltung einer Einrichtung irgendwo im Ausland sitzt: Schule, Krankenhaus, Universität. Über diesen Jemand laufen die Zahlungen. Und dabei zweigt er als Erstes einen Anteil der Spende ab.« Fenzo hob fragend das Kinn, ob Brunetti ihm folgen konnte. Brunetti nickte, und Fenzo fuhr fort: »Manchmal wird dieser Anteil tatsächlich für den Stiftungszweck verwendet, manchmal wandert er in die eigene Tasche.« Wieder nickte Brunetti.

»Die Guardia di Finanza hat zu wenig Personal und geht daher einem Verdacht wegen Steuerhinterziehung nur nach, wenn es um mehr als dreißigtausend Euro geht. Darum liegen die überwiesenen Beträge in der Regel knapp darunter. Aber lassen Sie uns der Einfachheit halber mal mit dreißigtausend rechnen.« Brunetti nickte wie ein aufmerksamer Schüler, und Fenzo fuhr fort: »Der edle Spender kann seine Spende von der Steuer absetzen. Von hunderttausend Einkommen muss er folglich nur noch siebzigtausend versteuern, wodurch er in eine niedrigere Steuerklasse kommt.«

»Und die 30 000?«, fragte Brunetti.

»Der anfangs erwähnte Jemand tätigt, nachdem er, sagen wir, drei- bis viertausend abgezwackt hat, zwei Überweisungen auf anonyme Konten in Steueroasen wie die Emirate, die Kaimaninseln oder ähnliche Länder. Die eine Überweisung – sagen wir wieder drei- oder viertausend – ist der Lohn für den Leiter der Stiftung. Die restlichen vierundzwanzigtausend fließen an den edlen Spender zurück.« Ganz der pingelige Zahlenmensch, fügte Fenzo hinzu: »Die Beträge variieren natürlich, je nach den Konditionen, auf die man sich geeinigt hat.«

»Ich hatte keine Ahnung, dass es so … geschäftsmäßig aufgezogen ist«, sagte Brunetti.

»Nun ja, für die Beteiligten ist es ja auch ein hervorragendes Geschäft. Und wie bei jedem Geschäft muss es Regeln geben«, erklärte Fenzo so ernst, als ginge es um Fairplay beim Kartenspiel.

»Finden Sie das nicht pervers?«

»Ich beschreibe es Ihnen nur, Commissario. Ich gebe kein Urteil ab.« Angesichts Brunettis verständnisloser Miene fragte Fenzo mit verschlagenem Grinsen: »Wer von uns würde nicht gern weniger Steuern zahlen?«

Fenzo wartete, ob Brunetti etwas dazu sagen wollte, und als nichts kam, streckte er die Beine aus und begann, mit den Fersen zu trappeln, wie wenn man an der Haltestelle kalte Füße bekommen hat. »Zu guter Letzt hat der Spender vierundzwanzigtausend unversteuerte Euro zur Verfügung, die er ausgeben kann, wofür er will, ohne dass die Guardia di Finanza fragt, wovon er sich all diese schönen Dinge leisten kann.«

Brunetti glaubte Fenzo. Aber so viel Aufwand für so wenig? Er verstand es einfach nicht. Zwei Wochen Tauchunterricht, selbst am Golf von Papagayo, waren das doch nicht wert. Von rechts näherte sich ein Taxiboot, vermutlich von einem der Hotels. Es verschwand unter der Brücke. Als der Lärm sich gelegt hatte, sagte Fenzo: »Eins muss ich noch loswerden, wenn es Ihnen recht ist.«

»Nur zu.«

»Ich denke, zu Beginn hatte Bruno gute Absichten.«

Brunetti verkniff sich den Kommentar: »Wie jedermann«, und fragte stattdessen: »Warum sagen Sie das?«

»Er hat von Jugend auf hart gearbeitet, und der moralische Preis dessen, was er gelegentlich tat, war ihm durchaus bewusst.« Während Fenzo sich die nächsten Sätze zurechtlegte, versuchte Brunetti, sich vorzustellen, wozu man bereit sein musste, um in einer Welt zu überleben, in der allein höherer Profit und niedrigere Kosten die Garanten des Erfolgs waren. Wie merkwürdig, dachte Brunetti, dass sowohl sein als auch Fenzos Schwiegervater in der Wirtschaft Karriere gemacht hatten, deren Töchter jedoch nichts mit der Welt ihrer Väter zu tun haben wollten, andere Berufe gewählt und Männer geheiratet hatten, die für die Errungenschaften ihrer Schwiegerväter wenig übrighatten.

Da Fenzo weiterhin schwieg, fragte Brunetti noch einmal: »Warum sagen Sie das?«

»Weil er, als ich ihm bei der Gründung der Stiftung geholfen habe, davon gesprochen hat, ihm liege viel daran, im Leben etwas Gutes zu tun, solange ihm das noch möglich sei.« Fenzo hob die Hände und ließ sie wieder sinken. »Er ist fast siebzig, da kommt man wohl auf solche Gedanken.« Dann fiel ihm noch ein: »Es war ihm wirklich ernst damit. Er wollte einmal im Leben etwas Gutes tun, solange er noch dazu in der Lage war.« Wieder verfiel er in Schweigen, und Brunetti wartete einfach ab.

Schließlich sagte Fenzo: »Er hat nicht gelogen, am Anfang nicht. Da bin ich mir sicher.«

Brunetti spürte, Fenzo war wirklich überzeugt davon.

Mit derselben Bestimmtheit erklärte Fenzo dann: »Aber er hat das alles über Bord geworfen.«

25

Und der Grund?«

»Innocenza Bagnoli«, kam es wie aus der Pistole geschossen. »Das sieht doch ein Blinder.« Brunetti ließ Fenzo Zeit, von sich aus weiterzuerzählen.

Und das tat er. »Sie wurde ihm von einem Freund empfohlen, den sie bei seinen Investitionen beraten hatte. Sehr gut sei sie, und sehr seriös. Bruno suchte jemanden, weil er sich im Ruhestand nicht mehr so mit Geld herumschlagen wollte wie in der Vergangenheit«, sagte Fenzo mit unüberhörbar ironischem Unterton. »Er wollte noch einmal von vorne anfangen, wollte ein anderes Leben.«

Er sah Brunetti in die Augen: zwei Männer, die dieselbe alte Geschichte hörten, und beide wussten nicht, ob sie weinen oder lachen sollten und ob sie sich dies in Gegenwart des anderen leisten konnten.

»Das hat er ja jetzt«, meinte Brunetti, und um zu zeigen, dass er Fenzo nichts in den Mund legen wollte, fügte er hinzu: »Seit er im Ruhestand ist.«

»Das kann man wohl sagen. Jedes Jahr verbringt er zwei Monate in Belize – um sich das Gute anzusehen, das er bewirkt, behauptet er Elisabetta gegenüber. Er schickt ihr Fotos von sich in dem Krankenhaus, im Gespräch mit Schwestern, Ärzten und Patienten. Fotos von sich mit Politikern: Bürgermeister, Gesundheitsminister. Und mit Ausländern, die dort leben und dem Krankenhaus Geld spenden. Er hat ihr sogar Fotos von dem Haus geschickt, in dem er dort wohnt: eine Art Gästehaus, wo er zwei Zimmer hat, eins zum Schlafen und eins zum Arbeiten. Sehr spartanisch.« Fenzo hob in einer ohnmächtigen Geste die Hände.

»Ist Elisabetta denn nie mitgekommen?«, fragte Brunetti.

»Doch, einmal«, antwortete Fenzo. »Im ersten Jahr. Sie fand es schrecklich. Nach der Rückkehr sagte sie, alles sei schmutzig, das Essen abscheulich, und die Bevölkerung war ihr auch nicht sympathisch. In das Krankenhaus war sie gar nicht erst mitgegangen, nachdem es dort einen Ausbruch von Krätze gegeben hatte. Er ging hin, aber sie weigerte sich.«

Plötzlich erhob sich Fenzo. »Ich halte die Kälte nicht mehr aus, und ich habe Ihnen praktisch alles erzählt, was ich weiß.«

»In welche Richtung müssen Sie?«, fragte Brunetti freundlich. »Tut mir leid, dass ich nicht vorgeschlagen habe, uns irgendwo drinnen zu treffen. Inzwischen dürfen wir das ja wieder.«

»Zum Vaporetto an der Accademia.« Fenzo bückte sich nach seinem Stock, und als sie losgegangen waren, sagte Brunetti: »Erzählen Sie mir von Elisabetta. Ich habe sie im Lauf der Jahre ein paarmal in der Stadt getroffen. Aber von ihrem Leben weiß ich nichts.«

»Da gibt es nicht viel zu erzählen«, erklärte Fenzo. »Sie hat ein paar Semester studiert. Kunstgeschichte. Danach in einer Galerie gearbeitet.«

»Hat sie Karriere gemacht?«, fragte Brunetti.

»Kann man nicht behaupten«, antwortete Fenzo. »Sie hat Bruno geheiratet, Flora bekommen und aufgehört zu

arbeiten. Sie wollte sich ganz um die Kleine kümmern.«
Fenzo verlangsamte seine Schritte und fügte nachdenklich
hinzu: »Schade, dass sie nicht wieder arbeiten gegangen
ist.«

»Warum?«

»Weil … wie soll ich das erklären?« Fenzo blieb vor der
Bar zu ihrer Linken stehen und stützte sich mit beiden
Händen auf seinen Stock. »Bruno und Flora waren alles,
was sie hatte, und sie … bemutterte die Kleine allzu sehr …
und ihn wohl auch. Als Flora nach ihrer Schulzeit am *liceo
scientifico* sagte, sie wolle in Bologna studieren und Tierärztin werden, hatte Elisabetta eine Art … ich weiß nicht.
Vielleicht kann man es auch einfach nur eine schlimme Zeit
nennen und fertig.«

»Inwiefern schlimm?«, fragte Brunetti, der es nicht dabei
bewenden lassen wollte.

Fenzo setzte sich wieder in Bewegung, sehr langsam,
vielleicht brauchte er Zeit, sich eine Antwort zu überlegen,
oder er hatte Schmerzen. »Schwer zu sagen. Ich habe von
ihr und Flora nur Andeutungen gehört, aber nie Genaueres. Nur, dass es ihr eine Zeit lang nicht gut gegangen sei.«

Brunetti kam nicht dazu, ihm weitere Fragen zu stellen,
denn Fenzo ging jetzt schneller, als wollte er ihm davon-
laufen.

Er ließ Fenzo den Vorsprung, um in Ruhe nachzudenken. Elisabetta erschien ihm plötzlich in ganz neuem
Licht. Er konnte sich nicht erinnern, dass sie ihm jemals
ihre Freunde vorgestellt hatte; in jungen Jahren hatte er das
ihrem Altersunterschied zugeschrieben oder ihrer unterschiedlichen Herkunft: Jedenfalls war es ihr nie recht ge-

wesen, wenn Brunetti mit ihren Freunden auf den Stufen vorm Haus ein paar Worte wechselte. Erst jetzt ging ihm auf, wie seltsam das gewesen war, besonders für ein so hübsches Mädchen, das mehr als genug Freunde hatte.

Fenzo, offenbar erschöpft von der Gangart, die er vorgelegt hatte, lief jetzt wieder langsamer. Brunetti schloss zu ihm auf, während Fenzo nun auch noch begann, das rechte Bein nachzuziehen. Schließlich blieb Fenzo stehen, ließ den Kopf sinken und sagte: »Ich versuche, das immer abzustreiten.«

»Was abzustreiten?« Brunetti hoffte immer noch, Näheres über Fenzos Frau oder deren Mutter zu erfahren.

Doch weit gefehlt. Fenzo blickte auf und sagte: »Mein Bein. Seit meiner Jugend schlage ich mich damit herum. Oben in Südtirol bin ich in ein Loch gefallen.« Brunetti sah ihn fragend an, und er erklärte: »Einfach Pech, ganz blödes Pech. Ein schlimmer Bruch, und ein schlechter Arzt – ich weiß, das sagt man dann immer –, jedenfalls wurde es schlecht gerichtet und …« Er zuckte die Schultern und hielt Brunetti seinen Stock hin. »Ich glaube, es gefällt ihr, dass ich am Stock gehe.«

»Wie bitte?«, fragte Brunetti.

Fenzo hob den Stock höher und sagte: »Ich denke, für sie ist das ein Zeichen, dass mit mir etwas nicht stimmt und dass Flora irgendwann zu ihr zurückkommen wird.«

Was sollte Brunetti dazu sagen? Vor seinem inneren Auge erschien Elisabetta, reglos wie die Spinne im Netz in der Mitte eines Kreises sitzend, während andere Gestalten sich auf sie zu- und wieder von ihr wegbewegten. Das Bild weckte Erinnerungen an seine Schulzeit; im Philosophieunterricht hatte er vom sogenannten unbewegten Beweger erfahren, einer in sich ruhenden Quelle aller Bewegung. Der Lehrer hatte diesen Begriff von Thomas von Aquin bis zu Aristoteles zurückverfolgt, wobei er seine Gelehrsamkeit mächtig zur Schau stellte, oder auch nur sein gutes Gedächtnis – die Lehrer taten für gewöhnlich so, als sei beides dasselbe –, was Brunetti beeindruckt, aber nicht überzeugt hatte.

Fenzo ging, mühsam auf den Stock gestützt, weiter in Richtung Accademia. Brunetti lief neben ihm her und stellte sich die Frage, ob in dieser ganzen Geschichte womöglich Elisabetta der Unbewegte Beweger war, der hinter allem steckte.

Als Fenzo an der Ecke abbiegen wollte, stieß er mit Brunetti zusammen, den seine Grübeleien so sehr abgelenkt hatten, dass er einfach geradeaus auf die Mauer zugelaufen war.

Er blickte erschrocken auf, sah die Mauer und das Wasser des Kanals und wandte sich zu Fenzo um. »Verzeihung«, sagte er. »Ich war in Gedanken.«

Fenzo nickte lächelnd. »Kann vorkommen.«

Am *imbarcadero* nahmen sie freundlich Abschied voneinander, natürlich, ohne sich die Hand zu geben. Brunetti wartete, bis Fenzo, der sich nicht noch einmal umdrehte, außer Sicht war, und machte sich auf den Heimweg. Er hing dem Gedanken nach, was Fenzo nicht alles für Schmerzen zu ertragen bereit war, nur um in dieser Stadt mit den weiten Wegen zu leben.

Er kam an dem Antiquitätengeschäft vorbei, das der Conte »*la Standa di Venezia*« getauft hatte, ein böser

Scherz, den kaum noch jemand verstand, weil der Supermarkt dieses Namens schon vor Jahrzehnten aus der Stadt verschwunden war und nur noch Leute, die mindestens so alt waren wie Brunetti, hätten angeben können, wo genau die einzelnen Läden gewesen waren und was dort alles zu kriegen gewesen war.

Wie hieß es doch gleich auf Latein? Nicht viel anders als im Italienischen. Und dann hatte er es: *»primum movens«*.

Angenommen, Elisabetta war dieser unbewegte Beweger – und sie machte ja einen ziemlich passiven Eindruck –, dann hatte sie tatsächlich eine ganze Kette von Ereignissen in Bewegung gesetzt.

Im Weitergehen puzzelte er immer mehr Teile zusammen: Elisabetta hatte immer nur von Fenzos Befürchtungen gesprochen, von der Gefahr, in der er zu sein glaubte. Und doch konnte sie sicher sein, dass Belize nel Cuore früher oder später in Brunettis Blickfeld rücken würde. Er blieb wie angewurzelt stehen; ein Mann hinter ihm brummte verärgert etwas von *»maledetti turisti«* und schob sich um den bewegungslosen Brunetti herum, dem soeben aufgegangen war, wie Elisabetta ihn wie nebenbei mit der Nase auf die Stiftung gestoßen hatte.

Während er weiterging, fragte er sich, was Elisabetta entdeckt hatte und wie sie darauf gekommen war. Dass sie sich an der Geldwäscherei störte, bezweifelte er; wenn ihr Mann daran beteiligt war, profitierte sie schließlich ebenfalls davon. Vielleicht wusste sie auch gar nicht, dass kaum etwas bei dem Krankenhaus ankam, aber selbst wenn sie es wusste, dürfte es sie schwerlich beunruhigen.

Er dachte gerade an die Verwüstung und das Blut in der

Praxis ihrer Tochter, als er den Blick vom Pflaster hob und sich zu seiner Überraschung auf dem Campo San Barnaba wiederfand. Gewohnheit hatte ihn in die falsche Richtung geführt: nach Hause statt zur Questura.

Er eilte die Calle del Traghetto hinunter zum *imbarcadero* und sprang in letzter Sekunde auf ein gerade abfahrendes Vaporetto Numero Uno. Auf der Fahrt Richtung San Marco und Bacino stellte Brunetti sich vor, die Gebäude bewegten sich von selbst nach links, glitten im gewohnten chronologischen Durcheinander an ihm vorbei: Gotik Schulter an Schulter mit Spätrenaissance, die behaglich an Byzantinischem lehnte, dann ein kleiner Kanal und anschließend ein riesiges Hotel und ein weitläufiger Garten, in dem Kletterrosen sich an einer schlecht restaurierten Barockmauer emporrankten. Nach welchen Regeln der Vernunft war dies als normal anzusehen?

»Vernunft« und »normal« brachten ihn auf den Einbruch in die Praxis und die Zerstörungswut zurück, deren Folgen er dort gesehen hatte. Dass Elisabetta die Sicherungen durchgebrannt sein könnten, hatte er von Anfang an ausgeschlossen, doch Fenzos Schilderung ihrer Reaktion auf Floras Entscheidung, zum Studium in eine andere Stadt zu ziehen, eröffnete ganz neue Einblicke in ihren Charakter.

Dazu kam – ein gewichtiges Argument –, dass Signora Galvani die Person auf dem *campo* sogar ohne Brille erkannt hatte, auch wenn sie nicht vollkommen sicher war und die Frau daher nicht direkt identifizieren wollte.

Aber warum? Aber warum? Aber warum?, grübelte er. Warum ihre Tochter mit dem Einbruch erschrecken? Warum den verletzten Hund zurücklassen? Warum das alles zu einer Zeit, wo sie mit dem Einbruch Gefahr lief, die Aufmerksamkeit erst recht auf Flora und ihre Familie zu lenken? Kein vernünftiges Verhalten, nicht normal.

Er dachte an das Gespräch zurück, mit dem alles angefangen hatte. Als Elisabetta von den Leuten sprach, die ihrem Mann bei der Arbeit für die Stiftung halfen, hatte sie eine Frau in Mestre – ausgerechnet – erwähnt, jedoch behauptet, sie nicht zu kennen. Das mochte die Wahrheit sein, aber warum sollte sie wissen, dass die Frau in Mestre lebte, während sie angeblich nichts Näheres über die Sekretärin oder die junge Volontärin wusste, die im selben Haus ein und aus gingen wie sie?

Immer noch tief in Gedanken, stieg Brunetti an der Haltestelle San Zaccaria aus. Er fragte sich, wer ihm mehr über Elisabetta erzählen könnte, doch fiel ihm niemand ein, der in all den Jahren ihren Namen erwähnt hätte. So viel zu seiner Überzeugung, jedermann in Venedig sei nur einen Anruf weit entfernt von jemandem, der jemanden kannte.

In seinem Büro angekommen, fiel ihm ein, was er sich nach dem ersten Gespräch mit Elisabetta vorgenommen hatte: sie so zu behandeln wie jeden anderen, den er befragte. Woran er sich nicht gehalten hatte. Ohne nachzudenken, hatte er ihre Darstellung für bare Münze genommen, für die reine Wahrheit, die er nicht zu hinterfragen brauchte.

Wo hätte er anfangen sollen? Wo hätte er Spuren ihrer Vergangenheit finden können? Er saß am Schreibtisch, sah aus dem Fenster und ermahnte sich, wie ein Polizist zu denken, nicht wie jemand, der einer alten Freundin einen

Gefallen tun musste, weil deren Mutter gut zu seiner eigenen gewesen war.

Er schaltete seinen Computer an und gab ihren Namen ein: »Elisabetta Foscarini«. Ihr Geburtsdatum kannte er nicht, aber vielleicht war der Computer gnädig gestimmt.

Er fand Hinweise auf zwei Elisabetta Foscarini einen in Zusammenhang mit einem Kupferstich in der Sammlung des Museo Correr – Empfangszeremonie für Herzog und Herzogin von Modena im Jahr 1749; und dann noch einen Hinweis auf womöglich dieselbe Person, Witwe eines Pietro Foscarini und dann Mätresse von dessen Bruder, dem Dogen Marco Foscarini.

Das half ihm nicht weiter, und so wandte er sich einer aktuelleren Informationsquelle zu: die mittlerweile digitalisierten Polizeiberichte der vergangenen dreiunddreißig Jahre. Hier war Elisabetta Foscarinis Name nicht verzeichnet. Blieb nur noch eine Datei, die Signorina Elettra ihm geschickt und die er in seinem Computer unter einem von ihr erfundenen Titel versteckt hatte: »Kurze Geschichte der Formschnittgärtnerei in der britischen Landschaftsarchitektur«. In Wirklichkeit enthielt sie die vollständig digitalisierten Unterlagen des venezianischen Jugendgerichts aus den vergangenen sechzig Jahren.

Brunetti hatte diese Datei seit einem Jahr in seinem Computer, bisher aber weder einen Anlass noch den Mut gehabt, sich darin umzusehen. Er hatte seit jeher einen Horror vor Verbrechen, deren Opfer Kinder waren; ebenso entsetzlich fand er Verbrechen, die von Kindern begangen wurden.

Er fand Elisabetta in den frühen Jahren, erstmals erwähnt als Elfjährige: Die Mutter einer Klassenkameradin berichtete der Polizei, Elisabetta habe ihre Tochter mehrfach bedroht und sie beschuldigt, ihr die Freundinnen zu stehlen.

Zwei Polizisten hatten Elisabettas Eltern zu Hause aufgesucht und mit ihnen gesprochen, und damit hatte sich der Fall. Brunetti fand, die Drohung müsse schon ziemlich massiv ausgefallen sein, wenn gleich zwei Beamte am helllichten Tag bei den Eltern aufgetaucht waren.

Brunetti fand noch zwei weitere Einträge aus Elisabettas 14. und 16. Lebensjahr. Zwei Jungen aus ihrer Klasse mussten sie mit Gewalt davon abhalten, sich auf ihren Geschichtslehrer zu stürzen, einen verheirateten Mann mittleren Alters, der den Aufsatz einer Klassenkameradin gelobt und ihren eigenen gerade noch mit »ausreichend« benotet hatte. Wenig später wurde sie beobachtet, wie sie einen auf dem Lido geparkten Motorroller mit einem Schlüssel zerkratzte. Der Roller gehörte einem Mitschüler Elisabettas, der sich zweimal von ihr hatte einladen lassen, einen Tag in der *capanna* zu verbringen, die ihre Familie jeden Sommer auf dem Privatstrand des Excelsior Hotels am Lido gemietet hatte. Und der eine dritte Einladung ausgeschlagen hatte.

Ein Passant stellte sie zur Rede, ließ sich ihren Namen geben und benachrichtigte von zu Hause aus die Polizei. Zwar wurde die Angelegenheit beigelegt, doch Elisabetta wurde darauf hingewiesen, wenn sie erst einmal achtzehn wäre, werde sie nach Erwachsenenstrafrecht behandelt und nicht mehr so glimpflich davonkommen.

Die Ermahnung hatte offenbar bewirkt, dass Elisabetta

nach der Volljährigkeit nicht mehr mit dem Gesetz in Konflikt geraten war. Oder aber, dachte Brunetti, sie war einfach nur vorsichtiger geworden.

Unabhängig von dem, was sie in den drei Fällen angestellt hatte, ihr Motiv war immer dasselbe: Elisabetta nahm es nicht hin, sich zurückgesetzt zu fühlen. Andernfalls drohte sie mit Gewalt, wurde handgreiflich und schreckte auch vor Sachbeschädigung nicht zurück.

Ob seine Mutter davon gewusst hatte? Wie oft hatte er sie ein Loblied auf Elisabetta anstimmen hören, wenn sie sich auf der Straße oder vor dem Haus begegnet waren. Ganz anders sein Vater: Für ihn war Elisabetta Luft.

Brunetti fand, das sollte er am besten mit seinem Bruder besprechen. Er rief Sergio an, tauschte die üblichen Fragen und Antworten zu Familie und Arbeit aus und meinte dann unvermittelt: »Erinnerst du dich an Elisabetta Foscarini?«

Sergio schien verblüfft. »In Castello? Über uns?«

»Ja.«

Sergio zögerte, vielleicht wunderte er sich, dass Guido nach so vielen Jahren plötzlich von diesem Thema anfing. »Warum fragst du?«

»Ich habe mit einer Sache zu tun, an der sie beteiligt sein könnte, und würde von dir gern hören, wie du sie einschätzt. Wie sie sich entwickelt haben könnte.« Brunetti fand, die Frage verstieß nicht gegen das, was er mit Elisabetta vereinbart hatte, auch wenn ihn das im Grunde nicht mehr kümmerte.

»Du hast sie nicht sehr gut gekannt, stimmt's?«, fragte Sergio, und da begann Brunetti zu ahnen, dass es klug gewesen war, sich an seinen Bruder zu wenden.

»Nein, habe ich nicht. Sie ist fünf oder sechs Jahre älter als ich, weshalb ich damals immer dachte, sie sei mir irgendwie überlegen«, gab Brunetti zu, dem plötzlich aufging, wie sehr Elisabetta selbst zu diesem Gefühl beigetragen hatte.

»Das hat sie mit Sicherheit auch so gesehen«, stieß Sergio hervor.

Brunetti war überrascht von der Schroffheit, mit der sein Bruder das sagte. »Das ist mir nie aufgefallen«, entgegnete er skeptisch. »Wie kommst du darauf?«

»Weil sie sich allen überlegen fühlte: ihren Eltern, dir, mir, unseren Freunden, *papà,* und sogar Mama, falls du dir das vorstellen kannst.«

»Aber Mama war …« Brunetti sprach nicht weiter. Er würde seine Mutter jetzt nicht eine Heilige nennen, würde seinem älteren Bruder, der sie länger und besser gekannt hatte, nicht mit diesem Klischee kommen. »Sie war eine gute Frau«, war das Beste, was ihm in seiner Verlegenheit einfiel. Er dachte an ihre Bemerkungen über Elisabetta und erklärte, als zitiere er die Sibylle: »Mama hat sie gemocht.«

Sergio ließ viel Zeit verstreichen, bevor er sagte: »Guido, du bist es doch, der immer betont, wie wichtig Sprache ist, wie wichtig es ist, die Dinge auseinanderzuhalten.« Da Brunetti dazu schwieg, setzte er hinzu: »Ist es nicht so?«

»Ich denke schon. Warum fragst du?«

»Weil Mama niemals etwas Nettes ›über‹ sie gesagt hat. Sie hat Nettes ›zu‹ ihr gesagt, und den Unterschied muss ich dir ja wohl nicht erklären.«

»Aber warum hat sie Nettes zu ihr gesagt?«

»Weil, wenn sie es nicht getan hätte, Elisabetta ihrer Mutter irgendwas Hässliches über dich erzählt hätte.«

»Aber warum denn nur?«

»Weil ihre Mutter dich gemocht hat. Na ja, sie hat uns alle gemocht, aber dich anscheinend besonders, oder zumindest hatte Elisabetta den Verdacht.«

»Das ist mir nie aufgefallen.«

»Wenn sie es vor ihrer eigenen Tochter verbergen konnte, konnte sie es erst recht vor dir verbergen, Guido. Oder was meinst du?« Nach langem Schweigen fügte Sergio hinzu: »Mama hat es gemerkt.«

»Was? Dass Signora Foscarini mich gemocht hat?«

»Ja.«

»Das habe ich nicht gewusst«, sagte Brunetti leise.

»Solltest du ja auch nicht, Guido«, beschwichtigte ihn Sergio, der es von klein auf gewohnt war, seinen jüngeren Bruder zu beschützen. »Ich war immer der Überzeugung, Elisabetta betrachte andere Leute als ihr Eigentum und alle müssten sie an die erste Stelle setzen oder sie am meisten lieben: ihre Eltern, ihre Freunde, wir. Alle.«

»Und was, wenn nicht?«, fragte Brunetti, obwohl er die Antwort bereits aus den Polizeiakten kannte.

»Dann musste sie die Leute bestrafen«, sagte Sergio. »Ich bin froh, dass wir da weggezogen sind.«

»In diese Wohnung bei Santa Marta?«, rief Brunetti, der an das winzige Zimmer dachte, das sie sich damals hatten teilen müssen: zwei große Jungen, deren Füße über das Doppelstockbett hinausragten, kein Platz zum Lernen, wenig Licht, ewig alles feucht.

»Für mich war es Freiheit«, sagte Sergio, und die Erleichterung war ihm auch nach all den Jahren noch anzuhören. »Keine Fragen mehr, wo ich gewesen war oder mit wem. Oder wo du mal wieder gesteckt hattest.« Da Brunetti nichts dazu sagte, fragte Sergio: »Erinnerst du dich nicht?«

»Nein. Wer hat denn diese Fragen gestellt? Elisabetta?«

»Ja, sicher. Sie wollte immer wissen, wer unsere Freunde sind, mit wem wir lernen, mit wem wir an den Strand gehen.« Nachdenklich fügte Sergio hinzu: »Bei dir hat sie vielleicht nicht so viel gefragt, weil du jünger bist als ich. Aber mich hat sie immer ausgehorcht, wenn sie mich auf dem *campo* oder vor dem Haus sah. Gott, manchmal kam ich mir vor, als ob ich in einer Polizeiwache wohnen würde.«

Brunetti lachte. »Polizeiwachen sind viel schlimmer, glaub mir.«

»Warum?«

»Weil es dort keine Köchin wie Signora Foscarini gibt«, sagte Brunetti, wartete, bis er Sergio lachen hörte, und legte auf.

26

D*io mio«*, flüsterte Brunetti, den Kopf in die Hände gestützt, als ihm dämmerte, dass seine eigene Meisterhand das alles erschaffen hatte. Hätte er als umsichtiger Polizist gehandelt und Elisabetta darauf hingewiesen, er sei kein Privatermittler, und wenn sie Wert auf Vertraulichkeit lege, solle sie sich an einen Detektiv wenden, dann säße er jetzt nicht in dieser Falle. Stattdessen hatte er sich zum Beschützer einer vor Jahren gestorbenen Frau aufgeschwungen, die Hand gehoben und gesagt: »Ich kümmere mich doch so gerne um Sie, Signora. Ihre Mutter war eine Heilige, ich werde niemals wettmachen können, wie gut sie zu mir und meiner Familie war, ich verstoße noch so gerne gegen die Vorschriften und setze meine Karriere aufs Spiel, um Ihnen zu helfen.«

Kurzum, er war ihr auf den Leim gegangen. Elisabetta hatte ihn gar nicht so sehr auf ihren Schwiegersohn ansetzen wollen oder auf irgendeine Gefahr, die von diesem Mann für ihre Tochter ausgehen könnte, als vielmehr auf Belize nel Cuore und somit auf ihren Ehemann und auf das Geld, das aus Italien hinausgeschafft wurde. Letzten Endes jedoch, dämmerte ihm jetzt, hatte Elisabetta ihn zu dieser Frau lotsen wollen, von der sie irgendwie Wind bekommen hatte – wieder jemand, der Elisabetta die Beachtung gestohlen hatte, auf die sie von Rechts wegen Anspruch zu haben glaubte.

Brunetti hielt Elisabetta nicht für klug genug, als dass

sie wie eine Schachspielerin ihre Züge genau kalkuliert hätte. Sie handelte planlos, impulsiv; womöglich hatte sie nicht einmal ein klares Ziel, es ging ihr nur um Strafe. Rachsucht, diese Abart des Rechts, nährte sich von blinder Gier, übersah die Konsequenzen, scherte sich weder um Mittel und Methoden noch um die Zerstörung, die sie anrichtete. Zurückschlagen und Leid zufügen war alles, was zählte, nur dies konnte nach ihrer bizarren Logik allen Beteiligten klarmachen, dass Elisabetta an erster Stelle stand und vor allen anderen Anspruch auf Beachtung und Liebe hatte.

Als Polizist hatte Brunetti es schon oft mit diesem unseligen Gespann von Liebe und Zerstörungswut zu tun bekommen, so irrational und unheilbar egoistisch, dass es ihn jedes Mal schauderte. Ein Mann ging über die Leiche einer Frau, die er liebte, um den Mann zu bestrafen, den sie liebte. Eine Mutter tötete ihre Kinder, um deren Vater zu bestrafen, weil er die Kinder mehr liebte als sie.

Elisabetta war im Mantel alter Freundschaft zu ihm gekommen, und deshalb hatte er zu wenig auf ihr Verhalten geachtet und nicht gesehen, wie hell der Weg zu Belize nel Cuore ausgeleuchtet war.

Plötzlich musste er lächeln. Irgendwo hatte er einmal gelesen, die Jesuiten rühmten sich, ein Kind, wenn es in den ersten Lebensjahren in ihre Obhut gegeben werde, gehöre für alle Zeit ihnen. Weil er selbst eines dieser Kinder war, wurzelte der Wunsch nach Beichte und Vergebung tief in seinem Wesen, ob er nun wollte oder nicht. Er griff nach dem Telefon, rief Griffoni an und bat sie, zu ihm zu kommen. Sie mussten reden.

Die Sache war schnell erklärt, und jetzt saß er da und wartete, welche Buße sie ihm auferlegen würde. Ohne die Geheimnisse der englischen Landschaftsarchitektur zu erwähnen, hatte er ihr dennoch alles erzählt, was er über Elisabetta in Erfahrung gebracht hatte, nicht zuletzt ihre Verfehlungen als Minderjährige.

Griffoni saß da, die Augen geschlossen, die Hände auf die Lippen gepresst. Sie überkreuzte die ausgestreckten Beine an den Knöcheln und bewegte sie ein paarmal auf und ab. Schließlich ließ sie die Hände sinken, richtete sich auf, sah zu Brunetti und sagte: »*Stamm nguaiat.*«

»Wie bitte?«, fragte Brunetti höflich; den Dialekt hatte er erkannt, aber nicht den Sinn.

»Wir sitzen in der Scheiße.«

»Das dachte ich mir.«

»Nun, so ist es.«

»Danke, dass du im Plural sprichst.«

Sie lächelte. Und sagte, vielleicht, um ihn zu trösten: »Rechtlich betrachtet dürften wir aber nichts Schlimmes angestellt haben.«

Brunetti wählte seine Worte mit Bedacht. »Wir haben bloß ein paar Leute befragt, uns in Akten und Dateien umgesehen und sind jetzt dabei, eine Anzeige wegen eines möglichen Falls von Betrug und Steuerhinterziehung vorzubereiten.« Brunetti blickte auf und fügte hinzu: »Fehlt nur noch, dass einer von uns das alles als Routine abtut.«

»Und?«, fragte sie. »Meinst du, wir kommen damit durch?«

»Da wir als Einzige die Beweislage kennen, gehe ich fürs Erste mal davon aus.«

»Damit dulden und begünstigen wir eine Straftat«, stellte Griffoni fest, rekapitulierte in Gedanken noch einmal alles, was sie bei ihren Nachforschungen gesagt und getan, mit wem sie gesprochen und welche Dokumente sie sich angesehen hatten, und stöhnte auf. »Wir haben zu viele Spuren hinterlassen. Falls irgendwer sich jemals um diese Belize-Geschichte kümmert, findet er unsere Fingerabdrücke, und dann wird man uns Fragen stellen.«

»Das befürchte ich auch«, gab Brunetti zu.

Sie rutschte auf ihrem Stuhl herum, nicht nervös, sondern nur, um sich irgendwie zu beschäftigen, während sie angestrengt nachdachte. »Was haben wir denn an echten Beweisen?«, fragte sie schließlich.

Brunetti presste beide Hände auf den Schreibtisch und starrte in den Raum dazwischen. »Zunächst einmal unser erstes Gespräch mit ihr«, sagte er und dankte den Göttern der Vorsicht, dass er Griffoni zu der Unterhaltung mit Elisabetta hinzugezogen hatte. »Ich habe mit ihrer Tochter gesprochen, mit ihrem Schwiegersohn und ihrem Ehemann und mit einigen Leuten, die sie kennen.« Er dachte an die Verwüstung der Praxis und fügte hinzu: »Aber die meisten habe ich erst nach dem Einbruch befragt, das hatte also seine Berechtigung.«

Sie nickte zustimmend: Damit war der erste Stolperstein beseitigt. »Wie bist du an die Informationen zur Gründung einer Stiftung gekommen?«

»Das kann man alles auf offiziellen Websites nachlesen.«

Griffoni überlegte kurz und meinte dann: »Die Recherchen zu ihrer Familie musstest du anstellen, um zu sehen, ob es da ein Motiv für den Einbruch geben könnte.«

»Stimmt.«

»Bleiben die Ermittlungen zu Signora Bagnoli und den Reisen der beiden nach Costa Rica.« Dann fiel ihr noch ein: »Und die Kreditkartenabrechnungen.«

Das brachte ihn kurz aus der Fassung, dann aber erkannte er, die Informationen waren unter ihnen verteilt wie verstreute Teile eines Puzzles, die erst einen Sinn ergaben, wenn jemand das Bild, das sie zusammenzusetzen versuchten, kannte und sie an den richtigen Stellen einfügte. Bis dahin hatten sie so wenig Aussagekraft wie der zerrissene Brief in seiner Schublade.

»Darüber brauchen wir uns keine Gedanken zu machen«, sagte Brunetti und unterdrückte den Impuls, in seiner Schublade nachzusehen, ob alle Unterlagen noch da waren.

»Also, was können wir tun?«, fragte Griffoni.

»Etwas oder nichts«, sagte Brunetti.

»Können wir das ›nichts‹ auf der Stelle ausschließen, damit wir keine Zeit mehr damit vergeuden?«

Er nickte.

»Wir brauchen nicht abzustreiten, dass wir mit ihr gesprochen haben«, sagte Griffoni. »Ich wusste, sie ist eine alte Freundin von dir, und du wolltest meine Meinung hören.«

»Der Einbruch in Dottoressa del Balzos Praxis wurde der Polizei gemeldet, und alles, was wir seitdem unternommen haben, könnte damit in Zusammenhang gebracht werden.«

Beide sannen über den einfachsten und ungefährlichsten Ausweg aus dieser Geschichte nach.

Schließlich meinte Brunetti: »Wir könnten sie der Guardia di Finanza zum Fraß vorwerfen.«

Wieder trat Stille ein, während sie sich die Ereignisse um Elisabetta und ihre Behauptungen durch den Kopf gehen ließen.

Plötzlich sagte Griffoni in die Stille hinein: »Eins habe ich nie verstanden.« Unruhig beugte sie sich vor, faltete die Hände und klemmte sie zwischen ihre Knie. »Es ist doch nicht so, dass del Balzo damit ein Vermögen macht. Wenn er für jede größere Spende, die er erhält und weiterleitet, ein paar Tausend Euro einstreicht – was kommt da zusammen? Dreißig-, vierzigtausend Euro im Jahr?« Sie sah zu Brunetti, der nickte und die Achseln hob.

»Was haben sie davon?«, fragte Griffoni gereizt, weil sie es einfach nicht verstehen konnte. »Das Geld befindet sich im Ausland, auf einem Konto auf den Kaimaninseln oder was weiß ich, wo.« Da Brunetti nicht antwortete, sprach sie weiter, und ihre Ratlosigkeit teilte sich immer deutlicher mit.

»Ich habe keine Ahnung, was man auf den Kaimaninseln kaufen kann, und ich kapiere nicht, wozu sie diesen Aufwand treiben, nur um das Geld im Ausland zu bunkern. Wo sie so gut wie nichts davon ausgeben können.«

Brunetti blickte zu ihr hin und sah eine schöne Frau, die wenig Make-up nötig hatte, gekleidet in blaue Diesel-Jeans, einen dunkelgrünen Pullover und weiße Stan Smith ohne Socken. Vielleicht erklärte dies ihre Schwierigkeiten zu erkennen, was für Brunetti auf der Hand lag: Die Menschen sehnten sich nach Luxus, nach dem Gefühl von Überlegenheit, das sie erlebten, wenn sie trugen, aßen, tranken oder fuhren, was ihre Bekannten für das Allerbeste hielten. Stets ging es um »das Beste«, auch wenn es sich bei den einzelnen Dingen, die damit bezeichnet wurden, um jeweils ganz Verschiedenes handelte – je nach Schicht, Alter, Bildung und der Welt, in der diese Besitztümer zur Schau gestellt wurden.

Brunetti wusste – und er wusste, dass auch Griffoni es wusste –: Ein großer Teil des Geldes, das durch die bereitwillig offengelassenen Schlupflöcher aus dem Land floss, wurde von den Haien der Steuerhinterziehung für den Kauf von Drogen, Waffen und Frauen verwendet, wovon wiederum ein großer Teil in Italien landete. Verglichen damit war del Balzo nur ein kleiner Fisch, der sich von winzigen Häppchen Krill ernährte, die Krümel aufschnappte, die den großen Raubfischen aus den Zähnen glitten.

Brunetti überkam fast so etwas wie Mitleid mit del Balzo, denn bei nichts von alldem ging es wirklich um Geld. Del Balzo konnte seine Berluti-Schuhe mit Sicherheit selbst bezahlen. Viel wichtiger waren die fast fünfundzwanzig Jahre Altersunterschied zwischen del Balzo und Bagnoli und was sich daraus ergab: jüngere, weichere Haut; runde, feste Brüste. Wie so viele andere hatte del Balzo – in einem Alter, wo die Arbeit aufhört und alles zu verfallen beginnt: Familie, Zähne, Freundschaften, Augen, Knie – nach dem Elixier ewiger Jugend gelechzt, was nur ein Euphemismus war für Sex mit einer viel jüngeren Frau.

27

Am nächsten Morgen schlief Brunetti aus und bekam den *Gazzettino* daher erst zu sehen, nachdem er seinen Mantel weggehängt und sich an den Schreibtisch gesetzt hatte. Er faltete die Zeitung auseinander und überflog die ersten Seiten. Politisches interessierte ihn nicht, er las nur die Schlagzeilen und zwei Artikel, einen über den Prozess des im Jahr zuvor verhafteten Marineoffiziers, der NATO-Geheimnisse an einen Militärattaché der russischen Botschaft verkauft hatte, und einen über die laufenden Ermittlungen im Fall der verschwundenen Gattin eines römischen Bankers.

Er legte den ersten Teil beiseite und erblickte auf Seite eins des »Venezia«-Teils ein Foto von Vizeadmiral Matteo Fullin in Galauniform, die weiße Mütze unter den Arm geklemmt. Die Aufnahme musste dreißig Jahre alt sein, der Vizeadmiral im besten Mannesalter: die Epauletten an seinen Schultern beeindruckend weit auseinander, die breite Brust mit Orden bedeckt, von denen jeder Einzelne heller glänzte als das armselige Ding, mit dem Brunetti vor ihm erschienen war. Seine Miene wirkte erstaunlich empfindsam, volle Lippen, schmale Nase, den Blick zuversichtlich in die Ferne gerichtet, als erwarte ihn eine Auszeichnung oder eine siegreiche Schlacht.

Darüber die reißerische Schlagzeile in typischer *Gazzettino*-Manier: »Der nächste kriminelle Marineoffizier?« Wie Brunetti später erzählte, erging es ihm nicht anders, als wenn man ahnungslos eine Briefbombe öffnet, und schon fliegt einem alles um die Ohren. Der Artikel berichtete von einer Razzia der Guardia di Finanza in den Geschäftsräumen von Belize nel Cuore; die befänden sich in einem aus dem 14. Jahrhundert stammenden Palazzo, der dem Leiter der Stiftung gehöre, Bruno del Balzo, einem bekannten venezianischen Unternehmer. Unterlagen, Computer und Festplatten seien von den Beamten beschlagnahmt und zur gründlichen Untersuchung eines mutmaßlich bereits vor Jahren raffiniert eingefädelten Steuerbetrugs mitgenommen worden. Brunetti untersuchte das kleinere zweite Foto genauer und erkannte, dass es sich bei dem Gebäude, aus dem die Beamten die Computer schleppten, nicht um den Palazzo Dandolo handelte. Er seufzte und las weiter.

Der Artikelschreiber bemerkte, die Aufdeckung dieser Machenschaften folge unmittelbar auf die Festnahme jenes Capitano, der sich womöglich wegen Landesverrats zu verantworten habe, weil er geheime Dokumente an die Russen weitergereicht habe, und den dubiosen Verkauf von zwei Fregatten an Ägypten für eine Summe irgendwo zwischen 250 und 500 Millionen Euro, WENIGER (die Zeitung erlaubte sich hier Großbuchstaben) als das, was die Marine dafür ausgegeben hatte. War dies womöglich, spekulierte der Verfasser, ein Hinweis auf tief sitzende Probleme bei der *Marina Militare*? Probleme so ernster Natur, dass kaum jemand den Mut haben dürfte, sie aufzudecken?

Vizeadmiral Fullin (im Ruhestand), für die Guardia di Finanza »ein Verdachtsfall«, sitze im Vorstand von Belize nel Cuore, einer internationalen Wohltätigkeitsorganisation, die sich in Entwicklungsländern engagiere. Er sei eines der Gründungsmitglieder. Dem Artikel zufolge hatte der Vizeadmiral seine ehemaligen Kameraden um Spenden für diese Stiftung angepumpt; einer dieser Offiziere bezeichne dies als »schäbige Heuchelei eines Mannes, der in Wirklichkeit ein ›Pirat in weißer Uniform‹ ist und Schande über die großen Verdienste der *Marina Militare* bringt, während er seinen Ruhestand in einem der berühmtesten Palazzi der Stadt genießt«.

Brunetti entrang sich ein leises Stöhnen. Wie in Gottes Namen war das möglich, wer hatte die Guardia di Finanza alarmiert?

Er starrte den Vizeadmiral auf dem Foto an. Der war für den Artikelschreiber zweifellos ein gefundenes Fressen. Angesichts der schlechten Presse, die die Marine in den letzten Monaten bekommen hatte, gab es keinen plausibleren Schurken als einen Vizeadmiral, erst recht, wenn der in einem Palazzo wohnte. Wie bei del Balzo diente der Palazzo als belastendes Indiz; von dort war es nur ein kleiner Schritt, den Vizeadmiral der Mittäterschaft zu beschuldigen.

Er nahm die Mappe aus der Schublade und schlug sie auf. Alle Unterlagen waren noch da. Ein Geräusch an der Tür ließ ihn aufblicken: Dort standen Vianello und Griffoni. Er winkte sie herein. Vianello schloss die Tür. Wie Brunetti erleichtert bemerkte, hatten sie weder die Zeitung noch irgendwelche Dokumente mitgebracht.

Nachdem sie sich gesetzt hatten, fragte er: »Und?«

Vianello verschränkte die Arme, Griffoni schlug die Beine übereinander. Offenbar wollte keiner der beiden den Anfang machen.

Brunetti gab sich einen Ruck. »Ich habe das erst vor zehn Minuten gesehen.«

»Ich auch«, sagte Vianello. »Da bin ich gleich nach oben und habe Claudia geholt.«

»Wir finden, wir müssen darüber reden«, sagte Griffoni mit einer ausladenden Geste, die alles einzuschließen schien, was geschehen war, seit Elisabetta ihren Freund Guido Brunetti in der Questura aufgesucht hatte.

Brunetti wartete. »Ich habe«, fuhr Griffoni fort, »mir noch einmal alles vergegenwärtigt, was wir getan haben – zumindest alles, was Spuren hinterlassen haben könnte –, und alles – außer der ersten Unterhaltung …«, sie betonte auffällig das Wort ›Unterhaltung‹, »geschah tatsächlich nach dem Einbruch in die Tierarztpraxis. Folglich lässt sich alles, was wir getan und ermittelt haben, vor dem Hintergrund dieser Straftat erklären.« Brunetti kam nicht dazu, auf den Besuch bei den Fullins hinzuweisen, denn sie erklärte bereits: »Für den unwahrscheinlichen Fall, dass deine Schwiegermutter und ihre Freunde jemals nach deinem Besuch bei dem Vizeadmiral gefragt werden, bin ich mir sicher, sie werden sich nicht daran erinnern.«

Brunetti verkniff sich die Bemerkung, dass sie eine großartige Verteidigerin geworden wäre. »Das erklärt immer noch nicht«, sagte er stattdessen, »woher die Guardia di Finanza plötzlich davon erfahren hat oder wie die Zeitung an diese Informationen gelangt ist.«

»Woher wissen die zum Beispiel, dass Fullin im Vorstand saß?«, fuhr Griffoni fort.

»Dazu genügt«, meinte Vianello, »ein Blick in die Gründungsurkunde von Belize nel Cuore. Darin steht sein Name, und die Dokumente sind online, jeder kann sie einsehen.«

»Aber das würde man nur tun, wenn man Anlass hätte, sich genauer mit Belize nel Cuore zu befassen. Warum sollte jemand – etwa ein Journalist – sich überhaupt dafür interessieren wollen?«, beharrte sie.

Brunetti holte tief Luft; er hatte jetzt lange genug über den Artikel nachgedacht, darüber, was darin tatsächlich berichtet wurde. »Lasst uns das mal aufdröseln«, begann er. »Was genau enthüllt dieser Artikel denn eigentlich? Erwähnt werden Fullin, del Balzo und Belize nel Cuore.« Vianello meldete sich zu Wort, aber Brunetti ließ sich nicht aufhalten. »Echte Beweise werden nicht angeführt, nur Gerüchte und Andeutungen.«

Die beiden blickten gespannt auf.

Brunetti zog die aufgeschlagene Zeitung heran und überflog den Artikel noch einmal. »Hört zu«, sagte er. »Die beschlagnahmten Dokumente stehen ›mutmaßlich‹ in Zusammenhang mit Steuerbetrug. Dann ist von diesem Capitano die Rede, der damals Geheimnisse an die Russen verkauft hat, und von diesen Fregatten, die an Ägypten verschleudert wurden.«

Er sah die beiden an. »Beides nicht zur Sache gehörig. Damit wird nur Fullins weiße Uniform bekleckert.« Er las weiter. »Fullin ist für die Guardia di Finanza ›ein Verdachtsfall‹. Was soll das heißen?«

Die beiden antworteten nicht. »Er war Gründungsmitglied der Stiftung«, fuhr Brunetti fort und sah zwischen Vianello und Griffoni hin und her. »Solange der Betrug nicht bewiesen ist, spielt es keine Rolle, ob er Gründungsmitglied war oder nicht.«

Auch dazu schwiegen die zwei. »Dann die Aussage eines

Ungenannten, der Fullin als Piraten bezeichnet und sich in Andeutungen ergeht, sein Vergehen erscheine in noch schlimmerem Licht, weil er in einem Palazzo lebe. – Ich habe schon viele Leute in berühmten Palazzi besucht, und nicht selten waren ihre Wohnungen so gut wie abbruchreif, oder aber sie waren kaum größer als fünfzig Quadratmeter.«

Wieder holte er Luft, dachte peinlich berührt an die Sprüche seiner Studentenzeit zurück und stellte klar: »Es ist kein Verbrechen, in einem Palazzo zu leben.«

Er verscheuchte die Aussagen wie eine lästige Fliege. »Hier steht nichts, was in einem Strafverfahren als Beweismittel zugelassen werden könnte. Kein Beleg für eine Straftat, nur ein Bericht über die Aktion der Guardia di Finanza und eine Ansammlung von Gerüchten, Nebensächlichkeiten und vagen Unterstellungen.« Bevor die zwei ihm zuvorkamen, sagte Brunetti es selbst: »Als Beweis taugt das alles nicht.«

»Warum sind wir dann hergekommen?«, fragte Griffoni.

»Soll das heißen, du glaubst diesem Artikel?«, fragte Brunetti zurück.

Sie schüttelte den Kopf. »Nein, natürlich nicht. Nicht, dass Fullin in irgendeiner Weise schuldig ist. Ich frage mich nur, warum die Guardia di Finanza sich aus heiterem Himmel auf del Balzo stürzt, ausgerechnet jetzt, nachdem wir gegen ihn ermittelt haben.«

»Liegt das nicht auf der Hand?«, fragte Vianello, und als er die Aufmerksamkeit der beiden hatte, wandte er sich an Brunetti: »Dahinter steckt deine Freundin! Sie hat dich auf die Spur gesetzt, und als du ihr nichts zu berichten hattest, hat sie die Guardia kontaktiert – wahrscheinlich anonym –

und denen den Tipp gegeben, sich mal bei Belize nel Cuore umzuschauen.« Er sah zu Brunetti, dann zu Griffoni. »So oder so, sie will, dass ihr Mann bestraft wird.«

Das Schweigen der beiden schien Vianello zu kränken: »Aber das ist doch sonnenklar. Sie hat dir von der Gefahr für ihre Tochter erzählt und dich damit indirekt auf seine Stiftung angesetzt. Und als du ihr seinen Kopf nicht auf dem Silbertablett serviert hast, hat sie es bei der Guardia di Finanza versucht.«

Brunetti sah das genauso. »Eine andere Erklärung gibt es nicht.«

»Liebe, die in Hass umgeschlagen ist?«, fragte Griffoni.

»Das haben wir alle schon erlebt«, sagte Brunetti. Mit Fällen von häuslicher Gewalt befasste sich niemand in der Questura gern, weil in der Regel mindestens einer der Beteiligten nicht mehr Herr seiner Sinne war.

»Und was machen wir jetzt?«, fragte Vianello, pragmatisch wie immer.

»Ich schlage vor, wir kümmern uns wieder um unsere normale Arbeit und überlassen die Ermittlungen in Sachen Belize nel Cuore der Guardia di Finanza«, sagte Brunetti. »Schließlich habe ich mit Signor del Balzo nur über seinen Schwiegersohn gesprochen, nicht über die Stiftung.«

»Und der Überfall auf die Praxis ihrer Tochter?«, fragte Griffoni.

»Sieht eindeutig nach Vandalismus aus, vermutlich stecken also diese Baby-Gangs dahinter«, antwortete Brunetti, zufrieden damit, wie plausibel sich das anhörte, und relativ sicher, dass niemand auf die Idee kommen würde, Signora Galvani zu befragen.

»Und was ist mit dem Opfer?«, fragte Griffoni.

»Welches Opfer?«, fragte Vianello.

Bevor sie antwortete, legte Griffoni eine Hand auf das Foto in der Zeitung.

»Vizeadmiral Fullin.«

28

Griffoni hatte den Finger auf den wunden Punkt gelegt. Brunetti merkte plötzlich, wie sehr er gehofft hatte, er könnte die ganze Angelegenheit unter den Teppich kehren, sich das Wort »Pirat« aus der Schlagzeile wegdenken und den Namen »Fullin« aus dem Artikel. Dann hätten die Andeutungen einen ganz anderen Zungenschlag, und nachfolgende Artikel würden klarstellen, dass Fullin nur ehrenamtlich für die Stiftung tätig war, mit deren Geschäften er nichts zu schaffen hatte. Und die falschen Enthüllungen über Vizeadmiral Fullin wären ebenso schnell vergessen, wie sie gekommen waren, er wieder ein Mann, der sein Leben der Marine und der Verteidigung ihres Landes gewidmet hatte.

Doch Griffoni sah es richtig: Fullin war und blieb das Opfer, denn ein beschädigter Ruf war nicht zu reparieren. Fullins Name wäre ein für alle Mal beschmutzt, da half kein Widerruf, kein Unschuldsbeweis und keine Entschuldigung. Sowie die Guardia di Finanza mit del Balzo fertig wäre und die Geheimnisse von Belize nel Cuore an die Öffentlichkeit gerieten, würde man sich an Fullin erinnern: Das war doch dieser Marineoffizier – nein, nicht der, der Geheimdokumente an die Russen verkauft hatte, sondern der andere, der mit dem Palazzo, der in diesen Skandal mit dem Krankenhaus in Benin verwickelt war. Oder war es Belgrad? Keine Chance, den Leuten beizubringen, dass sie da etwas durcheinanderbrachten.

Griffoni saß schweigend da. Unerbittlich.

Brunetti wies mit dem Kinn nach der Zeitung. »Fullin darf das nicht sehen.«

»Und wenn er es schon gesehen hat?«, meinte Griffoni. »Versteht er es überhaupt?«

Brunetti rief sich das Zimmer ins Gedächtnis, in dem er den Vizeadmiral getroffen hatte. Zeitungen oder Zeitschriften waren ihm dort nicht aufgefallen, nur Fotos aus alten Zeiten und – dachte er plötzlich – alte Umgangsformen. »Nicht mal sein Enkel kann sagen, was Fullin versteht. Oder nicht versteht.«

Das Schweigen der drei zog sich hin, bis keiner mehr bereit schien, es zu brechen. Schließlich stand Brunetti auf und sagte: »Ich werde noch einmal versuchen, mit ihnen zu reden. Mit ihm. Und seine Frau zumindest wegen des Artikels warnen.«

»Soll ich …?«, begann Griffoni, ließ es dann aber.

»Nein«, erklärte Brunetti und verlegte sich auf einen hoffnungsfrohen Ton. »Es wird ihn weniger verstören, wenn jemand mit ihm spricht, den er bereits gesehen hat.« Bevor die anderen es aussprechen konnten, sagte er es selbst: »Falls er sich an mich erinnert.«

Foa saß in der Kajüte und las *La Nuova Venezia*. Schritte an Deck ließen ihn aufblicken; als er Brunetti näher kommen sah, erhob er sich und kam an die Tür. »Bringen Sie mich zum Palazzo Albrizzi, Foa?«

Der Bootsführer faltete die Zeitung und warf sie auf den Sitz. Dann setzte er seine Mütze auf, salutierte lässig, zwängte sich an Brunetti vorbei und übernahm das Steuer.

Brunetti, der normalerweise jede auch noch so kurze Bootsfahrt genoss – wegen der Einblicke in den Alltag der Stadt, die ihm unterwegs gewährt wurden –, griff nach Foas Zeitung. Der Artikel war nicht schwer zu finden, bebildert mit demselben Foto des Vizeadmirals – der unbeirrte Blick, die mit Orden behängte Brust –, die Überschrift ähnlich, hier jedoch ohne Fragezeichen und daher näher an einer direkten Beschuldigung: »EX-ADMIRAL MITBEGRÜNDER EINER IN INTERNATIONALEN BETRUG VERWICKELTEN STIFTUNG.«

Der Artikel selbst war praktisch der gleiche wie im *Gazzettino,* einzig die Reihenfolge der Unterstellungen war anders, als hätten die Reporter vom selben Spickzettel abgeschrieben. Tatsachen waren hier wie da Fehlanzeige. Dafür tauchte auch hier der Ausdruck »Verdachtsfall« auf. Ebenso der Verkauf der Geheimdokumente an die Russen und der Fregatten an die Ägypter, gefolgt von dem Schreiben des anonymen Schiffskameraden, der es dem Vizeadmiral anlastete, in einem Palazzo zu wohnen. Was fehlte, war lediglich der »Pirat in weißer Uniform«, den Brunetti zwar äußerst niederträchtig, aber auch recht fantasievoll gefunden hatte.

Er blickte auf. Sie fuhren eben an der Universität vorbei, und er dachte an Paola. Seine Uhr sagte ihm, dass gerade ihre Vorlesung anfing. Am Abend zuvor hatte er sie nicht gefragt, worüber sie heute sprechen wollte, aber wahrscheinlich ging es um eins dieser Bücher, die die Geheimnisse des menschlichen Verhaltens ergründeten.

Vor Jahren hatte er ihr einmal zu erklären versucht, dass sie beide im Grunde das Gleiche machten: Darüber nachdenken, warum Menschen bestimmte Dinge tun. Sie hörten Leuten zu, die über sich oder andere redeten; sie fanden heraus, dass manche von ihnen die Wahrheit sagten und andere nicht. Und dass manche Leute Dinge sagten, die nicht stimmten, weil sie sie von anderen übernahmen, die entweder gelogen hatten oder sich täuschten. Bei ihrem letzten Gespräch darüber hatte Brunetti bemerkt, seiner täglichen Arbeit mangele es am Luxus eines glaubwürdigen Erzählers. Paola hatte dazu nur gelächelt.

Seine Grübeleien hatten ein Ende, als das Boot langsamer wurde und dann so elegant den Rückwärtsgang einlegte, dass es die *riva* zärtlich küsste und Brunetti ohne Mühe aufstehen und aussteigen konnte. »Ich weiß nicht, wie lange ich bleibe«, sagte er.

»Das macht nichts, Dottore. Ich habe ja die Zeitung.«

»Ja, die habe ich drinnen liegen lassen«, sagte Brunetti. »Danke.«

Foa tippte sich an den Mützenschirm, warf die Trosse aufs Pflaster, sprang hinterher und vertäute sie an dem dicken Metallring: »Wenn's recht ist, gehe ich einen Kaffee trinken, Dottore.«

»Selbstverständlich, Foa«, beschied ihn Brunetti und wandte sich dem Hauseingang zu. Erst da wurde ihm bewusst, dass er nicht angerufen hatte, weil er davon ausgegangen war, dass die alten Leute ohnehin zu Hause wären.

Auf den Klingelschildern sah er die Namen von zwei früheren Dogen, auf einem dritten stand Fullin. Er läutete, wartete ziemlich lange und läutete noch einmal.

»Idiot«, beschimpfte er sich leise und drückte ein drittes Mal auf den Klingelknopf, kräftig und sehr ausgiebig. Ein

Krachen aus der Gegensprechanlage erschreckte ihn – war da eine Tür zugeschlagen worden? Er trat einen Schritt zurück. Wieder dieses Krachen: ein Sturz? Ein Schlag?

»Was geht hier vor?«, rief er. Der Lärm ging weiter, und er glaubte, eine Männerstimme zu hören, ein tiefes Gebrüll.

»Lass das!«, flehte eine Frauenstimme und schrie dann plötzlich: »Hilfe!«

»Polizei, Polizei«, rief Brunetti, so laut er konnte. »Hier ist die Polizei.«

Die Geräusche schienen sich von der Freisprechanlage zu entfernen. Das Schloss klickte. Brunetti stieß die Tür auf und hörte sie an die Wand knallen, war aber schon auf dem Weg zur Treppe. Das ging schneller.

Die ersten beiden Absätze nahm er je zwei Stufen auf einmal, die nächsten dann lief er ein wenig langsamer, Stufe für Stufe, auf jedem Absatz scharf umbiegend und sich mit der Hand am Geländer hochziehend. Weiter und weiter nach oben, während er versuchte mitzuzählen. Am Fuß des letzten Treppenabschnitts musste er verschnaufen, keuchend sank er nach vorn und stützte die Hände auf die Knie; seine Beine zitterten von der Anstrengung.

Er richtete sich auf und rannte die letzte Treppe hinauf. Oben angekommen, blieb er vor der Wohnungstür der Fullins stehen und trat mit dem Fuß dagegen. Von drinnen hörte er Schreie, er ballte die Faust und hämmerte an die Tür, wieder und immer wieder.

Signora Fullin öffnete und starrte den Mann vor ihr erschrocken an, bis sie ihn erkannte und sich erschöpft an die Wand sinken ließ.

»Tun Sie was, bitte, tun Sie was«, sagte sie.

Unterdessen dröhnte das Geschrei weiter in den Flur: zwei laute Männerstimmen. Die eine flehte: »Bitte, bitte, hör auf«, während die andere ein unartikuliertes tiefes Brüllen ausstieß.

Brunetti lief ans Ende des Flurs zu dem Zimmer, wo man ihn bei seinem ersten Besuch empfangen hatte. Die Tür stand offen, er wollte hineinstürzen, bremste aber mit einer Hand am Türpfosten ab.

Zwei Sessel umgekippt; links davon stand der Vizeadmiral, das Jackett aufgerissen, ein Hemdzipfel hing ihm aus der Hose. Vor ihm zwei Hände, einander umklammernd, die Fullin die Arme an den Leib pressten. Brunetti sah nur diese körperlosen Hände und hinter und neben dem Vizeadmiral zwei breit gegrätschte Beine, die dem, der ihn von hinten festhielt, besseren Halt gaben.

Hinter dem Vizeadmiral sprach jemand, es klang fast wie ein Kinderreim, bis zur Besinnungslosigkeit wiederholt.

»Nein. Nonno, nein. Nein.« Der Vizeadmiral wand sich, aber schon ziemlich kraftlos. Wieder der sanfte Singsang einer Stimme, die sich zwang, in all dem Wahnsinn Ruhe zu bewahren. »Nein. Nonno, nein. Nein.«

Der alte Mann starrte Brunetti an, seine Miene verzerrt vor Zorn und Schrecken.

»Fullin!«, schrie Brunetti lauthals. Den Alten durchfuhr es, er versuchte nicht länger, die Arme freizubekommen, und richtete sich auf.

»Fullin!«, schrie Brunetti noch einmal. »Strammgestanden!« Auf dem Gesicht des Vizeadmirals malte sich Verwirrung, sein Blick schoss im Zimmer umher und blieb dann an Brunetti hängen.

»Sie haben mich gehört!«, bellte dieser, und plötzlich fiel ihm das richtige Wort ein. »Kadett Fullin, *attenzione*!«

Fullin antwortete mit ängstlich bebender Stimme: »*Sì, Signore.*«

Der Mann hinter dem Vizeadmiral musste gespürt haben, dass die Spannung aus Fullins Körper gewichen war: Er löste seinen Klammergriff und zog die Hände zurück. Und dann kam Girolamo Fullin hinter seinem Großvater hervor. Sein Abbild in jüngeren Jahren, durchfuhr es Brunetti. Nicht mehr so laut, aber immer noch mit Nachdruck, sagte Brunetti: »*Riposo.*«

Befreit richtete der Vizeadmiral sich kerzengerade auf, salutierte zackig, verschränkte die Hände hinterm Rücken und schob den rechten Fuß exakt zwanzig Zentimeter zur Seite. Er war zu Stein geworden, erstarrt in der Routine, die er zeit seiner Marinekarriere befolgt hatte: Jedem Befehl gehorchen, auf den nächsten warten und wieder gehorchen.

Brunetti sah zu Girolamo. War es womöglich nicht bei dem Gerangel geblieben? »Alles in Ordnung mit Ihnen?«, fragte er.

Der Jüngere nickte, genauso stumm und benommen wie sein Großvater, und hielt sich wie ein Kind die Augen zu.

»Können Sie mir sagen, was geschehen ist, Girolamo?«, fragte Brunetti.

Girolamo nickte im Schutz seiner Hände. »Er war hier«, begann er.

»Wer?«, fragte Brunetti.

Girolamo wies stumm auf die zwei umgestürzten Sessel. Brunetti sah hin, dann fragend zu Girolamo, dann wieder zu den Sesseln. Erst in diesem Moment bemerkte er den Fuß, der hinter einem der Sessel hervorragte.

Mit drei Schritten war Brunetti bei dem Mann, der da am Boden lag. Als habe er Brunetti kommen hören, begann der Mann zu stöhnen. Er lag auf dem Rücken, und Brunetti erkannte ihn sofort: Bruno del Balzo. Die Augen geschlossen, die Lippen halb geöffnet, der Kopf im weißen Nest seines Haarschopfs ein wenig zur Seite geneigt. Er sah aus wie ein Schlafender, nur dass niemand sich zum Schlafen auf ein blutgetränktes Kissen legt.

Brunetti nahm sein Handy und wählte 119; schon nach dem zweiten Klingeln meldete sich jemand. »Hier ist Commissario Brunetti. Im Palazzo Albrizzi liegt ein Schwerverletzter, ich brauche die Ambulanz. Sofort.« Bevor der andere die üblichen Gründe für eine mögliche Verspätung aufzählen konnte, sagte Brunetti: »Alarmstufe Rot, ich gebe Ihnen zehn Minuten, allerhöchstens. Schicken Sie die Ambulanz. Dritter Stock.«

Er ließ den anderen nicht zu Wort kommen, sagte Danke und legte auf.

Dann kniete er sich, Hände in den Jackentaschen, neben del Balzo hin und betrachtete ihn genauer. Die rechte Schläfe schien ihm eingekerbt, auch wenn das Wort in Zusammenhang mit einem menschlichen Schädel seltsam klang.

Aber so war es: eine dreieckige, etwa einen Zentimeter tiefe Wunde, aus der es blutete. Hilflos vor so viel Blut und dem leisen Stöhnen, griff Brunetti nach dem Handgelenk des Mannes und fühlte ihm den Puls. Das Herz schlug noch. Er zog seine Hand zurück und stand auf. Über einer

Sessellehne lag eine Decke. Er schüttelte sie aus und deckte del Balzo damit zu.

Dann ging er zu Girolamo, der, den Blick von dem Verletzten abgewandt, an einem Sessel lehnte.

»Erzählen Sie mir, was passiert ist«, sagte er und unterdrückte den Impuls, Girolamo eine Hand auf den Arm zu legen.

»Ich war unten einen Kaffee trinken, und als ich zurückkam«, begann Girolamo mit so belegter Stimme, als schnüre ihm Panik immer noch die Kehle zu, »hörte ich schon im Aufzug lautes Geschrei von oben. Ich konnte mir das nicht erklären. Ich dachte, vielleicht gibt es Ärger mit einem Handwerker: Unsere Nachbarn haben seit Monaten Streit mit ihrem Elektriker, da ist es öfter schon mal laut geworden.

Doch als ich aus dem Aufzug stieg, war klar, das Gebrüll kam von hier.« Girolamo senkte den Blick und fuhr fort: »Ich ging ins Wohnzimmer, und da stand meine Großmutter und versuchte, ihn am Arm festzuhalten, aber er schüttelte sie ab. Der andere schrie. Es war das reinste Tollhaus. Nonno brüllte ihn an: Verräter, Dieb, Lügner. Und der andere sagte immer nur, nein, das sei er nicht, er selbst sei der Betrogene.

Nonno hielt eine Zeitung in der Hand. Keine Ahnung, woher er die hatte. Er liest doch gar nicht mehr. Aber er sah da rein und schrie. Der Mann sagte, das sei nicht wahr, und er könne es beweisen, aber dann schrie Nonno wieder ›Pirat‹ und schlug ihm mit der zusammengefalteten Zeitung ins Gesicht.« Girolamos Hände krallten sich in das Rückenpolster des Sessels.

Nicht mehr so hastig und mit veränderter Stimme fuhr er fort: »Es sah aus wie in diesen alten Filmen, wo sie den Fehdehandschuh hinwerfen, um zum Duell herauszufordern. Nonno berührte ihn nicht. Er sagte nur ›Pirat‹, holte nach Kräften aus und schlug ihm mit der Zeitung ins Gesicht.

Der Mann taumelte ein paar Schritte rückwärts, als ob er tanzen würde, blieb mit einem Fuß im Teppich hängen und stürzte gegen die Kredenz.«

»Das haben Sie gesehen?«, fragte Brunetti.

»Ja. Alles. Es war furchtbar.« Girolamo blickte auf. »Das Schlimmste aber war, dass ich es komisch finden konnte.« Er schüttelte den Kopf, entsetzt über sich selbst.

Fernes Jaulen einer Ambulanzsirene brachte sie zum Schweigen.

Brunetti folgte dem Boot auf seinem inneren Stadtplan: Vier Minuten würde es noch brauchen. Er legte Girolamo eine Hand auf die Schulter, löste ihn von dem Sessel, führte ihn an die Wand neben der Tür, ließ ihn dort stehen und sagte, er solle bei seinem Großvater bleiben. Dann ging er auf den Flur hinaus.

Girolamos Großmutter stand noch an der Wohnungstür, die Augen geschlossen, während ihre Lippen sich bewegten – offenbar im Gebet, dachte Brunetti. Er ging leise auf sie zu, erst einen Meter vor ihr begann er zu sprechen. »Ganz ruhig, Signora. Ihr Mann ist bei Girolamo. Für den anderen habe ich die Ambulanz alarmiert, es geht ihm nicht gut.« Er blieb vor ihr stehen, berührte ihre Hand und wartete, bis er sicher war, dass sie verstand, wer er war und was er sagte. Er nahm sie am Arm, öffnete die nächstbeste Tür, führte sie zu einem Stuhl und half ihr, sich hinzusetzen.

»Bitte, warten Sie hier auf Girolamo, Signora.«

Sie nickte, und als er vor der Wohnungstür Geräusche hörte, machte er auf, und zwei Sanitäter kamen mit einer Trage aus dem Aufzug. Sie folgten Brunetti zu dem Verletzten, schoben eilig die Sessel beiseite, hoben ihn auf und trugen ihn zum Aufzug. Brunetti rannte die Treppe hinunter und kam unten an, als die Türen sich öffneten und sie den Mann zum Boot brachten.

Foa stand dabei und sprach mit dem Bootsführer, wandte sich aber von ihm ab, als er Brunetti herauskommen sah. »Was ist passiert, Commissario?«, fragte er.

»Ein Mann ist gestürzt und hat sich den Kopf angeschlagen.«

»Gestürzt?«, fragte Foa.

»Gestürzt«, wiederholte Brunetti.

Foa schien mit der Auskunft zufrieden. »Der Bootsführer sagt, sie hätten zwölf Minuten hierher gebraucht.« Er fächelte mit der Hand durch die Luft, als habe der heiße Motor des Ambulanzboots sie versengt. »Vom Ospedale hierher.« Und nach einer kurzen Pause: »Ich glaube, das hätte ich nicht geschafft.« Und dann: »Wollen Sie jetzt zur Questura zurück, Commissario?«

»Nein, später.«

»Wohin darf ich Sie dann bringen, Signore?«

Darüber hatte Brunetti noch nicht nachgedacht, aber mit der Frage kam die Antwort. »Campo Santi Giovanni e Paolo.«

29

Unterwegs zum Campo Santi Giovanni e Paolo überlegte Brunetti, im Grunde wäre es ganz einfach, Elisabetta zur Rede zu stellen, ohne ihr zu verraten, dass ihr
Mann im Krankenhaus war, erkannte aber, dass er so eine
Täuschung nicht übers Herz bringen würde.

Elisabettas Geschichte von Fenzos merkwürdigem Verhalten war der Ausgangspunkt gewesen, danach aber waren
die Dinge außer Kontrolle geraten. Wie ein Lieferwagen
mit gelösten Bremsen hatten die Ereignisse unaufhaltsam
Fahrt aufgenommen: mit der Verwüstung der Praxis und
dann Fenzos Aussage, wohin die Gelder flossen. Den Hö-
hepunkt aber erreichte das Geschehen, als die perfide Dottoressa Bagnoli und der tragische Vizeadmiral Fullin die
Bühne betraten.

Er lehnte sich gegen die gepolsterte Bank, wandte den
Blick nach rechts, wo Häuserrückseiten vorüberzogen.
Dann erschien weiter vorn die Fassade des Krankenhauses.

Brunetti sprang auf und ging an Deck. »Foa, Sie können
mich hier aussteigen lassen«, sagte er, als sie sich den Stufen
zum *campo* näherten. Das Boot hielt an, und er kletterte
auf die *riva*. »Sie können zurückfahren. Es wird eine Weile
dauern.«

Mit wenigen Schritten erreichte er den Palazzo. Er
drückte auf den obersten Klingelknopf, wartete, klingelte
ein zweites Mal.

»*Sì?*«, fragte eine Frauenstimme.

»Elisabetta, ich bin's, Guido Brunetti. Ich möchte mit dir reden.«

»Ist Bruno bei dir?«, wollte sie wissen.

»Nein.«

Plötzlich unsicher, fragte sie: »Was willst du?«

»Ich muss mit dir reden«, sagte er, und als sie nicht darauf reagierte, fügte er hinzu: »Über Bruno.«

Das Schloss sprang auf. Er durchquerte die Eingangshalle und eilte die Treppe hinauf, vorbei am Büro von Belize nel Cuore, in dem Stille herrschte. Als er schneller gehen wollte, protestierten seine Beine, und so ließ er es. Selbstachtung hielt ihn davon ab, das Geländer zu benutzen.

Auf jeder Etage gab es nur zwei Türen, eine links und eine rechts: Die Wohnungen dahinter mussten riesig sein; oder aber es gab einen zweiten Eingang zu dem Teil des Palazzo, der nicht auf den *campo* hinausging. In der dritten Etage fiel ihm auf, in diesem Gebäude herrschte Ordnung. Vor jeder Tür lag eine beige Kokosfasermatte, nie etwas anderes.

In der vierten Etage angekommen, rang er noch nach Luft, als die Tür zu seiner Rechten aufging. Elisabetta lief einen Schritt auf ihn zu, stoppte unwillkürlich, führte die Hand vor den Mund und fragte mit brüchiger Stimme: »Was ist geschehen?« Es war keinen Monat her, dass sie ihn in der Questura aufgesucht hatte, doch ihr Gesicht, ja ihr ganzer Körper schien eingesunken, als habe sie einen viel längeren Zeitraum durchlebt.

Um sie mit langen Vorreden nicht noch mehr aufzuregen, kam er sofort zur Sache. »Dein Mann ist im Krankenhaus.«

Er hatte diese Nachricht schon vielen Leuten über-bracht: Manche wurden blass, manche rot, andere schlugen sich die Hand vor den Mund oder starrten ihn verständnis-los an. Elisabetta gehörte zu den Letzteren. Mit versteiner-ter Miene richtete sie den Blick auf die Wand hinter ihm, wankte einen Schritt zurück und hielt sich am Türrahmen fest, während sie offensichtlich versuchte, das Wort »Kran-kenhaus« zu begreifen und was geschehen sein könnte, seit sie ihren Mann zuletzt gesehen hatte.

Sie wich noch einen Schritt weiter in die Wohnung zu-rück, und Brunetti fürchtete schon, sie werde ihm die Tür vor der Nase zuschlagen, aber das tat sie nicht. Sie blieb einfach stehen.

»Elisabetta«, sagte er ruhig. »Ich finde, wir sollten re-den.«

Es dauerte einige Zeit, bis seine Worte durch den stum-men Lärm gedrungen waren, der Elisabetta betäubte, dann aber tat sie noch einen Schritt zurück und winkte ihn – im-mer noch unfähig zu sprechen – in die Wohnung. Wie be-trunken schwankte sie den Flur hinunter und musste sich immer wieder mit einer Hand an der Wand abstützen. Bru-netti schloss die Tür und folgte ihr.

Elisabetta wandte sich nach rechts in ein Wohnzimmer; er erkannte den Glasschrank aus Elisabettas alter Wohnung in Castello. Hinter der breiten Fensterfront erblickte er Colleoni und sein Pferd und die Fassade des Krankenhau-ses, aber das alles interessierte ihn jetzt nicht. Er wartete, bis Elisabetta sich auf einem Stuhl niedergelassen hatte, mit dem Rücken zu den Fenstern. Brunetti nahm den Stuhl neben ihr, schob ihn ein wenig von ihr weg und drehte ihn so, dass er sie im Profil sah und nicht von der Aussicht nach draußen abgelenkt wurde.

»Wo ist er?«, fragte sie leise.

»Er wurde ins Krankenhaus eingeliefert«, sagte Brunetti und wies auf das Gebäude jenseits des *campo,* damit sie nicht auf die Idee kam, er sei nach Mestre gebracht worden.

Sie schloss die Augen und nickte, als habe sie gewusst, dass es so kommen würde. Nicht wann oder wie; nur, dass es einmal so kommen würde. »Erzähl, bitte«, flüsterte sie kraftlos.

»Er ist gestolpert und hat sich den Kopf angeschlagen.«

»Wo?«

»Wo er von hier aus hingegangen ist.«

»Zu dem Mann, der diese Dokumente unterschrieben hat?«

»Vizeadmiral Fullin?«

»Ja.«

Sie senkte den Kopf, behielt aber die Hände auf den Armlehnen.

»Bruno wollte ihm alles erklären«, sagte sie kaum hörbar.

»Was erklären?«, glaubte Brunetti gefahrlos fragen zu dürfen.

»Den Artikel. Dass er nichts damit zu tun hat.«

»In der Zeitung?«

Wieder nickte sie.

»Erzähl mir, was passiert ist, Elisabetta.«

Sie starrte auf ein trostloses Stillleben an der Wand: Blumen in einer Vase, auf dem Tisch darunter wimmelte es von kleinen Insekten. Als sie endlich zu sprechen begann, klang sie so sachlich, als rede sie über das Wetter. »Seit er im Ruhestand ist, geht Bruno jeden Morgen zu der *edicola* neben der Schule und besorgt uns den *Gazzettino* als Frühstückslektüre.«

Diesmal nickte Brunetti.

»Er sagt, daran sieht er, dass er nicht mehr zur Arbeit hetzen und immer nach dem Rechten sehen muss. Er kann hier bei mir sitzen, in aller Ruhe seinen Kaffee trinken und die Zeitung lesen.«

Sie verstummte, als sei ihre Batterie leer geworden; oder aber sie dachte an die Minuten zurück, als ihr Mann mit der Zeitung nach Hause gekommen war und sie noch nicht gelesen hatte.

Er ließ ihr ein wenig Zeit und fragte dann: »Was ist heute Morgen passiert?«

Die Frage schreckte sie auf, als hätten sie von etwas ganz anderem gesprochen. »Er kam nach Hause. Mit der Zeitung. Der Kaffee stand schon bereit, dort drüben.« Sie zeigte auf einen kleinen Tisch mit zwei Stühlen; die Tassen standen noch da, ein Stuhl war unter den Tisch gerückt, der andere einen Meter weit weggeschoben.

»Er setzte sich, und ich schenkte ihm Kaffee ein; den Zucker nahm er selbst. Dann schenkte ich mir ein und trank einen Schluck.

Bruno gab mir den Politikteil. Wie jeden Morgen. Er sagt, was in der Welt passiert, braucht ihn nicht mehr zu kümmern, seit er im Ruhestand lebt.« Es sah aus, als versuche sie zu lächeln, aber Brunetti war sich nicht sicher.

Sie wartete, sah zu Brunetti, aber der blieb stumm.

»Plötzlich stellte er seine Tasse hin und starrte auf die

Zeitung. Er rang nach Luft und nach Worten, wie unter Schock. Ich dachte, ihm sei schlecht oder er habe einen Anfall, und fragte, was mit ihm los sei.«

All die schrecklichen Dinge, die einem Ruheständler zustoßen können, mussten ihr durch den Kopf gegangen sein. »Er gab keine Antwort. Nach einer Weile reichte er mir wortlos die Zeitung. Ich sah die Schlagzeile und erkannte den Namen, den ich von Bruno schon oft gehört hatte.«

Sie stemmte sich halb vom Stuhl hoch, als wollte sie aufstehen, schien aber vergessen zu haben, was sie vorhatte, und sank nach wenigen Augenblicken wieder zurück.

»Auf einmal schrie er: ›Das ist alles gelogen, alles. Ich muss mit ihm reden.‹ Dann warf er seinen Mantel über und ging. Nach einer Weile versuchte ich, ihn anzurufen, aber sein Handy war ausgeschaltet.«

Wieder stemmte sie sich hoch, und diesmal erhob sie sich tatsächlich. »Ich muss zu ihm und sehen, wie es ihm geht«, sagte sie beklommen.

»Ich begleite dich, Elisabetta.«

Sie nickte, ging ihren Mantel holen, und schon standen sie auf dem Treppenabsatz. Brunetti fragte, ob sie nicht abschließen wolle, und musste die Frage wiederholen, bevor sie darauf einging. Sie wühlte in ihrer Handtasche, fand die Schlüssel, suchte den richtigen heraus und schloss ab.

Schweigend gingen sie hinunter, vorbei an dem Büro, aus dessen Oberlicht jetzt ein heller Schein ins Treppenhaus drang, und traten auf den *campo* hinaus. Elisabetta nahm eine einfache blau-weiße Maske aus ihrer Handtasche. Brunetti stöberte in seinen Taschen und fand eine alte, die er seit dem Frühjahr nicht mehr benutzt hatte. Er streifte sie über, musste aber die nach so langer Zeit erschlafften Gummibänder doppelt um die Ohren schlingen.

Beim Kampf mit der Maske hatte er seine Schritte verlangsamt, und nun drängten sich ihm die Parallelen zwischen der Pandemie und Elisabettas Geschichte auf. Kaum hört man von einem Ereignis, gerät die Sache auch schon außer Kontrolle. Kaum hat man das Notwendigste verstanden, taucht eine neue Variante auf. Kaum glaubt man, der Ursache auf die Spur gekommen zu sein, stößt man auf neue Informationen, die alles auf den Kopf stellen. Gewissheiten lösen sich in Luft auf, Erklärungen erweisen sich als falsch. Kaum lässt die Aufmerksamkeit nach, beginnt die Zahl der Opfer, wieder zu steigen.

Irgendwo auf dem *campo* jauchzte ein Kind und riss ihn aus seinen Grübeleien. Er war ein Stück hinter Elisabetta zurückgeblieben, sah sie vor dem Eingang des Krankenhauses auf ihn warten und eilte zu ihr.

An der Plastiktrennwand im Eingang zeigte Brunetti seinen Dienstausweis und fragte nach Bruno del Balzo.

Der Wachmann tippte den Namen ein und schickte sie zum Pronto Soccorso.

Brunetti und Elisabetta durchquerten die riesige Eingangshalle, gingen die überwölbten Korridore rund um den Kreuzgang entlang, dann über einen Innenhof und durch noch einen Korridor und gelangten schließlich an die Tür mit den großen roten Buchstaben. Die diensthabende Schwester erkannte ihn und kam aus ihrem Büro.

»Guten Tag, Commissario. Suchen Sie jemand Bestimmten?« Sie sah zu Elisabetta, als fragte sie sich, wieso der Commissario eine Frau in die Notaufnahme mitbrachte.

»Bruno del Balzo. Er wurde gerade eingeliefert.«

»Der aufnehmende Arzt hat ihn nach oben geschickt«, erklärte die Schwester diensteifrig.

»Wohin?«

»In die Chirurgie.«

Um ihre Neugier zu befriedigen, sagte Brunetti: »Ich bin hier mit seiner Frau.« Elisabetta stand mit gesenktem Kopf hinter einem der orangen Plastikstühle, mit beiden Händen auf die Rückenlehne gestützt.

Ihre klägliche Haltung schien der Schwester nahezugehen. »Darf ich Ihnen einen Raum zum Warten anbieten?«, fragte sie.

»Das wäre sehr freundlich«, sagte Brunetti.

Sie beugte sich zu ihm, damit niemand sie hörte: »Nehmen Sie den Aufzug in die vierte Etage. An der dritten Tür auf der rechten Seite steht ›Wäschekammer‹. Dort gibt es einen Tisch und eine Kaffeemaschine. Da halten sich nur Mitarbeiter auf.«

Brunetti zückte sein Notizbuch, schrieb seine Handynummer auf ein Blatt, riss es heraus und gab es ihr. »Rufen Sie mich an, wenn es Neuigkeiten gibt?« Noch bevor sie etwas einwenden konnte, fügte er hinzu: »Ich weiß, die Chirurgie wird mich nicht anrufen, aber vielleicht ruft sie bei Ihnen an.«

Nicht gerade begeistert, nahm sie das Blatt und steckte es ein. »Eine Freundin von mir arbeitet im OP. Ich schicke ihr eine SMS.«

Er bedankte sich und ging zu Elisabetta, die ihn nicht zu bemerken schien. Brunetti berührte sie sachte am Arm. Sie wich zurück, und es dauerte einen Augenblick, ehe sie ihn erkannte.

»Was ist?«

»Die Schwester sagt, er ist in der Chirurgie. Wir können warten, bis sie fertig sind. Sie ruft mich dann an. Wir müssen mit dem Aufzug in die vierte Etage.«

Sie blinzelte. Er wusste, manchen Leuten im Schockzustand verschafft es Erleichterung, wenn man ihnen sagt, was sie zu tun haben. Es gab ihnen das tröstliche Gefühl, jemand sei bei ihnen, der wusste, was zu tun war.

Die Wäschekammer erwies sich als genau das: links und rechts deckenhohe Regale mit eingeschweißten Laken und Bettbezügen. Wie die Schwester gesagt hatte, stand hinten ein Tisch, die Fenster gingen auf einen Innenhof, in dem eine einzelne Pinie bis zum Stockwerk darunter emporgewachsen war. Über die Dächer hinweg sah man zur *laguna,* für Brunetti der einzige Anhaltspunkt, wo sie sich befanden.

Die Kaffeemaschine war von einer zerlumpten Bande benutzter Pappbecher umlagert. Sie wandten sich davon ab. Brunetti zog zwei Stühle unter dem Tisch hervor, wartete, bis sie sich gesetzt hatte, und nahm dann ihr gegenüber Platz.

»Haben sie dir gesagt, woran er operiert wird?«, fragte Elisabetta.

»Nein«, sagte Brunetti. Da sie mit der Antwort zufrieden schien, wechselte er das Thema: »Einiges ist mir noch nicht klar.«

»Was denn?«, fragte sie matt.

»Zum Beispiel«, begann Brunetti, »wie viel du von der Stiftung deines Mannes weißt.«

Sie schlüpfte aus den Ärmeln ihres Mantels und ließ ihn über die Stuhllehne sinken, legte ihre Handtasche auf den Tisch und faltete die Hände. »Alles, was ich weiß, habe ich dir bei unserer ersten Unterhaltung erzählt.«

»Und ich habe dir geglaubt, Elisabetta. Aber jetzt nicht mehr.«

Sie sah ihn entrüstet an, fragte aber ruhig: »Wie kann das sein?« Es klang wie eine aufrichtig gemeinte Frage, in der nur ein Hauch von Vorwurf mitschwang, als könne er es nicht wagen, ihr zu misstrauen.

Statt weiter um den heißen Brei herumzureden, fuhr er jetzt die großen Geschütze auf. »Weil jemand gesehen hat, wie du in jener Nacht aus Floras Praxis gekommen bist. Und dich erkannt hat.«

Sie starrte ihn mit offenem Mund an. Brunetti hatte das Gefühl, sie suche nach dem richtigen Gesichtsausdruck, der sowohl ihr Befremden als auch ihre Enttäuschung über ihn bekunden sollte.

»Was hat sie dir erzählt?«, fragte Elisabetta, als habe sie jedes Recht darauf, eine Antwort zu verlangen.

»Reicht es nicht, dass sie dich erkannt hat, Elisabetta?« Ganz gegen seinen Willen mischte sich ein trauriger Ton in seine Frage. Und vielleicht hinderte ihn ebendies daran, Elisabetta zu fragen, woher sie wisse, dass es eine Frau war, die sie beobachtet hatte.

»Aber … aber«, stammelte sie, während sie nach einer harmlosen Erklärung, nach einer beschönigenden Ausrede für ihre Anwesenheit zu suchen schien, ohne dass ihr dies gelingen wollte.

Schweigend sah sie zu Brunetti. Dann plötzlich: »Für den Hund kann ich nichts.«

Damit hatte Brunetti nicht gerechnet. Dass Elisabetta so tat, als sei jemand anders dafür verantwortlich oder als habe der Hund sich selbst verletzt, machte ihn sprachlos.

Sie wischte unsichtbare Krümel von der Tischplatte.

»Ich wusste nicht, dass da noch ein anderer Hund war. Ich warf ihm Leckerli in den Käfig, damit er nicht bellt, wenn er mich sieht, und sofort ging das Gerangel um die Leckerbissen los, und ich musste den Käfig aufmachen und ihn rausholen. Der andere Hund war viel größer und schnappte nach den Ohren des Kleinen. Er hätte ihn bestimmt übel zugerichtet, also musste ich ihn rausholen. Es ist nicht meine Schuld. Das würde ich niemals fertigbringen.« Sie holte Luft und erklärte theatralisch: »Flora liebt ihn doch so sehr.«

Brunetti brachte diesen in beschwörendem Tonfall vorgetragenen Satz für sich zu Ende: »… und mich liebt sie nicht.« Die Erinnerung an das Blut auf Floras Jacke legte sich wie ein Schleier zwischen ihn und Elisabettas Behauptung, das mit dem Hund sei nicht ihre Schuld.

»Warum hast du das getan, Elisabetta?«, wollte er wissen.

Sie rutschte auf ihrem Stuhl hin und her, schlug die Beine übereinander, stand auf, schob den Stuhl ein Stück weit vom Tisch weg und setzte sich wieder. Immer noch nicht zufrieden, stand sie noch einmal auf und schob den Stuhl an den Tisch zurück.

Wie ein ertapptes Schulmädchen richtete sie sich kerzengerade auf, senkte den Kopf und legte die Hände in den Schoß. »Weil ich dachte, dann würdest du mir glauben.«

»Verzeihung?«

»Du würdest mir glauben, dass Enrico Grund hatte, für sich und Flora zu fürchten.«

»Und was hast du von mir erwartet?«

»Dass du dir genauer ansiehst, wovon ich dir erzählt habe.« Sie lauschte ihren eigenen Worten nach, als höre sie die selbst zum ersten Mal.

»Was sollte ich denn herausfinden, Elisabetta?«, fragte Brunetti.

»Was in seiner Stiftung vor sich geht«, sagte sie mit spöttischer Betonung auf dem Wort ›Stiftung‹. »Früher oder später würdest du auf Belize nel Cuore stoßen.« Auch diesen Namen betonte sie, jedoch nicht ironisch, sondern voller Abscheu.

»Was *ging* denn da vor sich? Kannst du mir das sagen?«

»Sie betrügt ihn, diese Frau.« Das letzte Wort spie sie wie ein Drache aus.

»Welche Frau?«, stellte er sich ahnungslos.

»Seine Marketingchefin oder Finanzberaterin oder wie er sie nennt.«

Brunetti hatte nicht vor, sich von Elisabettas kaum verhohlener Wut beeinflussen zu lassen, und kam auf seine ursprüngliche Frage zurück. »Was geht da vor sich?« Eisernes Schweigen. »Was geschieht mit dem Geld?«

Elisabetta, verzweifelt bemüht, den Mund zu halten, ließ sich dann doch von ihrem Zorn hinreißen. »Sie hat es so eingefädelt, dass die Spender das meiste wieder zurückbekommen. Wie das funktioniert, verstehe ich nicht.

Aber sie.« Je kürzer ihre Sätze, desto größer ihr Zorn. Bevor Brunetti den Ahnungslosen mimen und nachfragen konnte, fuhr sie ohne Rücksicht auf Verluste fort: »Er bekommt von jeder Spende einen Anteil. Geld, das er für sie ausgeben kann.« Elisabetta war nicht mehr zu bremsen, dieser anderen Frau alles in die Schuhe zu schieben. Brunetti gab sich überrascht, als höre er das alles zum ersten Mal.

»Woher weißt du das, Elisabetta?«, fragte er.

»Brunos Sekretärin hat mich vor ihr gewarnt. Sie sagt, die beiden halten sie für dumm, nur weil sie alt ist. Aber das ist sie nicht«, beteuerte Elisabetta. Fehlte nur noch, dass sie jetzt sagte, auch sie sei nicht dumm, aber darauf wartete Brunetti vergeblich.

»Sie hat mir alles erzählt. Alles über sie.«

Brunetti musste erst einmal die zwei »sie« auseinanderklamüsern und fragte dann: »Können wir noch einmal auf heute Morgen zurückkommen, Elisabetta?«

»Was?«, fuhr sie ärgerlich auf, weil die andere Frau ihn offenbar gar nicht interessierte.

»Du hast gesagt, dein Mann habe sich über diesen Artikel aufgeregt.«

»Ja, allerdings«, sagte sie. Und als sollte Brunetti das eigentlich selber wissen, fügte sie leichthin hinzu: »Bruno kennt ihn seit langer Zeit. Statt sich Sorgen zu machen, was aus uns werden soll, hatte er nur diesen General im Kopf.«

»Admiral, wenn ich nicht irre.«

»Ist doch egal.« Ihr Zorn richtete sich mehr und mehr gegen Brunetti. Da er schwieg, fuhr sie fort, als sei damit alles erklärt: »Bruno und Fullins jüngerer Bruder waren Kindheitsfreunde. Waren in derselben Schule, am *Morosini.*«

»Was ist passiert?«, fragte Brunetti, bevor das Gespräch wieder auf Abwege kommen konnte.

»Er ist gestorben.«

»Fullins Bruder?«

»Ja.«

»Wie?«

»Bei einem Autounfall. Noch während der Ausbildung.«

»Hier?«, fragte Brunetti erstaunt. An ein so ungewöhnliches Ereignis müsste er sich eigentlich erinnern können, aber da war nichts.

»Nein, in Padua. Er hat dort studiert.«

»Wie bitte?«, rief Brunetti, von dieser unerwarteten Wendung aus dem Konzept gebracht.

»Soweit ich weiß, wurde er in der Stadt von einem Auto überfahren«, erklärte sie vage, als sei das nicht weiter wichtig.

Brunetti sah sie aufmunternd an. Als er merkte, dass sie nichts mehr dazu sagen wollte, fragte er: »Und was hat das mit deinem Mann zu tun?«

»Nach dem Tod seines Bruders hat der Admiral, wie du ihn nennst, Bruno gewissermaßen adoptiert.« Verächtlich fügte sie hinzu: »Als Ersatzbruder.« Offenbar traute sie Fullins Motiven nicht.

Brunetti, der sie nicht mit Fragen reizen wollte, setzte nur eine verwirrte Miene auf, und sie fuhr fort: »Frag nicht nach Brunos Eltern. Die waren schon lange tot, als ich ihn kennenlernte, und er spricht nie von ihnen.« Und dann abfällig: »Ich nehme an, Fullin wollte sich als eine Art Schutz-engel für Bruno aufspielen.«

Brunetti musste daran denken, wie der Vizeadmiral bei Erwähnung von del Balzos Namen plötzlich mit dem Fuß ausgeschlagen hatte: Hatte er damit auf einen vertrauten Namen reagiert? Oder auf das Ende einer langjährigen Freundschaft?

»Hat er nicht den Gründungsvertrag der Stiftung unter-zeichnet?«

Elisabetta suchte, ihre Überraschung zu verbergen, dass Brunetti davon wusste. »Ich glaube schon«, sagte sie schließlich.

Fullin mochte nicht mehr mitbekommen, was um ihn herum geschah – Elisabettas Hilflosigkeit aber wirkte im-mer aufgesetzter. Ob er sie zu einer spontanen Reaktion provozieren könnte, vergleichbar mit Fullins Fußtritt? Er fragte: »Wie bist du auf die Idee gekommen, diesen Artikel in die Zeitung zu bringen?«

30

Elisabetta erstarrte. Ähnlich, wie man auf ein plötzliches lautes Geräusch reagiert. Innehalten, über die Schulter schielen, herauszufinden versuchen, wo es herkommt und was dahinterstecken könnte. Bis dahin keine Bewegung.

Zu viel Zeit verstrich, ehe sie Luft holte und fragte: »Wovon redest du?«

Brunetti blieb ruhig. »Du brauchtest nur jemanden, der ein, zwei Journalisten kannte. Skandale um renommierte Personen verkaufen sich immer gut.«

Hitzig schoss sie zurück: »So etwas würde ich für Geld nicht tun.«

»Wofür würdest du es denn dann tun, Elisabetta?«, fragte er spöttisch.

Auf der Suche nach der richtigen Antwort atmete sie mehrmals tief durch und erwiderte schließlich mit einer Stimme, so ruhig und gefasst, dass Brunetti nur staunen konnte: »Gerechtigkeit.«

»Für wen?«

»Für mich«, fauchte sie und schlug sich an die Brust.

»Und warum sollte der Zeitungsartikel dir die verschaffen?«

»Weil jetzt jeder erfährt, was Bruno getan hat. Seine Freunde erfahren es. Und die Leute, die für ihn gearbeitet haben. Alle erfahren, wie viel Geld er für sich behalten hat.« Plötzlich konnte sie sich nicht mehr halten: »Und von dieser Hure erfahren sie auch.«

»Davon dürften viele schon wissen.«

»Aber nicht alle«, gab sie zögernd zurück. »Ich rede von denen, die nicht wussten, was da vor sich ging und was Bruno mit dem Geld gemacht hat.«

»So wie du es gewusst hast?«

»Ja«, antwortete sie selbstgefällig. »Aber noch nicht lange.«

»Wer weiß es sonst noch?«

Elisabetta zögerte, dann fuhr es giftig aus ihr heraus: »Sie natürlich.«

»Verstehe«, sagte Brunetti nur. Elisabetta brauchte Signora Bagnolis Namen nicht auszusprechen. Wichtiger war ihm der Name der Person, die den Reportern von *Il Gazzettino* und *La Nuova Venezia* den Tipp gegeben hatte: Wer war an die Informationen aus ihren inoffiziellen Ermittlungen herangekommen?

Seine Gedanken kehrten zu der Szene zurück, als er in der Eingangshalle der Questura den ersten flüchtigen Blick auf die Frau erhascht hatte, die mit ihm reden wollte. Und dass er Elisabetta nicht sofort erkannt hatte, weil Tenente Scarpa in angeregtem Gespräch vor ihr gestanden und ihm die Sicht versperrt hatte. Und wieder einmal war die simpelste Lösung auch die richtige: Wenn er Schauplatz, Gelegenheit und leichten Zugang bedachte, kam nur Scarpa infrage. Der auch die nötige Chuzpe besaß.

Gut möglich, dass Pendolini dem Tenente erzählt hatte, die Frau warte auf Commissario Brunetti, und schon schlich sich Scarpa eifrig an, nahm die Mütze ab – ein Detail, das Brunetti jetzt erst auffiel – und fragte, womit er der Signora zu Diensten sein könne. Der Commissario komme womöglich nicht so bald ins Haus, vielleicht könne ja auch er, ein Mitarbeiter des Commissario, ihr weiterhelfen?

Um letzte Zweifel zu beheben, fragte er: »Ich nehme an, der Tenente hat dir seine Hilfe angeboten?«

Elisabetta strahlte. »Ja, er war sehr entgegenkommend. Von Anfang an.«

Ebenfalls lächelnd, meinte Brunetti: »Er geht immer sehr planvoll vor. Das macht es so interessant, mit ihm zu arbeiten.«

Zum ersten Mal, seit sie den Raum betreten hatte, schien Elisabetta sich zu entspannen. Sie beugte sich über den Tisch zu ihm hin und sagte: »Angerufen habe ich ihn erst zwei Tage nach …« Sie schien um Worte verlegen, wie sie den Einbruch in die Praxis ihrer Tochter nennen sollte. Brunetti hatte nicht vor, ihr auf die Sprünge zu helfen, und setzte eine neugierige Miene auf.

»… nachdem ich in Floras Praxis war.«

Brunetti nickte. »Er hat sich bestimmt als sehr nützlich erwiesen.«

Ihr Lächeln wurde noch gelöster. »Ja, er hat mir von dem Einbruch erzählt und dass die meisten in der Questura die Baby-Gangs dafür verantwortlich machen.«

»Da ist dir sicher ein Stein vom Herzen gefallen«, sagte Brunetti.

Taub für seinen Sarkasmus, stimmte sie ihm zu: »Ja, allerdings. Und dann kamen wir irgendwie auf diese Frau zu sprechen.« Von wegen »irgendwie«, dachte Brunetti.

»Er hat dir erzählt, wer sie ist?«

»Nicht nur das«, sagte sie, und dann flüsternd: »Alles andere auch.« Nach einer dramatischen Pause fügte sie hinzu: »Und was sie getan hatte.«

»Mit dem Geld?«, fragte Brunetti.

»Um Geld geht es nicht«, sagte sie mit einer wegwerfenden Handbewegung.

Wie oft hatte Brunetti diesen Satz schon gehört, begleitet von dieser Geste: Niemand, der sich so äußerte, hatte jemals die Wahrheit gesagt, Elisabetta dürfte keine Ausnahme sein.

»Es geht darum, wofür sie es ausgeben«, erklärte sie, ganz die betrogene Ehefrau. »Reisen, Erste-Klasse-Flüge, Fünfsternehotels«, zählte sie auf, als habe sie die Liste auswendig gelernt, die Brunetti von Vianello bekommen hatte. Ebendie Liste, dachte Brunetti verärgert, die er so vertrauensselig in seiner Schreibtischschublade hatte liegen lassen. Er sah zu Elisabetta, ihr von Zorn entstelltes Gesicht: Sie schien um Jahre gealtert, die Augen verkniffen vor Empörung, die Lippen bitter verzogen, auf ihrer Stirn tiefe Falten. »Ich habe die Fotos von ihren Reisen auf seinem Smartphone gesehen«, ereiferte sie sich. »Mit mir hat Bruno nie so etwas unternommen.«

Endlich hatte sie etwas gesagt, das Brunetti nachvollziehen konnte. Es erklärte ihr kühles Verhalten gegenüber Brunetti in Kindertagen: Sie hatte ihre Mutter dabei ertappt, wie sie freundlich zu ihm gewesen war. Die verschiedenen Liebhaber, mit denen er sie später gesehen hatte – hatten sie alle sie nicht genug geliebt? Bis dann Bruno kam? Und Flora hatte sie geliebt, bis sie einen Mann und einen Hund gefunden hatte. Und jetzt hatte Bruno eine andere Frau gefunden, und das gab Elisabetta das Recht, seinen guten Ruf zu zerstören. Eifersucht hatte ihre eigenen Regeln: Schmerz musste mit Schmerz vergolten werden.

Elisabetta wollte gerade weitersprechen, als Brunettis Telefon klingelte. Er meldete sich mit Namen.

»Commissario, hier ist Arianna, die Schwester vom Pronto Soccorso.«

»Danke, dass Sie anrufen, Signora.«

Brunetti hielt die Sprechmuschel zu und bat Elisabetta mit einer Handbewegung um Geduld.

»Sind Sie noch da, Commissario?«

»Ja. Ist es vorbei?«

»Ja«, sagte sie beunruhigend kurz angebunden.

»Können Sie mir sagen, was passiert ist?«

»Ich habe nur gehört, dass es zu starken Einblutungen ins Gehirn gekommen ist und sie versucht haben, den dadurch ausgelösten Druck zu reduzieren. Aber«, erklärte sie und legte eine Pause ein, wie Ärzte und Schwestern es zu tun pflegen, wenn sie schlechte Nachrichten überbringen, »wie es aussieht, ist es nicht optimal gelaufen.«

Ihm schien, diese vage Auskunft sollte ihm etwas sagen. Aber was? »Ich möchte Sie nicht in Schwierigkeiten bringen, Signora, aber könnten Sie ein wenig deutlicher werden? Bitte.«

»Es könnte zu einer Schädigung des Gehirns gekommen sein«, antwortete sie.

Oh, dachte Brunetti, deutlicher geht es nicht. »Nochmals danke für Ihren Anruf, Signora«, sagte er. »Seine Frau ist bei mir, ich werde ihr ausrichten, was Sie mir erklärt haben.« Und dann: »Kann sie ihn jetzt besuchen?«

»Das weiß ich nicht, Commissario. Fragen Sie auf der Station nach. Sie wissen doch, wo die ist?«

»Ja. Wir machen uns gleich auf den Weg.« Bevor er auflegte, versicherte er ein letztes Mal: »Das war sehr freundlich von Ihnen, Signora. Ich danke Ihnen.«

»Ich tue nur meine Pflicht, Signore«, antwortete die Schwester und war weg.

Brunetti teilte Elisabetta mit, was er soeben gehört hatte, worauf sie in einer für seinen Geschmack allzu melodramatischen Geste die Hände vors Gesicht schlug, die Ellbogen auf den Tisch stützte und lange Zeit so sitzen blieb. Schließlich ließ sie, ohne ein Wort zu sagen, die Hände sinken und erhob sich.

Brunetti, der sich im Ospedale nur zu gut auskannte, führte sie vom Pronto Soccorso über den Innenhof zu dem Gebäude, in dessen zweiter Etage die Chirurgie untergebracht war. Der Empfangsschalter befand sich vor dem Eingang zur Station. Durchsichtige Trennwände auf drei Seiten verwehrten Unbefugten den Zutritt.

Zwei Schwestern saßen dort, die eine mit Blick auf die Besucher, die andere vor einer Batterie von Bildschirmen, die Patienten in ihren Betten zeigten. Auf dem dritten glaubte Brunetti del Balzo zu erkennen, einen dicken Verband um den Kopf. Alle schienen zu schlafen.

Er gab der Schwester seinen Dienstausweis, auch wenn er nie so genau wusste, ob der in einem Krankenhaus überhaupt etwas bedeutete. »Mein Name ist Brunetti. Commissario. Und das ist Signor del Balzos Ehefrau, Signora Foscarini.«

Die Schwester verglich sein Gesicht mit dem Foto auf

dem Ausweis und gab ihn ihm zurück. Ohne Brunetti weiter zu beachten, sagte sie zu Elisabetta: »Er ist eben erst herausgekommen, Signora. Er wird frühestens in zwei Stunden aufwachen.«

Brunetti sah sich vergeblich nach Stühlen um: ein deutliches Zeichen, dass Besucher nicht willkommen waren. »Wo kann ich warten?«, herrschte Elisabetta die Schwester an.

Diese Frage hat sie tausendmal gehört, dachte Brunetti. Und wie ein Automat antwortete sie denn auch: »Unten. Wegen der Pandemie.« Als Elisabetta ein enttäuschtes Gesicht machte, fügte sie hinzu: »Zutritt ist nur Patienten und Ärzten gestattet.«

Elisabetta ballte die Rechte zur Faust, und er fürchtete schon, sie werde hier, in aller Öffentlichkeit, handgreiflich werden. Aber nein. Mit einem entrüsteten Schnauben machte sie auf dem Absatz kehrt, stapfte zum Aufzug und drückte mehrmals mit dem Daumen wütend auf den »Abwärts«-Pfeil. Von unten antwortete der Lift mit einem ähnlich unwirschen Geräusch.

Brunetti stellte sich neben sie. Die Tür glitt auf, Elisabetta eilte hinein, hämmerte auf den flackernden grünen Knopf, einmal, zweimal, und drehte sich zu Brunetti um.

Er stand da wie versteinert, brachte es nicht über sich, einen so kleinen Raum mit dieser Frau zu teilen. Auch wenn er nicht zurückwich, er fühlte sich buchstäblich von ihr abgestoßen. Ihre Miene erstarrte. »Guido«, sagte sie heiser.

Brunetti hob die Linke, bewegte sie hastig hin und her, hin und her, und hörte erst auf, als die Tür sich vor ihr zugeschoben hatte.

Fünf Minuten später trat Brunetti auf den taghellen Campo Santi Giovanni e Paolo hinaus und steuerte direkt auf Colleonis Standbild zu. Vor dem niedrigen Metallgitter machte er halt, sah dem über ihm reitenden *condottiere* ins Gesicht, studierte die herrische Miene und rief sich ins Gedächtnis, was man ihm in der Schule beigebracht hatte. Colleoni war Söldner und kämpfte immer für den Meistbietenden, kämpfte für ihn so lange, bis der Krieg vorbei war – erst dann waren er und die anderen *condottieri* frei, sich nach neuen Herren umzusehen. Während der endlosen Kriege zwischen Venedig und Mailand im fünfzehnten Jahrhundert entschied er sich schließlich auf Dauer für Venedig und wurde zum heldenhaften Verteidiger der Stadt. Hatte er einmal Treue geschworen, hielt er unerschütterlich zu der Seite, für die er kämpfte. Ursprünglich hatte die Stadt ihm ein Denkmal in San Marco versprochen, doch nach seinem Tod trickste man ihn aus und errichtete ihm lediglich eins in der Nähe der *Scuola Grande di San Marco,* wo es bis heute steht. Auch kein schlechter Ort, aber weder die Piazza San Marco noch das, was man ihm versprochen hatte.

Brunettis Blick schweifte von der Reiterstatue zu den Fassaden der Basilica und des Krankenhauses. Konnte das alles wahr sein?

Seine Gedanken kehrten zu Colleoni zurück. Er presste die Lippen zusammen und sah zu dem Pferd empor. Immer wenn sein Vater damals mit ihm daran vorbeigekommen war, hatte er ihm erzählt, wenn man klein genug sei und die Statue von unten betrachte, dann erkenne man, dass das Pferd – wie nur Zauberpferde es können – nur mit zwei Füßen den Boden berühre. Größere Leute sähen das nicht

31

Mitte Februar schneite es in Venedig zum ersten Mal seit Menschengedenken – zumindest die unter Zehnjährigen hatten es noch nie erlebt, auch wenn sie mittlerweile nicht mehr so zahlreich sind. Es begann in der Nacht von Dienstag auf Mittwoch, und Venedig erwachte unter fünfzehn Zentimetern Schnee.

Noch vor dem Morgengrauen begannen die Müllmänner mit Schaufeln, die zum Umgraben gedacht und daher eigentlich ungeeignet waren, den Schnee mehr schlecht als recht in die Kanäle zu befördern. Wie sollte auch eine Stadtverwaltung, die kein Geld zum Reinigen der Kanäle hatte, das Geld für Schneeschieber haben? Zumal diese höchstens alle zehn Jahre zum Einsatz kamen. Und so wurden denn gegen neun Uhr morgens die Insassen des Gefängnisses – sehr zu ihrer Freude – zum Schaufeln verdonnert, und die *spazzini* konnten zu ihrer rechtmäßigen Arbeit zurückkehren und den Müll – heute vom Schnee – auflesen.

Da man für das Weiß in der Stadt keinen Plan hatte, dauerte es eine Weile, die Hauptwege einigermaßen passierbar zu machen, und noch länger, auch die kleineren *calli* halbwegs vom Schnee zu befreien. Kurz nach sieben hatten die Sirenen fälschlicherweise Hochwasser angekündigt und die allgemeine Verwirrung noch gesteigert. Als um halb neun die Leute zur Arbeit sollten – Schulen und Behörden blieben an dem Tag geschlossen –, machte sich in der Stadt eine ausgelassene Stimmung breit: Männer in Anzügen lieferten sich Schneeballschlachten, die *Vigili Urbani* pfiffen »*Bella ciao*« auf ihren Pfeifen, und die sich selbst überlassenen Kinder tollten wie junge Hunde im Schnee, den die meisten von ihnen noch nie gesehen hatten.

Barbesitzer brachten den Häftlingen Kaffee, kurz nach elf dann auch *tramezzini, cicchetti* und reichlich Wein. Gegen Mittag fanden die Gefangenen, es sei Zeit zum Essen, lehnten ihre Schaufeln ordentlich an die Hauswände der *campi,* auf denen man sie eingesetzt hatte, und gingen, angeregt miteinander plaudernd wie freie Menschen, durch die von ihnen gereinigten *calli* zum Gefängnis zurück, wo sie pünktlich zur Essensausgabe eintrafen.

Um zwei kam die Sonne hinter halbherzigen Wolken hervor und bombardierte die Stadt mit Licht. Guido Brunetti, Commissario di Polizia, war bereits entschlossen, an diesem Nachmittag nicht mehr zur Arbeit zu gehen, und wollte stattdessen mit der Lektüre von Artemidors *Traumdeutung* beginnen. Zu diesem Behuf bemächtigte er sich des Arbeitszimmers seiner Frau, Paola Falier, Professorin für Englische Literatur an der Universität Ca' Foscari, beschlagnahmte ihr Sofa und arrangierte die Kissen so, dass die Sonne auf die Seiten seiner Neuanschaffung schien. Sodann streckte er sich lang aus, nahm seine Lesebrille aus dem Etui und schlug das Buch auf.

Ein Traum, heute nicht mehr zur Arbeit zu müssen, dachte er, und das brachte ihn auf die Idee, Artemidor über Träume zu befragen, in denen Schnee vorkam. Er hatte gerade angefangen, die Passage zu lesen, als die angestammte Besitzerin des Zimmers eintrat und bei seinem Anblick

kühn ans Ende des Sofas schritt, seine übereinanderge-
schlagenen Füße anhob, darunter schlüpfte und das Buch
aufschlug, das sie selbst mitgebracht hatte.

»Möchtest du wissen, was Artemidor über Schnee zu
sagen hat?«

Seufzend legte sie ihr Buch mit dem Gesicht nach unten
auf seine Beine. »Na los, sag schon.«

»›… Manchen prophezeit Schnee, dass sie in ihren
Unterfangen stecken bleiben …‹«

»Passt eigentlich ganz gut auf deine Freundin Elisabetta«, sagte Paola.

»Sie ist nicht meine Freundin«, erwiderte Brunetti. »Und
war es auch nie.« So hitzig, dass sie beide erschraken.

»Deine ehemalige Freundin Elisabetta«, berichtigte
Paola.

Brunetti nahm das Buch, las den Satz noch einmal und
ließ es wieder sinken. »Eigentlich passt es auf sie alle, die
armen Teufel.«

»›Arme Teufel‹?«, fragte Paola.

»Fast alle«, sagte er. »Bis auf die heimtückische Signora
Bagnoli.« Er blickte auf. »Nicht einmal Signorina Elettra
findet eine Spur von ihr.« Paola zog die Augenbrauen hoch,
und er fügte hinzu: »Die Guardia di Finanza würde gern
ein Wörtchen mit ihr reden.«

»Was dir nie gelungen ist«, bemerkte Paola.

»Ja, das stimmt. Wie so viele Schurken hat sie es geschafft, spurlos zu verschwinden.«

»Unsichtbar, unberührbar, einfach weg«, sagte Paola.

»Aber sie hat Beweise dafür zurückgelassen, was sie
ist.«

»Was ist sie denn?«

»Bereit, alles zu tun und jeden für ihre Ziele zu benutzen.«

»Und die wären?«, fragte Paola.

»Geld und Vergnügen.«

»Normalerweise ist es Geld und Macht.«

»In ihrem Fall ist es Vergnügen, je teurer desto besser.«

»Wird man ihr etwas nachweisen können?«

Brunetti legte das Buch auf den Boden und faltete die Hände auf der Brust. »Weiß der Himmel.«

»Hat sie hinter dem Schwindel gesteckt?«

»Das lässt sich nicht sagen.«

»Was?«

»Dass es ein Schwindel war.«

»Wie meinst du das: ›Das lässt sich nicht sagen‹?«

»Die Guardia di Finanza hat ihr Konto und das von Belize nel Cuore gesperrt, muss aber erst noch Beweise für eine Straftat finden.«

»Aber wurden denn nicht Hunderttausende Euro nach Belize überwiesen?«

Brunetti ruckelte sich auf dem Sofa zurecht, bis sein Kopf bequem auf den Kissen lag. »Für die das Krankenhaus äußerst glaubhafte Belege eingereicht hat, aus denen hervorgeht, wofür das Geld ausgegeben wurde. Quittungen von Bauunternehmen und Fachgeschäften für medizinische Geräte sowie Lohnabrechnungen für vier Mitarbeiter. Jeder Euro ist belegt.«

»Und ihre Reisen mit Signor del Balzo?«

»Niemand kommt ins Gefängnis, weil er kostspielige Reisen unternimmt, meine Liebe.« Er kam Paolas Einwand zuvor: »Auch wenn die Reisen vom Krankenhaus bezahlt werden.«

»Ihr passiert also nichts?«, fragte Paola ernüchtert.

»Sehr unwahrscheinlich, dass es dazu kommt, zumindest vor Gericht. Sämtliche Dokumente, Briefe und Mails, die den zahlreichen Spendern geschickt wurden, tragen die Unterschrift von Signor del Balzo oder, in einigen Fällen, von Vizeadmiral Fullin.« Er sah über seine Füße hinweg zu ihr hin. »Nichts trägt ihre Unterschrift. Und sie war ja auch nur eine Angestellte ohne Entscheidungsbefugnisse.« Aufbrausend wiederholte er: »Nichts, absolut nichts.« Dann wieder ruhig, meinte er: »Fenzo hatte recht, ihr zu misstrauen.«

»Und die anderen?«

»Interessiert dich das wirklich?«

»Fang bitte bei deiner Fr… deiner ehemaligen Freundin Elisabetta an.«

»Sie hat nichts Strafbares getan, Paola. Sie hat mich nur gebeten herauszufinden, ob ihr Schwiegersohn Grund hatte, sich Sorgen zu machen.«

»Und was ist mit dem Einbruch in die Praxis ihrer Tochter? Wobei sie den Hund verletzt hat? Ist das nicht strafbar, um Himmels willen?«

»Leider ist die einzige Zeugin fast achtzig und hatte ihre Brille nicht auf, als sie in der Nacht des Einbruchs jemanden vor der Praxis beobachtete, den sie für eine Frau hielt.«

Paola schloss die Augen und schüttelte den Kopf. »Hat Elisabetta dir nicht erzählt, dass sie es getan hat?«

»Nicht bei einer offiziellen Vernehmung in der Questura,

nichts wurde aufgezeichnet, nichts wurde unterschrieben.«
Brunettis Ton entfernte sich immer mehr von der Ironie,
mit der er sich geschützt hatte.

»Aber sie hat es doch getan«, beharrte Paola.

Es ist schwierig, im Liegen die Schultern zu zucken, aber
Brunetti gelang es. »Paola, Zeugen sind unzuverlässig. Das
ist eins der ersten Dinge, die man uns als Polizisten einge-
schärft hat – und ich vermute, deine Professoren haben es
auch dir beigebracht. Leute wiederholen verdrehte Versio-
nen dessen, was sie gehört oder gesehen haben; von stich-
haltigen Aussagen kann keine Rede sein.«

Unwillkürlich schnappte sie mit beiden Händen nach
seinem linken Knöchel und hielt ihn umklammert, um seinen Rüffel erst einmal zu verdauen. Schließlich ließ sie los
und fragte nicht mehr so aufgeregt: »Und das Geld, das del
Balzo außer Landes geschafft hat, damit die vermeintlich so
edlen Spender es nicht versteuern müssen?«

»Glaubst du im Ernst, wenn es Belege gibt, wo und
wofür ihr Geld verwendet wurde, dass sie dann sagen, in
Tat und Wahrheit hätten sie Steuern umgehen wollen?« Er
konnte sich nicht bremsen: »Also wirklich, Paola.«

»Und del Balzo? Er hat das alles eingefädelt.«

»Was du den Schwindel nennst, hat er nicht eingefädelt.
Er hat nur die Stiftung gegründet. Und sich von Signora
Bagnolis üppigen Reizen fesseln lassen. Vergiss nicht, dass
die Großspenden aus Brescia erst einzutrudeln begannen,
nachdem sie als Beraterin der Stiftung angefangen hatte.
Bis dahin kamen nur kleine Beträge für ein kleines Krankenhaus in Belize – von einfachen Leuten, die Gutes tun
wollten.«

»Das glaubst du?«

»Ja. Im Übrigen wird er niemals für irgendetwas zur Verantwortung gezogen werden. Wahrscheinlich wird er das Krankenhaus bis an sein Lebensende nicht mehr verlassen, und ich kann ihm nur wünschen, dass es schnell geht.« Brunettis Stimme klang plötzlich belegt, wie immer, wenn er mit seinen Gefühlen rang. »Und Elisabetta wird ihn Tag um Tag besuchen und dafür sorgen, dass die Schwestern ihn sauber halten, und in der Hoffnung mit ihm reden, dass er eines Tages aufblickt und auch nur ein Wort zu ihr sagt.« Er ließ das wirken und meinte dann voller Abscheu für diese zerstörerische Frau, diese dumme, zerstörerische Frau: »Das kommt einer lebenslänglichen Verurteilung gleich. Darum: ›arme Teufel‹.«

Paola kannte ihn gut genug und ließ ausreichend Zeit verstreichen, ehe sie behutsam fragte: »Und der Vizeadmiral?«

»Ich habe vor einer Woche mit seinem Enkel gesprochen. Fullins Zustand ist unverändert: Er kommt und geht.«

»Ah«, machte sie.

Er hob dozierend die Hand. »Fullin ist über achtzig. Ausgeschlossen, dass er ins Gefängnis kommt, selbst wenn er del Balzo vorsätzlich verletzt hätte. Im Übrigen ist seine Krankheit ohnedies eine Form von Hausarrest.« Er dachte kurz nach. »Sein Enkel hat es gesehen. Fullin hat del Balzo nicht mit Absicht verletzt.«

»Und die Tochter?«, fragte Paola.

»Ah«, seufzte Brunetti. »Immerhin hat sie es geschafft, sich loszureißen. Sie und ihr Mann sind nach Trient gezogen, wo sie mit einer Freundin von der Uni arbeitet.« Er sah zu Paola und wackelte mit den Zehen. »Wie ich höre, hat sie ihren Hund mit dem wehen Ohr mitgenommen.«

»Happy End?«, fragte Paola lächelnd.

»Na ja, wenigstens für diese drei«, sagte Brunetti und schloss die Augen.

Paola warf ihr Buch neben seins auf den Boden, hob seine Beine hoch und stand auf.

»Möchtest du etwas trinken, Guido?«

Er drehte sich zum Fenster und sah nach dem Schnee auf den Dächern, der die besorgten Stimmen der Städter zum Schweigen brachte.

»Ja, bitte.«

»Was hättest du gern?«

Er wies zum Fenster hinaus auf den Schnee. »Heiße Schokolade wäre jetzt wohl das Richtige. Wir könnten sie auf der Terrasse trinken, im Schnee.«

»Wie klug du bist, Guido«, sagte sie und wandte sich zur Küche.

Brunetti sagte zu ihrem entschwindenden Rücken: »Ich weiß nicht, ob ich klug bin, meine Liebe, aber ich bin stets der Seite treu, für die ich kämpfe.«

Mit Brunetti
durchs Leben
Brevier für nachdenkliche Optimisten

Diogenes

Herausgegeben von Gabriella Gamberini Zimmermann
400 Seiten
Auch erhältlich als eBook

Warum lieben Leser allerorten Brunetti wie einen Freund, mit dem man durch dick und dünn gegangen ist? Wohl weil er ebenso Philosoph ist wie Polizist. Unermüdlich versucht er seine Mitmenschen zu verstehen. Als Italiener, Genießer und Familienmensch glaubt er an das gute Leben, trotz aller Widernisse und Schurken um uns her. Dieses Buch versammelt die besten Gedanken des bekanntesten, klügsten und sympathischsten Commissario: ein Abc der Lebenskunst.

Donna Leon
Flüchtiges Begehren
Commissario Brunettis
dreißigster Fall

Roman · Diogenes

Aus dem Amerikanischen von Werner Schmitz
320 Seiten
Auch erhältlich als eBook, Hörbuch und Hörbuch-Download

Samstagabend auf dem Campo Santa Margherita. Nach einem Drink lassen sich zwei Touristinnen von ein paar Einheimischen zu einer Spritztour in die Lagune verführen. In der Dunkelheit rammt das Boot einen Pfahl, und die Amerikanerinnen enden bewusstlos auf dem Steg des Ospedale. Warum alarmierten ihre Begleiter nicht die Notaufnahme, wenn alles nur ein Unfall war? Je hartnäckiger Brunetti ermittelt, desto näher kommt er einem Monstrum, vor dem sich selbst die Mafia fürchtet.

Krimi
Aus dem Amerikanischen von Werner Schmitz
320 Seiten
Auch erhältlich als eBook, Hörbuch und Hörbuch-Download

Als Vittorio Fadalto in einer Sommernacht auf dem Rückweg von der Arbeit mit dem Motorrad verunglückt, glauben alle an einen Unfall. Nur nicht seine Frau, die Brunetti um Hilfe bittet. Wollte tatsächlich jemand Fadalto etwas Böses? Oder sind das nur Hirngespinste seiner schwerkranken Frau? Brunetti braucht all seine Intuition – und enthüllt schließlich ein Verbrechen größeren Ausmaßes mit Folgen für die Gewässer des ganzen Veneto.